U0877020

智能制造关键技术
与工业应用丛书

工业数字孪生系统建模与应用

Modeling and Application of Industrial Digital Twin Systems

蒋增强　马　靖　王　强　等著

化学工业出版社
·北京·

内 容 简 介

在新一轮产业变革背景下，随着制造环境不确定性的日益凸显，贯穿生产系统多运行阶段的快速响应能力提升得到了更多关注。本书聚焦数字孪生技术在智能工厂中的核心作用，针对不确定制造环境下贯穿生产系统多生命周期阶段快速响应能力提升需求，研究并介绍一种面向柔性生产系统多生命周期阶段数字孪生集成建模技术及典型应用，重点围绕集成建模架构下的几何建模、行为建模、流程建模、人机交互建模、虚实映射技术以及生产流程优化、生产过程实时监控等典型阶段的应用展开详细介绍，构建了从体系框架到工程落地的完整体系。

本书兼具体系完整性与工程实用性，能够为数字孪生在生产系统多生命周期阶段的集成建模与应用提供体系框架与工程落地方法，可供从事智能制造类的工程技术人员、管理人员参考，亦可作为高等院校智能制造工程、工业互联网工程、机械制造及其自动化等专业的教学用书。

图书在版编目（CIP）数据

工业数字孪生系统建模与应用 / 蒋增强等著. 北京：化学工业出版社，2025. 11. --（智能制造关键技术与工业应用丛书）. -- ISBN 978-7-122-49078-0

Ⅰ. F402

中国国家版本馆 CIP 数据核字第 2025BN0800 号

责任编辑：张海丽　　文字编辑：郑云海

责任校对：张茜越　　装帧设计：王晓宇

出版发行：化学工业出版社

（北京市东城区青年湖南街 13 号　邮政编码 100011）

印　　装：北京云浩印刷有限责任公司

710mm×1000mm　1/16　印张 15¾　字数 298 千字

2026 年 1 月北京第 1 版第 1 次印刷

购书咨询：010-64518888　　售后服务：010-64518899

网　　址：http：//www. cip. com. cn

凡购买本书，如有缺损质量问题，本社销售中心负责调换。

定　　价：108.00 元

前言

随着全球工业化进程的加速和信息技术的飞速发展，制造业正面临着前所未有的机遇与挑战。在数字化、网络化、智能化成为时代主旋律的今天，企业亟须借助先进技术实现提质降本增效与高质量发展。数字孪生作为工业 4.0 时代信息物理融合的关键技术，发展至今经历了意识萌芽、概念具象、探索应用和拓展推广等多个阶段，目前已经集成了三维建模、计算机仿真、物联网、大数据、云计算、边缘计算、人工智能等关键技术，能够逐步构建更加高保真的数字孪生模型，进而实现对物理实体的协同仿真、实时管控、精准决策与诊断预测。数字孪生作为新兴技术，正在为工业领域的转型升级提供关键技术支撑。

近年来，随着各类新型信息技术的发展，数字孪生理论和技术也在不断丰富和完善。数字孪生在生产系统多运行阶段得到了快速应用，其中以仿真和监控用途为主的研究与应用最为广泛。但现有研究与应用侧重单运行阶段的应用，无法满足不确定制造环境下生产系统多运行阶段联动的快速响应能力提升需求。因此，有必要介绍一种面向柔性生产系统多运行阶段集成的数字孪生系统，探索数字孪生技术在提高不确定制造环境下生产系统多运行阶段快速响应能力方面的应用模式，丰富数字孪生在生产系统多生命周期阶段的集成应用案例，为相关从业人员及师生提供学习参考与借鉴。

本书分为 10 章。第 1 章主要对数字孪生的发展历程与发展趋势、成熟度、关键技术、主要应用领域与场景等进行概述。第 2 章主要介绍工业数字孪生参考框架与关键技术，为后续本书重点研究方向的架构设计提供参考依据。第 3 章主要基于生产系统生命周期阶段概念与通用参考框架的引入，基于示范场景构建了面向生产系统多生命周期阶段的数字孪生系统详细架构。在整体系统架构下，第 4~8 章主要围绕架构中数字孪生模型层包含的几何模型、行为模型、生产流程模型、人机交互模型和虚实映射展开详细介绍。其中，行为建模和生产流程建模是数字孪生模型中的重要建模技术，也是核心章节；第 4 章主要围绕架构中数字孪生模型层的几何模型建模展开介绍，主要从数字孪生对几何模型建模的需求角度介绍生产要素的几何建模方法、流程、工具与模型优化方法；在构建几何模型的基础上，第 5 章主要围绕生产要素的行为模型建模展开介绍，主要介绍几何模型的行为动态特性如何建模；第 6 章在生产要素几何和行为模型构建的基础上，依据生产流程，对具备几何和行为特性的生产要素进行工作流建模，形成模拟生产运行流程；第 7 章主要从孪生模型运行过程中需要反馈给决策人员信息的角度进行人机交互建模方法介绍；虚实通信与映射是驱动数字孪生运行的原动力，第 8 章主要从虚实映射的角度介绍物理场景与虚拟数字孪生之间的虚实通信与映射。在几何、行为、流程、人机交互、虚实映射的基础上，第 9 章主要介绍集成建模在生产系统多生命周期阶段的应用；第 10 章主要从监控、仿真与优化、虚拟调试、健康诊断、预测维护与运行决策等数字孪生多生命周期阶段的角度介绍产业前沿研究与发展。

本书由蒋增强、马靖、王强、李琦、耿雪菲、刘涛、鄂明成等长期深耕产业数智化转型领域的专家合作撰写。其中，第 1 章主要由蒋增强、李琦、鄂明成撰写；第 2 章主要由王强、刘涛、耿雪菲撰写；第 3 章主要由马靖、耿雪菲、刘涛撰写；第 4~8 章主要由蒋增强、马靖、王强撰写；第 9 章主要由马靖、孙佳怡撰写；第 10 章主要由李琦、鄂明成、刘涛撰写。值得说明的是，本书在撰写过程中结合了各位作者在工程实践中的大量实施经验，并吸纳了行业内研究机构与专家学者的研究成果。在此，向有关研究机构、专家学者表示感谢，并对未能注明出处资料的原作者表示歉意。

感谢北京交通大学机械与电子控制工程学院在工业工程国家级专业一流专业建设及教学改革方面的大力支持。感谢大技狮（北京）科技有限公司、美云智数科技有限公司、天津德铝智能装备制造有限公司等企业长期以来与本书作者在企业数智化转型领域的交流与项目合作，为本书整体体系框架的构建与实施方法的完善提供了丰富的实施经验与实践支撑。

感谢北京交通大学机械与电子控制工程学院智能制造与系统优化研究团队（CIMSO）的全体老师以及研究生孙佳怡、宋思蒙、曹帅航、许善坤、石少杰、王品喆、欧加春、李畅、汪旭、魏孜恒、汪鹏搏、田圆在资料搜集、内容梳理与书稿校查等方面的支持。

工业数字孪生系统建模与应用的知识体系庞大，由于撰写时间仓促以及作者水平有限，书中难免会出现一些不足之处，恳请读者批评指正。同时，由于篇幅限制，部分内容没有详细展开。

著者

2025 年 6 月

目录

1 数字孪生概述

人类社会进入 21 世纪，虽然在金融危机、新冠疫情的影响下出现过低谷期，但全球经济与生产力依然保持增长势头。新的历史时期，人类社会的发展呈现出全球化、老龄化、城市化等趋势，同时，也面临着全球竞争激烈化、产品生命周期缩短、市场需求多元化、成本上升、环境恶化与能源浪费等巨大挑战。开顶风船、行逆水舟，机遇往往与挑战并存，在科学技术日新月异的今天，新兴技术为新一轮产业革命带来了新的可能性与动力。

数字孪生（Digital Twin，DT）是推动新一轮产业革命的关键技术之一，它不仅是一项新兴技术，更是一种思维方法，提供了一种理解和模拟现实世界的全新方式。通过数字孪生，构建与物理系统一一映射的虚拟数字模型，从而实现针对物理系统的协同仿真、分析决策与诊断预测。习近平总书记指出，世界经济数字化转型是大势所趋。数字化、网络化和智能化已经成为新一轮产业革命的主要方向。数字孪生技术作为推动实现企业数字化转型、促进数字经济发展的重要抓手，已经建立了普遍适用的理论技术体系。基于其互操作性、可拓展性、实时性、保真性与闭环性等自身特点，数字孪生技术可向制造企业提供数字化转型的能力支撑，包括异构数据智能融合、企业生产调度智能优化、产品设计智能协同、生产流程智能监控与生产物流智能配送等方面。

（1）支撑异构数据智能融合

利用数字孪生，发掘企业异构数据潜力、释放工业多维数据动能。传统企业信息化偏重垂直、子系统建设相互孤立，数据不互通，业务难融合，面临着服务体验差、综合安防弱、运营效率低、管理成本高、业务创新难等痛点。数字孪生侧重物理实体在数据世界的重现、分析、决策，基于全域数据与算法模型，可以高效地将企业中的管理、生产、运维、决策等数据智能融合，形成互相关联、有机统一的整体。

（2）支撑企业生产调度智能优化

利用数字孪生，实现企业生产调度智能优化、灵活应对市场变化。传统企业通常依赖人员手动调度排程，往往不能快速适应生产环境的变化，导致调度决策的不准确和低效率。数字孪生通过调度状态解析、调度方案调整、调度决策评估，形成虚实响应、迭代优化的新型调度机制，快速确定异常范围，实现生产调度智能优化。

(3) 支撑产品设计智能协同

利用数字孪生，缩短产品研发周期、模拟产品研发流程。传统企业在产品设计时更加倾向于内部驱动，依赖庞大的组织结构和烦琐的决策程序，导致产品设计过程缺乏灵活性。数字孪生通过已有物理产品与虚拟产品的协同作用，不断挖掘产生新颖、独特、具有价值的产品概念，不断降低产品实际行为与设计期望行为之间的不一致性。利用数字孪生平台作为协同设计的基础，设计团队可以共享和访问虚拟模型，进行实时协同编辑和反馈，以便快速迭代和改进设计。

(4) 支撑生产流程智能监控

利用数字孪生技术，实时监控车间生产全流程、有效分析管理生产过程的各类指标。传统企业往往面临生产设备和生产管控系统无法有效集成、收集和存储生产数据涉及数据安全与隐私、核心生产数据容易泄漏等问题。数字孪生通过构建生产作业现场的虚拟数字模型，实现工厂、车间、产线、设备的多级三维可视化高保真监控，同时，集成现场生产数据，监测生产活动各项指标，生成可视化分析报告，有助于对生产流程进行实时调整。

(5) 支撑生产物流智能配送

利用数字孪生，降低物流资源匹配成本、提升企业配送网络柔性。传统企业在面临庞大的供应链和物流网络时，可能受到传统组织结构和决策流程的制约，难以灵活应对市场变化，需要高效管理和协调。数字孪生通过物理实体与虚拟模型的真实映射、实时交互、闭环控制，实现生产物流的任务组合优化、运输路径规划、运输过程控制。

随着数字孪生技术的发展不断成熟，企业对数字孪生的认知更加清晰，数字孪生将为企业数字化转型带来更高的应用价值。

1.1 数字孪生发展

1.1.1 数字孪生的起源与发展

关于数字孪生的起源，业内有两种不同的观点。一种观点认为，数字孪生最早的概念起源于 NASA（美国宇航局）阿波罗计划。为了验证航天器的工程设计和结构、保障航天器的性能以及在不同环境和条件下的响应和适应能力，NASA的科学家们最初采用了物理孪生的方法，完全复制了实际航天器的物理孪生体。随着信息技术的发展，NASA的科学家们意识到数字孪生体比物理孪生体更加灵活高效。数字孪生可以通过计算机模型和仿真技术更灵活地模拟系统的行为、更好地集成各种数据源，利用先进的数据分析技术、提供实时的更新和反馈，无须依赖物理模型，从而降低测试物理孪生体带来的成本和风险。另一种观点认为，美国密歇根大学的迈克尔·格里夫斯（Michael Grieves）教授于2002年首次提出了数字孪生的概念，并于2003年在美国制造工程协会管理论坛上提出了基于真实空间和虚拟空间交互的产品生命周期管理（Product Life cycle Management，PLM）设想，而后被称为“镜像空间模型”“信息镜像模型”。

结合其行业应用研究，梳理数字孪生整体发展历程，可将其大致分为意识萌芽、概念具象、探索应用以及拓展推广四个阶段，如图1-1所示。

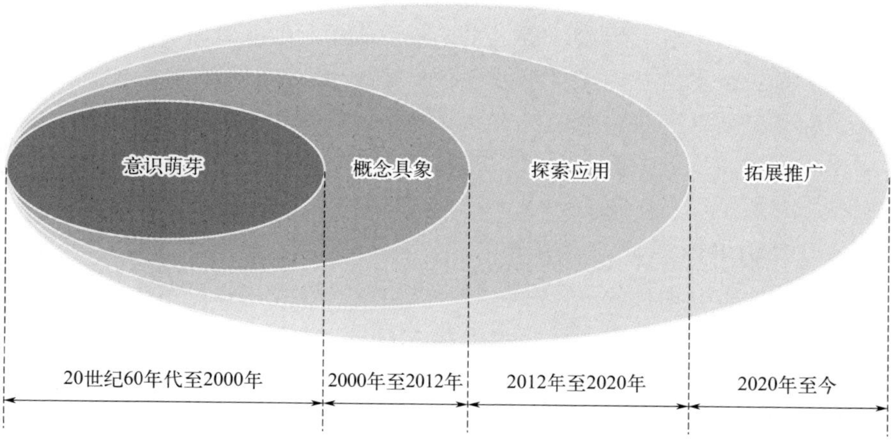

图1-1 数字孪生概念发展

（1）意识萌芽阶段（20世纪60年代至2000年）

数字孪生的概念在该阶段并没有被明确定义。在NASA的阿波罗计划中，“孪生体”的概念首次出现，依赖实际物理模型的“物理孪生体”已经广泛应用于测试航天器的性能和行为。随着测试和实验不断进行，数字孪生的意识开始萌芽，面向虚拟空间的“数字孪生体”逐渐替代指向物理空间的“物理孪生体”。同时，计算机科学和信息技术领域在该阶段取得许多重要的进展，例如互联网的发展及人工智能的研究，为数字孪生的发展奠定了基础。

（2）概念具象阶段（2000年至2012年）

数字孪生的概念最早出现在航天航空领域，得益于计算技术、软件工具、数据采集技术和跨学科合作等多个方面的进步，人们对数字孪生相关内涵的认知逐步加深，数字孪生的概念逐渐具象化。密歇根大学的迈克尔·格里夫斯教授于2002年提出了数字孪生的概念，并于2003年在美国制造工程协会管理论坛上提出了基于真实空间和虚拟空间交互的产品生命周期管理（Product Life cycle Management，PLM）设想，而后被称为“镜像空间模型”“信息镜像模型”。2009年，美国空军实验室提出“机身数字孪生（Airframe Digital Twin，ADT）”，应用于航空航天制造领域。2010年，NASA在其技术发展路线图草案和可持续的空间探索提案中明确定义了数字孪生的概念，同时提出，数字孪生是问题驱动的，用于解决未来所要面临的全新的、现有方法解决不了的复杂问题。迈克尔·格里夫斯教授随后综合之前提出的多个概念，将其统称为“数字孪生”。至此，数字孪生开始出现在人们的视野中，关于其技术应用的探索研究也与日俱增。

(3) 探索应用阶段（2012年至2020年）

数字孪生从航天航空领域的概念化扩展至工业制造领域的实例化。多个国家开展了数字孪生技术研发、产业应用等一系列研究与实践活动。2013年，美国空军发布的《全球地平线：全球科技愿景》顶层科技规划文件中，将数字总线和数字孪生并列视为“改变游戏规则”的颠覆性机遇。同年，制造业出现了关于数字孪生应用的研究工作。2017年，陶飞教授提出了数字孪生五维模型，定义了数字孪生的总体架构和各个组成部分，为数字孪生的落地和实现提供了参考。2017年至2019年，世界权威信息技术研究咨询公司Gartner连续3年将数字孪生列为未来十大战略性技术之一，指出在未来将会出现数以亿计的数字孪生，它们将被企业用于产品设计、生产制造、经营工厂、故障预测和运行维护等方面。数字孪生的理论与应用体系初步建立。

(4) 拓展推广阶段（2020年至今）

2020年，我国工业和信息化部发布《数字孪生应用白皮书》，定义了数字孪生的定义、特征、主要功能、系统框架以及应用场景，为数字孪生的建设和应用提供指导和支撑。2021年，制造业数字孪生标准体系ISO 23247提出，涵盖数字孪生的总体概述、数字孪生参考架构、制造元素的数字化表示以及信息交互方法四个部分，对制造业数字孪生的构建标准进行了定义。数字孪生作为关键技术进入公众视野，同时，数字孪生的开发与应用上升至我国国家战略规划层面，数字孪生从工业制造应用场景释放至一个更广阔的多学科交叉领域之中，推动数字孪生走向一个新的拓展推广阶段。

总而言之，数字孪生作为一种革命性技术，已经从最初的概念发展成为一个多领域应用的现实。我们可以预见，未来，数字孪生将在智能制造、健康管理、城市规划等更多领域发挥着越来越重要的作用，它不仅代表着技术的前沿，也是我们理解和优化复杂系统的新窗口。

1.1.2 数字孪生的成熟度

综合分析相关文献研究以及相关企业对于数字孪生的应用程度，对数字孪生的成熟度进行梳理，可将其分为以虚仿实、以虚映实、以虚控实、以虚预实、以虚优实、虚实共生六个等级，围绕数字孪生的成熟度模型，其应用大致包括虚拟仿真、虚实同步、诊断评估、智能决策四个维度，如图 1-2 所示。

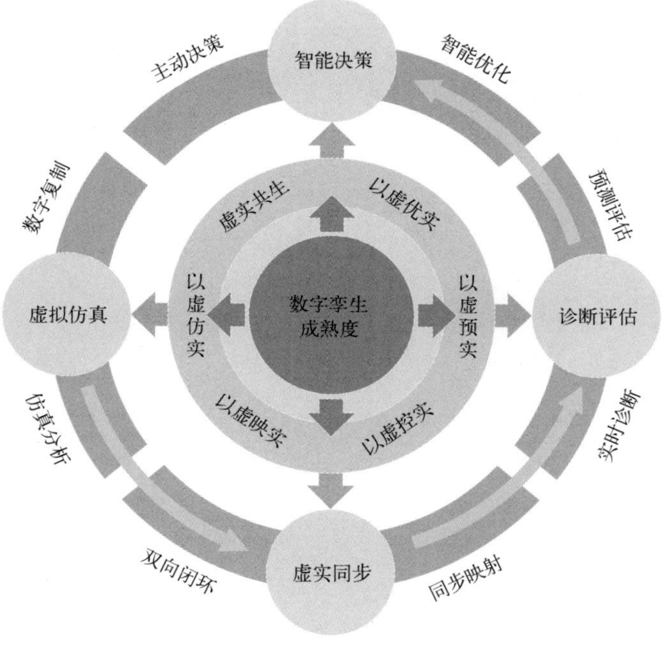

图 1-2 数字孪生成熟度

(1) 应用维度一：虚拟仿真

虚拟仿真要求数字孪生具备"以虚仿实"的成熟度等级。处于该成熟度等级的数字孪生利用数字孪生体对物理实体多个维度的属性和特征进行描述，从而代替物理实体在一定程度上进行仿真分析，帮助人们更好地理解和应对各种情境。

(2) 应用维度二：虚实同步

虚实同步要求数字孪生具备"以虚映实"与"以虚控实"的成熟度等级。处于该成熟度等级的数字孪生，在"虚拟仿真"的应用维度基础上，利用数字孪生体实时映射物理实体的状态变化过程，间接控制物理实体运行过程，数字孪生体由物理实体的实时数据驱动，同步映射物理实体运行状态变化，同时，构建由数字孪生体到物理实体的数据传输通道，实现虚实双向闭环的实时交互。

（3）应用维度三：诊断评估

诊断评估要求数字孪生具备“以虚预实”的成熟度等级。处于该成熟度等级的数字孪生，在“虚拟仿真”“虚实同步”的应用维度基础上，利用传感器和连接设备实时监测制造过程中的各种参数，通过数字孪生体预测物理实体未来一段时间的运行状态变化，从而识别整个生产流程可能存在的异常，提前预测潜在风险，采取相应措施进行诊断评估。

（4）应用维度四：智能决策

智能决策要求数字孪生具备“以虚优实”与“虚实共生”的成熟度等级。处于该成熟度等级的数字孪生，在“虚拟仿真”“虚实同步”与“诊断评估”的应用维度基础上，利用策略、算法等前期积累沉淀的知识，基于实时双向交互机制，实现数字孪生体对物理实体的智能管控，在物理实体和数字孪生体长时间同步运行过程中，实现全生命周期的智能决策和优化。

1.1.3 数字孪生的特征

不同应用维度下的数字孪生，以及数字孪生在生命周期中不同阶段都具有不同的特征。对数字孪生在“虚拟仿真”“虚实同步”“诊断评估”以及“智能决策”四个应用维度中呈现的特征进行梳理，总结出数字孪生具有七个典型特征：集成性、互操作性、保真性、可重构性、实时性、可扩展性和闭环性，如图 1-3 所示。

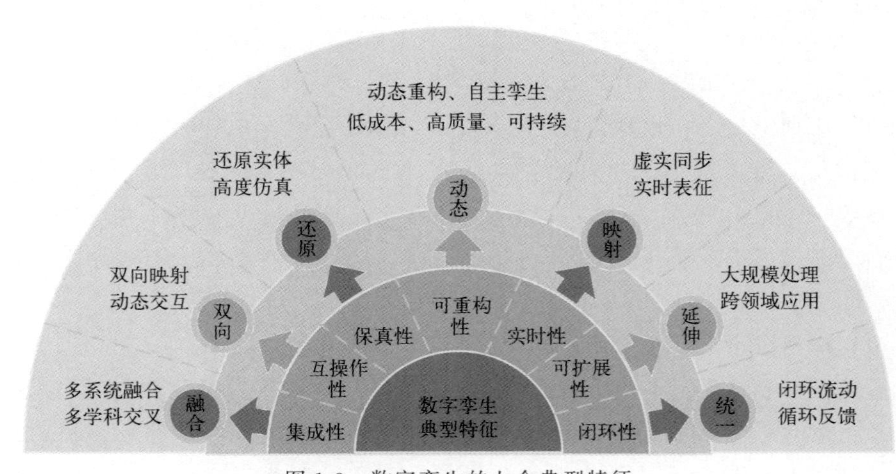

图 1-3　数字孪生的七个典型特征

（1）集成性

数字孪生的集成性指多系统融合、多学科交叉、多领域应用、多维度模型集成。数字孪生的发展与应用依托于云计算、大数据、人工智能等数据储存处理技术和5G通信、区块链等通信传输技术以及计算机仿真、XR等信息物理融合技术的成熟，工业生产系统数字孪生往往还集成了制造执行系统（Manufacturing Execution System，MES）、企业资源计划（Enterprise Resource Planning，ERP）、产品全生命周期管理（Product Lifecycle Management，PLM）等工业软件系统，广泛应用于工业领域各个环节，与业务流程、工业产品、工业设备等密切结合。

（2）互操作性

数字孪生的互操作性指物理实体和数字孪生体之间能够实现双向映射、动态交互和实时连接。数字孪生具备以复杂的数字孪生体映射物理实体的能力，使得数字孪生体能够在不同系统中实现相互交换、合并、理解和应用。

（3）保真性

数字孪生的保真性指数字孪生体能够准确、真实地反映实际系统的特性和行为的程度，这包括数字孪生体对物理实体映射的精确性、可信度和准确性。在开发数字孪生系统时，需要综合考虑模型的精度、数据的真实性和系统的复杂性，以确保数字孪生能够成为可靠的决策支持和优化工具。

（4）可重构性

数字孪生的可重构性指利用数据采集、数据融合、仿真预测等技术，使物理实体和数字孪生体在长时间的同步映射过程中，甚至在全生命周期中通过动态重构实现自主孪生。数字孪生的可重构性可以提高其诊断评估预测、智能决策优化等功能的有效性和可靠性，实现低成本、高质量、可持续的数字孪生。

（5）实时性

数字孪生的实时性指数字孪生体能够在映射过程中即时地反映物理实体的变化和状态。这要求数字孪生系统应该能够在接收新的数据或事件时迅速更新模型，以保持与物理实体的同步。数字孪生的实时性能够提供更迅速、准确的决策支持，帮助物理实体更好地应对物理环境发生的变化。

（6）可扩展性

数字孪生的可扩展性指数字孪生体能够轻松地进行扩展，以适应更大规模、更复杂或不断增长的系统和应用需求的能力。随着系统规模的增加，数字孪生系统需要具备足够的数据处理能力，以有效地管理和分析更大量级的数据。数字孪生的可扩展性能够使其适应不断演进的应用场景，从而更好地服务于其用户和应用领域。

(7) 闭环性

数字孪生中的闭环性指数字孪生体能够在模拟、监测、控制和优化等多个环节形成一个封闭循环，以实现系统的全面管理和改进。闭环性强调信息的持续循环流动，包括从数字孪生体到物理实体的指导性控制，基于物理实体与数字孪生体之间的双向动态交互与信息同步，形成一个动态的反馈循环。数字孪生的闭环性使得系统能够更加智能、自适应，并能够在实时或近实时情况下应对系统变化。

1.2 数字孪生关键技术

数字孪生作为一项先进的技术，为企业提供了实时模拟、分析和优化的能力，满足现代制造业的需求。其实现依赖于多个关键技术，这些技术共同构成了数字孪生系统的基础。聚焦工业生产领域，生产系统数字孪生的关键技术如图 1-4 所示。

① 物理实体“人-机-物-环境”互联与共融技术：强调在物理实体中实现互联与共融的多方面技术。一方面是数字孪生与物联网形成紧密的协同关系，通过先进的射频识别、二维码、传感器等数据采集方式，实现对物理世界的全面感知，包括对实体物体身份、位置和状态等信息的准确采集，以及通过有线或无线网络实现对孪生数据的实时、可靠、高效传输，为数字孪生提供了丰富而实时的输入数据，为虚拟模型的更新提供了坚实的基础。另一方面通过在边缘进行实时数据过滤和处理，结合云计算技术，实现云-边数据协同处理，提高数据处理效率和降低时延，确保数字孪生的实时性。

② 虚拟实体建模、仿真运行及验证技术：虚拟模型是数字孪生的核心，利用专业的三维建模软件，对物理实体的几何外形、内部结构等进行全方位建模，生成高精度的三维模型；利用 3R 的沉浸式交互优势，使用户能够从多个视角、以更加直观和真实的方式查看和操作虚拟实体；将仿真技术应用于构建好的虚拟实体上，模拟物理实体在不同工况下的运行状态。

③ 孪生数据构建及管理技术：包括数据清洗、融合、存储和虚实映射。此技术领域解决多类型、多时间尺度、多粒度数据规划与清洗、异构数据融合、数据结构化集群存储、虚实融合与数据协同等问题。通过人工智能的支持，数字孪生系统能够准确、可靠、高保真地构建虚拟模型，同时通过大数据技术处理多来源、多种类、多结构的孪生数据，提升数据的价值和系统的响应能力。

④ 数字孪生运行技术：强调数字孪生系统在运行时实现实时交互、动态调度和优化的关键技术。其中，5G 通信技术的高速率、大容量、低时延和高可靠性为数字孪生提供了理想的数据传输环境，满足虚拟模型与物理实体之间的海量数据低延迟传输、大量设备互联互通等需求，为数字孪生的应用提供更好的支持。

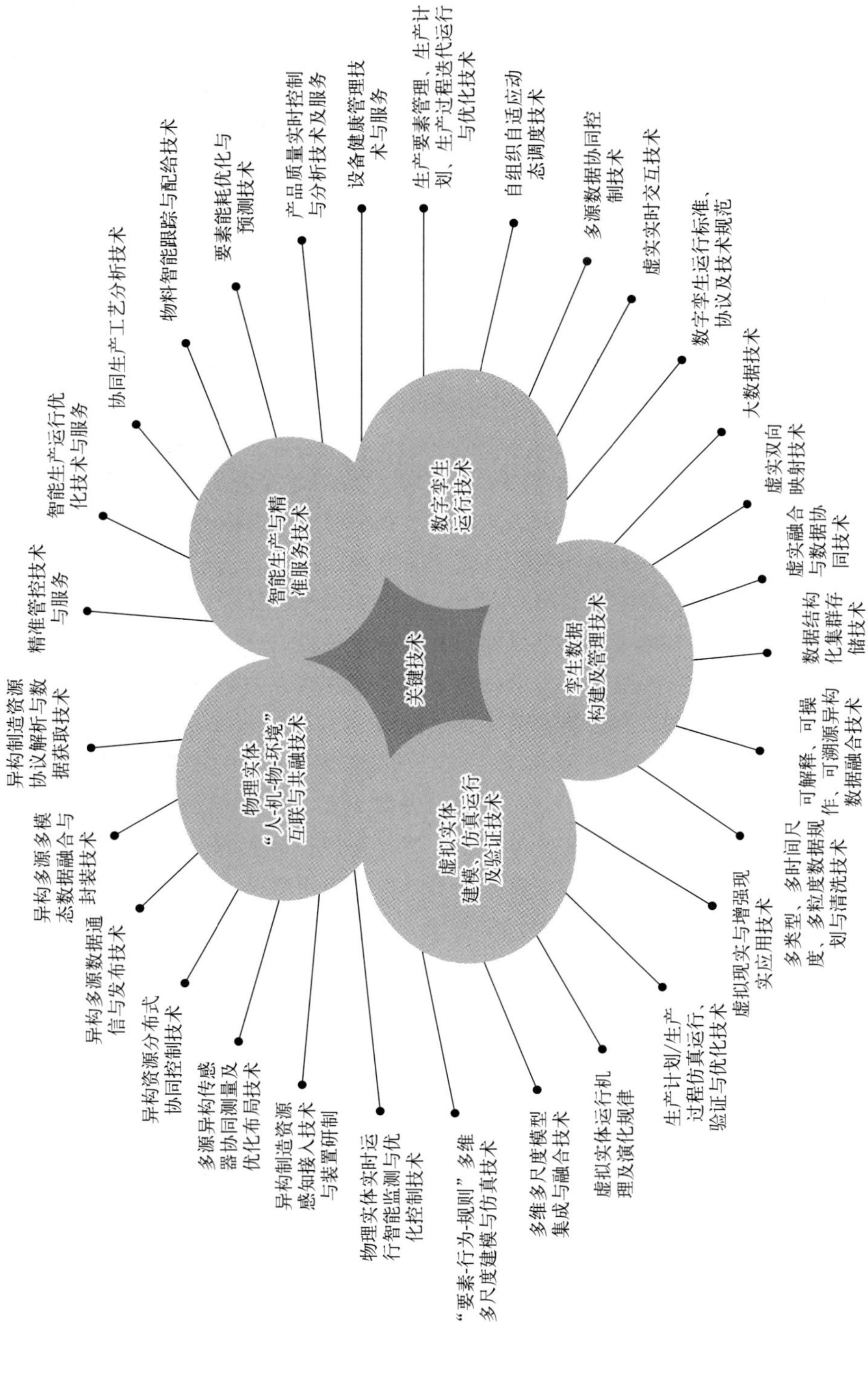

图 1-4 数字孪生关键技术概述

⑤ 智能生产与精准服务技术：包括车间设备健康管理、产品质量实时控制与分析、车间能耗优化及预测、物料智能跟踪与配给、协同生产工艺分析、智能生产运行优化、车间精准管控等。数字孪生系统是实现智能生产和提供精准服务的关键技术。

1.3 工业数字孪生的应用

1.3.1 工业数字孪生的应用对象

数字孪生在工业领域的应用非常广泛，涵盖了从产品设计到工厂管理的多个关键领域，包括四大主要应用对象：产品数字孪生、设备数字孪生、工艺数字孪生和工厂数字孪生。

① 产品数字孪生是工业数字孪生技术的核心：将产品的整个生命周期全面数字化，实现了对设计、制造、测试和维护等方面的全面模拟和评价。在设计和开发阶段，数字孪生技术将设计信息与物理模型相结合，建立了动态、精细、可交互的数字模型，为产品性能和结构等方面提供了可靠的仿真和评估手段；在制造阶段，数字孪生技术则通过数字模型对整个制造过程进行实时仿真和优化，从而提高了生产效率和产品质量；在产品使用和维护阶段，数字孪生技术通过实时监测和远程控制，确保了产品的安全可靠运行。

② 设备数字孪生是数字孪生技术在工业自动化中的关键应用：将生产设备数字化，并建立动态的数学模型，实现了设备的自动化、智能化和信息化管理。通过设备数字孪生技术，实现了设备状态监测、维护和管理的全面优化。预测性维护和故障预警机制的实施提高了设备的可靠性和使用寿命。

③ 工艺数字孪生是数字孪生技术在工业生产中的重要应用：通过将生产流程中的各个环节数字化，并建立动态的数字模型，工艺数字孪生实现了生产过程的可视化和精细化管理。应用于工厂生产线的规划、布局、生产工艺和流程的设计与优化，工艺数字孪生技术实现了生产过程的自动化、智能化和信息化，从而提高了生产效率、质量和安全性。

④ 工厂数字孪生在工业数字孪生中的综合应用：其应用范围涵盖了生产计划调整、设备维护优化、人员调度改进和能耗监控等多个方面。通过数字化技术，模拟和优化整个工厂运作的过程，工厂数字孪生在实时监测市场需求、设备状态和人员活动的基础上，实现了智能的生产计划调整、预测性维护、人员调度优化以及能耗控制，可有效提高生产效率、资源利用率和能源利用效率，推动工业制造向智能化和高效化转型。

1.3.2 工业数字孪生典型应用平台

工业数字孪生技术的运用需要借助各种数字孪生平台，这些平台提供了一套完整的软硬件环境，使得数字孪生模型的构建、管理和优化得以实现，并且与实际生产系统紧密互动。以下是几种典型的工业数字孪生应用平台。

（1）西门子 MindSphere 平台

西门子 MindSphere 平台是一款闭环数字孪生体系软件，专注于产品数字孪生和工厂数字孪生。它为制造业和工业领域提供了全方位的服务，包括产品设计、制造和运营等环节。该平台通过数据连接与采集、数据分析与洞察、应用开发与集成、安全性与合规性等关键功能，支持企业实现数字化转型，提高生产效率、降低成本。

（2）ANSYS Twin Builder

ANSYS Twin Builder 是一款数字孪生解决方案软件，专为产品研发和运维人员设计。它允许建立集成多领域仿真的数字孪生模型，用于优化物理实体的运行策略、实施预测性维护，从而降低生产成本并提升运营水平。该软件提供了系统预测性维护、系统仿真、数据集成、实验设计、可视化与报告等功能。

（3）阿里工业大脑 DTwin 平台

阿里工业大脑 DTwin 是一种一站式低代码的数字孪生构建平台，用于快速构建设备和工厂数字孪生模型。它适用于制造业、能源行业、交通运输等领域，帮助企业提高生产效率、降低运营成本，并增强决策支持能力。该平台提供了数字孪生技术、数据分析和预测、智能决策支持等关键功能。

（4）卡奥斯 D^3OS

卡奥斯 D^3OS 数字孪生平台提供了全生命周期的数字孪生解决方案，涵盖了产品设计、供应链、生产、质量控制等全周期。主要应用于电子、汽车汽配、能源、机械装备等多个行业。该平台提供了数字孪生、分析与优化服务，可实现企业可视化管理、数据管理和预测与优化等关键功能。

（5）美擎（Visual Components）平台

美擎是一款集多种功能于一体的数字化工业仿真平台，用于加速产品研发、减少投资费用、提升制造效率。它适用于新建工厂的产线布局设计、物流规划、价值流分析等场景。该平台提供了 3D 工艺仿真、装配仿真、人机协作、物流仿真、机器人仿真、虚拟调试、数字孪生工厂等多种功能。

综上所述，对西门子 MindSphere 平台、ANSYS Twin Builder、阿里工业大脑 DTwin 平台、卡奥斯 D^3OS、美擎平台从不同维度进行对比分析，总结各平台的相对优势，如表 1-1 所示。

表 1-1　工业数字孪生应用平台对比分析表

平台名称	适用范围	关键功能	优势
西门子 MindSphere	包括产品数字孪生和工厂数字孪生的闭环体系	包括预防性维护、能源管理和资源优化，支持设备监测和数据分析等	强调对生产过程全生命周期的数字化支持，具备丰富的数据分析和洞察功能，注重数据安全和合规性
ANSYS Twin Builder	针对运行状态中的物理实体建立集成多领域仿真的数字孪生模型	包括系统预测性维护、系统仿真、系统内验证和优化、数据集成、实验设计、可视化和报告等	提供强大的模型建立和仿真能力，实现对系统的高保真模拟和优化，适用于多种工程和制造场景
阿里工业大脑 DTwin 平台	支持设备和工厂数字孪生的快速构建	包括数字孪生技术、数据分析和预测、智能决策支持、设备管理和维护优化、能效管理等	提供了全生命周期的数字孪生解决方案，具备丰富的智能决策支持和设备管理功能，可适用于多种行业和应用场景
卡奥斯 D^3OS	提供产品全生命周期数字孪生解决方案，覆盖从产品设计到售后服务的全周期	包括数字孪生、分析与优化、企业可视化管理、数据管理、预测与优化等	提供多样且保真度高的建模技术、丰富的机理模型沉淀、灵活可配按需打造的特点，能够为企业数字化建设和智能决策提供全方位支持
美擎平台	提供数字化工业仿真平台，包括 3D 工艺仿真、装配仿真、人机协作、物流仿真、机器人仿真等功能	主要功能包括产品研发、产线布局设计、物流规划、工艺设计、自动化虚拟调试等	是国内较早的工业级数字化仿真平台之一，具备丰富的功能和模拟场景，适用于多种制造和工程应用场景

工业数字孪生应用平台在制造业和工业领域的应用范围广泛，涵盖了产品设计、生产计划、设备运行、质量控制等方面，为企业提供了强大的工具和技术支持，有助于实现数字化转型并提升竞争力。平台的应用，一是提供数字孪生模型的建模和仿真功能，二是能够与现有的生产系统和企业信息系统进行集成，实现全面的数字化生产管理。通过数据驱动的决策支持和实时的生产监控，帮助企业更好地应对市场变化，优化资源配置，实现生产过程的持续改进和创新。

说明：本书后续章节的数字孪生应用基于美擎平台搭建。

1.3.3　工业数字孪生应用运行场景

数字孪生以数字化的形式在虚拟空间中构建了与物理世界一致的高保真模型，通过与物理世界不间断地进行闭环信息交互反馈与数据融合，能够模拟对象在物理世界中的行为，监控物理世界的变化，反映物理世界的运行状况，评估物理世界的状态，诊断发生的问题，预测未来趋势，乃至优化和改变物理世界。数字孪生能够突破许多物理条件的限制，通过数据和模型双驱动的模拟仿真、实时监控、诊断评估、智能决策，实现服务的持续创新、需求的即时响应和产业的升级优化。基于模型、数据和服务等各方面的优势，数字孪生正在成为提高质量、提高效率、降低成本、减少损失、保障安全、节能减排的关键技术，同时数字孪生应用场景正逐步延伸拓展到更多和更宽广的空间。数字孪生关键应用场景如图 1-5 所示。

工业数字孪生系统的运行涉及深度融合物理与虚拟领域，通过建立密切的虚实连接以实现实时感知与智能决策。系统首先借助物联网技术采集实际工业设备和环境的高频数据，以确保虚拟模型能够准确反映实际状态。实时感知的关键在于提高数字孪生系统对实际数据流的敏感性，通过持续的数据采集和传输来确保虚拟模型的实时性。同时，系统运用人工智能与优化算法等进行智能决策，利用预测性分析和模式识别来优化生产流程，从而提高效率并降低成本。系统还采用同步演化机制，以确保虚拟模型与实际系统同步更新。这一机制通过数据反馈、模型训练和算法优化，实现系统的实时反馈和优化能力。数字孪生应用及原理框架如图 1-6 所示。

1.4 工业数字孪生的发展趋势

在高质量发展的背景下，工业数字孪生技术作为实现工业生产数智化转型的关键驱动力之一，正在经历着快速发展和广泛应用的阶段。本节将从两个主要维度探讨工业数字孪生的发展趋势：产业高质量发展需求驱动和新型信息技术变革推动。

1.4.1 产业高质量发展需求驱动

近些年来，随着国家数字化战略的推进，数字孪生技术得到了广泛的应用和发展，在城市治理、智慧物流、智慧水利、智能制造等领域已成为数字化转型的重要工具。中商产业研究院指出，中国数字孪生解决方案本土市场规模已由 2020 年的 41 亿元跃升至 2024 年的 149 亿元，四年复合增速高达 38.07%，明显高于全球均值。

随着我国经济从高速增长阶段向高质量发展阶段转变，尤其是在以实体经济为支撑的现代化产业体系建设方面的加速推进，工业数字孪生技术被视为重要的发展引擎之一。作为全球最大的工业国，中国拥有庞大的工业产业规模和数字化转型基础，为工业数字孪生技术的推广与应用提供了有利条件。

政策层面的支持也是推动数字孪生在中国应用的关键因素。我国早已对数字孪生进行相关政策布局，近年来数字孪生相关政策部署与落地明显提速，为产业发展提供良好的社会环境。例如，2019 年 11 月，国家发展改革委等 15 部门

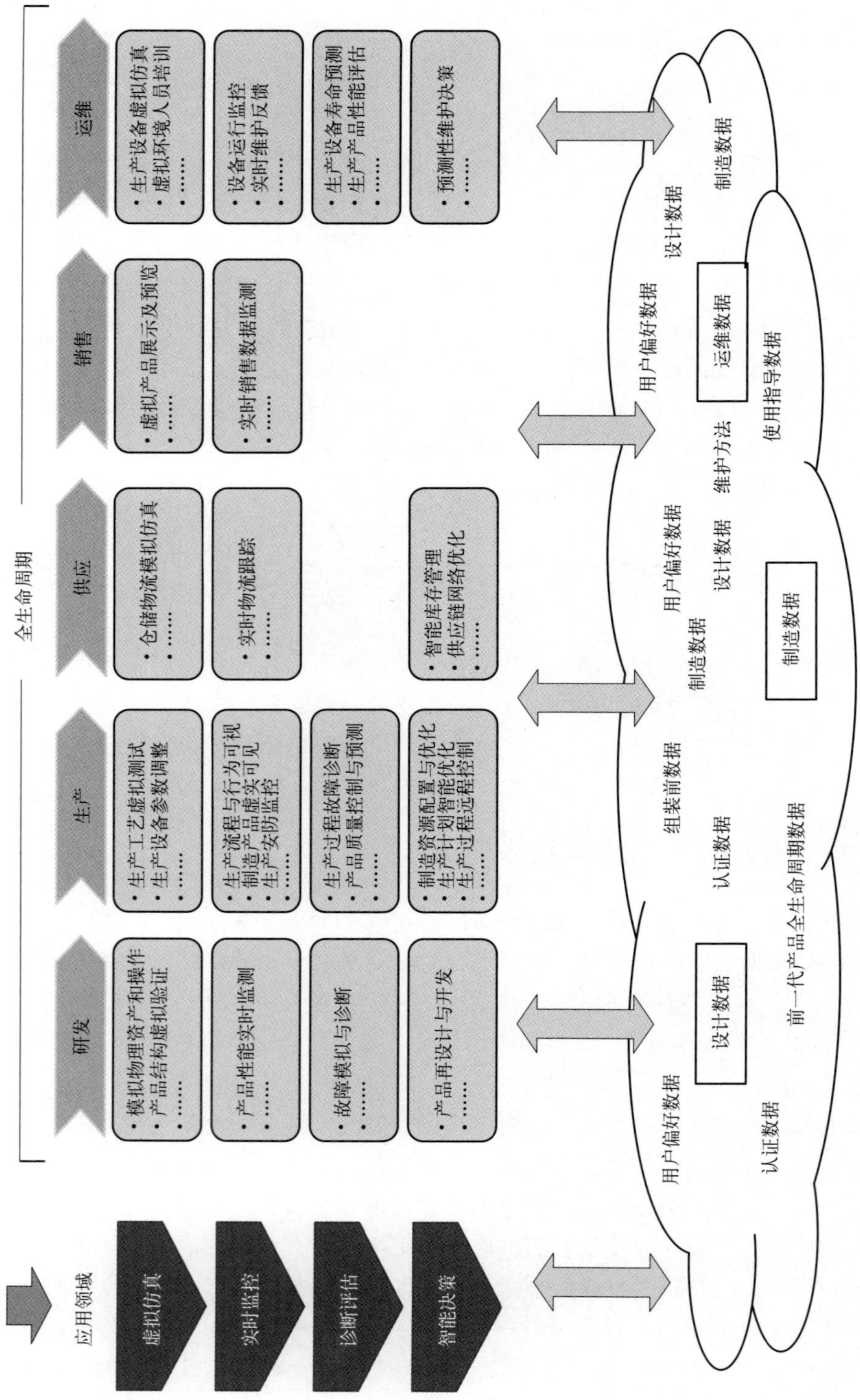

图 1-5 数字孪生关键应用场景

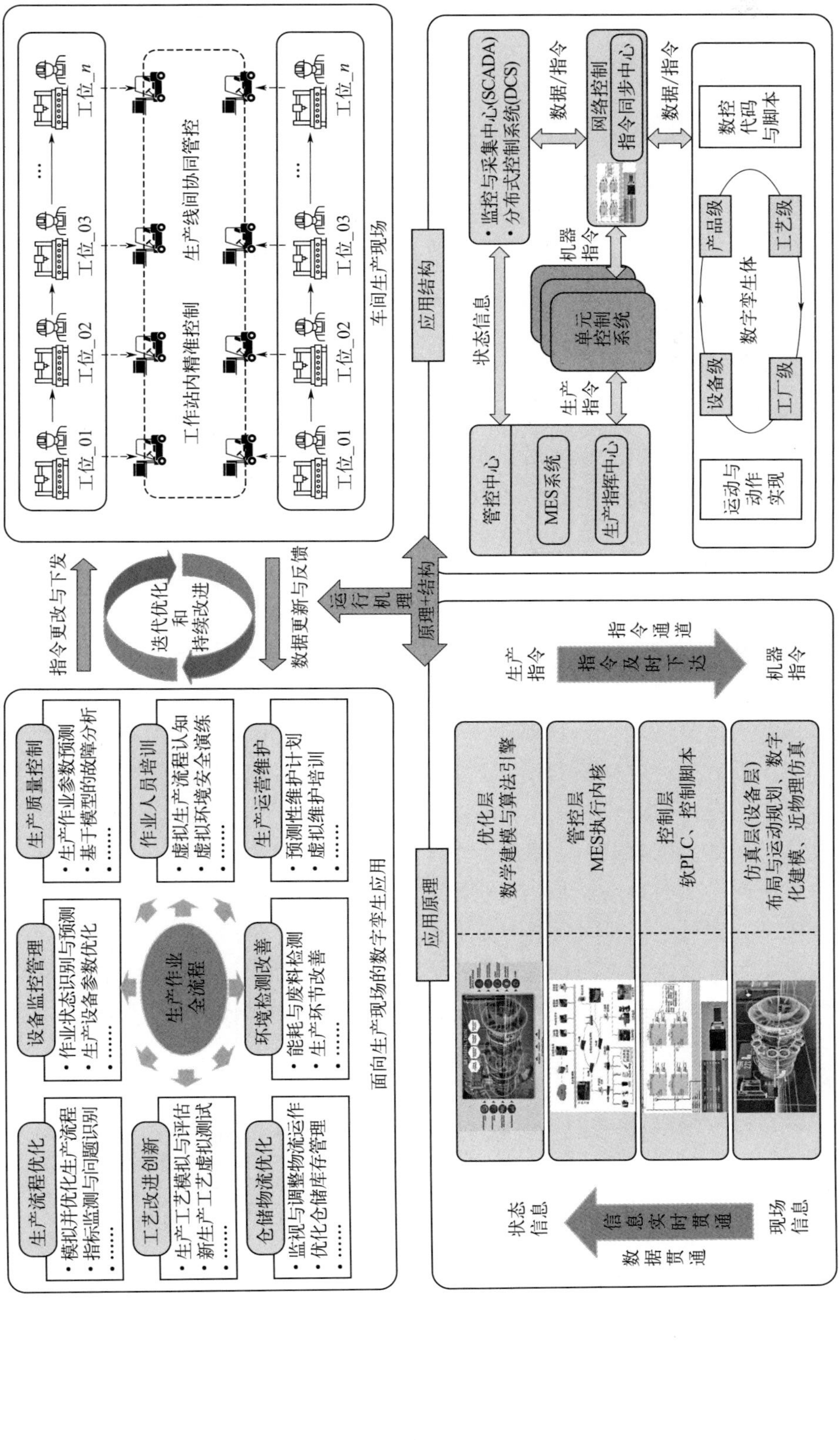

图 1-6 数字孪生应用及原理框架

发布了《关于推动先进制造业和现代服务业深度融合发展的实施意见》，深化制造业服务业和互联网融合发展，大力发展“互联网＋”，激发发展活力和潜力，培育新兴业态；2020 年 12 月，工业和信息化部发布了《工业互联网创新发展行动计划（2021－2023 年）》，支持建设云仿真、数字孪生等技术专业型平台，加快信息技术创新应用，研发构建数字孪生创新工具，打造创新解决方案，发展基于数字孪生技术的工业智能解决方案；2021 年 7 月，工业和信息化部和国家标准委发布了《工业互联网综合标准化体系建设指南》，旨在指导和推动工业互联网标准化体系的建设，为工业数字孪生在中国的应用奠定了基础。

1.4.2 新型信息技术变革推动

随着新型信息技术的不断发展和应用，工业数字孪生技术也在不断演进和完善。人工智能、大数据、物联网等新技术与数字孪生技术的融合应用，为数字孪生技术的进一步发展提供了新的动力和可能性。这些新技术的发展使得数字孪生技术更加智能化、灵活化和可持续化，拓展了数字孪生在工业生产、产品设计、供应链管理等领域的应用范围。同时，新型信息技术的不断变革也带来了挑战，如数据安全性、技术集成等问题，需要进一步研究和解决。

在产业结构方面，工业数字孪生已形成较为成熟的技术架构体系，分为基础层、建模层和应用层。基础层包括数字支撑技术，如数据采集和传感器技术；建模层涵盖孪生构建技术，如物理建模和仿真算法；应用层主要采用人机交互技术，包括图形渲染、虚拟现实和增强现实等。西门子等企业通过建模层的应用，实现数字孪生工厂构建，为生产、制造、装配、物料等流程提供决策支持。

此外，基础设施建设、应用服务拓展和技术研发创新也是数字孪生在中国发展的关键方向。面向重点企业和工业园区，要加强 5G 网络、边缘计算等通信和算力基础设施建设。同时，通过与企业合作，推动技术能力优势互补，共同打造工业数字孪生解决方案，创新商业模式，实现共赢。技术研发创新方面，要加强数字孪生网络技术演进发展，与政产学研用各方合作，共同推动数字孪生技术创新发展。

综上所述，工业数字孪生在中国将迎来广阔的发展机遇，政策支持、巨大的工业产业规模以及技术创新将共同推动数字孪生技术在中国的蓬勃发展。

参考文献

［1］ 刘钰胜．数字孪生助力企业实现数字化转型［J］．新型工业化，2024，14（1）：67-73.

［2］ 丁靖佳．出版＋数字孪生：概念原理、基础框架与应用场景［J］．出版发

行研究，2023（03）：5-12.

［3］ Negri E，Fumagalli L，Macchi M. A review of the roles of digital twin in CPS-based production systems［J］. Procedia Manufacturing，2017，11：939-948.

［4］ 陶飞，张辰源，戚庆林，等．数字孪生成熟度模型［J］. 计算机集成制造系统，2022，28（5）：1267-1281.

［5］ 陶飞，刘蔚然，张萌，等．数字孪生五维模型及十大领域应用［J］. 计算机集成制造系统，2019，25（1）：1-18.

［6］ 陶飞，马昕，胡天亮，等．数字孪生标准体系［J］. 计算机集成制造系统，2019，25（10）：2405-2418.

［7］ Moretti M，Rossi A，Senin N. In-process monitoring of part geometry in fused filament fabrication using computer vision and digital twins［J］. Additive Manufacturing，2021，37：101609.

［8］ Heikki L，Yoan M，Kari T. Prototyping a digital twin for real time remote control over mobile networks：application of remote surgery［J］. IEEE Access，2019，7：20325-20336.

［9］ Xu Y，Sun Y，Liu X L，et al. A digital-twin-assisted fault diagnosis using deep transfer learning［J］. IEEE Access，2019，7：19990-19999.

［10］ Xie R，Chen M，Liu W，et al. Digital twin technologies for turbomachinery in a life cycle perspective：A review［J］. Sustainability，2021，13（5）：2495.

［11］ 刘怀兰，赵文杰，李世壮，等．数字孪生车间机器人虚实驱动系统构建方法［J］. 中国机械工程，2022，33（21）：2623-2632.

［12］ 纪德勇．数字孪生的特征及其与元宇宙的关系［J］. 机器人技术与应用，2023（2）：7-11.

［13］ 樊留群，丁凯，刘广杰．智能制造中的数字孪生技术［J］. 制造技术与机床，2019（7）：61-66.

［14］ 陶飞，刘蔚然，刘检华，等．数字孪生及其应用探索［J］. 计算机集成制造系统，2018，24（1）：1-18.

［15］ 陶飞，张贺，戚庆林，等．数字孪生十问：分析与思考［J］. 计算机集成制造系统，2020，26（01）：1-17.

［16］ 陶飞，张萌，程江峰，等．数字孪生车间——一种未来车间运行新模式［J］. 计算机集成制造系统，2017，23（01）：1-9.

2

工业数字孪生参考框架与关键技术

本章致力于探讨数字孪生在智能制造领域的整体参考框架以及基于该参考框架的数字孪生技术基础和新型信息技术，为读者提供对这一领域的全面理解。首先，在“工业数字孪生参考框架”一节，将介绍数字孪生在智能制造中的系统架构，包括可视化制造元素、数据采集和设备控制器实体、核心实体、用户实体和跨系统实体等关键要素，通过分析这些关键要素，将帮助读者对数字孪生的建模、分析和应用进行更加深入的了解。此外，还将详细介绍数字孪生的五维模型，使读者能够更加全面地把握数字孪生的本质和应用。

接下来，在“建模仿真技术基础”一节，将介绍数字孪生系统中建模仿真技术概述和典型的建模仿真软件。这一部分将讨论建模仿真技术作为数字孪生的基础如何与数字孪生相融合，进一步提升智能制造系统的感知能力、分析能力和优化能力。

最后，在“新型信息技术”一节，将介绍数字孪生智能制造系统的技术支撑。这一部分将涵盖数字孪生系统中的互联互通技术、数据计算技术、工业互联网平台技术以及人机交互技术。将深入剖析数字孪生系统中数据的采集、计算、通信与传输、反馈并进行人机交互等关键环节。通过这一流程的分析，读者将能够更好地理解数字孪生在智能制造中的全貌和实际应用。这一节的内容将帮助读者深入洞察数字孪生技术在智能制造中的关键角色，为实际应用和未来研究提供基础和指导。

2.1 工业数字孪生参考框架

工业数字孪生参考框架是一个关于工业数字孪生系统如何构建、开发、集成、运行和实施的模板，旨在通过标准的组织结构、预定义的组件模块和功能，简化系统构建过程，使开发人员能够更专注于业务逻辑，加速工业数字孪生系统的开发进程。ISO 23247 系列标准定义了一个制造行业数字孪生框架，为制造系统组成要素（包含人员、设备、材料、制造工艺、设施、环境、产品和支持文件等）的数字孪生模型构建提供参考依据。制造业数字孪生框架主要包括可视化制造元素、数据采集和设备控制器实体、核心实体、用户实体和跨系统实体，如图 2-1 所示。

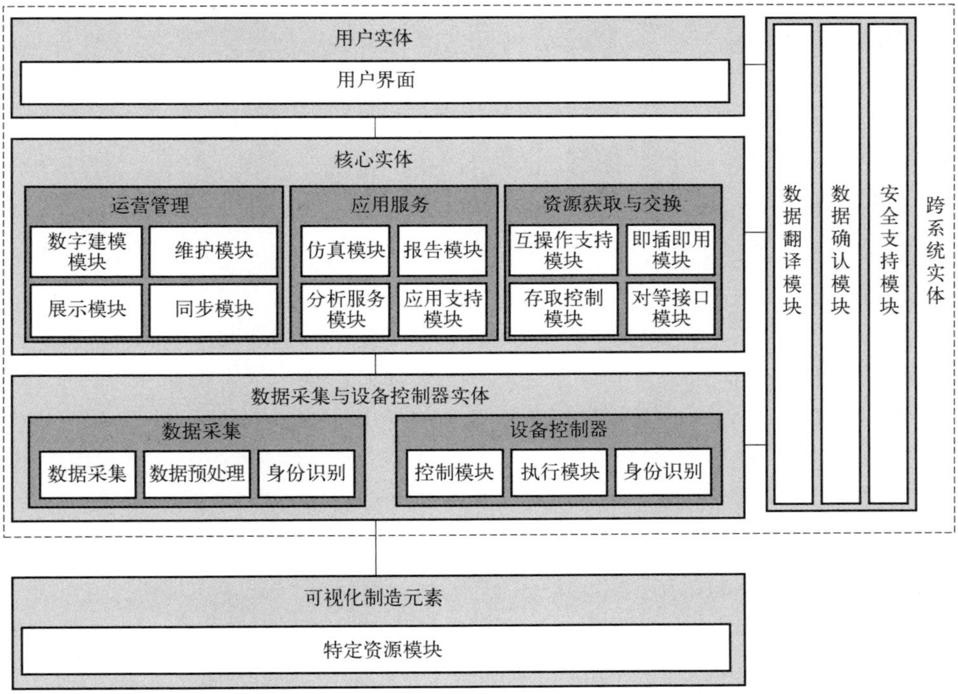

图 2-1　ISO 23247 制造业数字孪生参考框架

① 可视化制造元素：包括生产系统内的人、机、料、法、环等可视化元素，是数字孪生实施的基础。

② 数据采集和设备控制器实体：主要用于实现数字孪生和物理空间之间数据和指令的交互。其包含两个方面的内容：在数据采集方面，包括设备身份识别、数据采集和数据预处理功能三部分；在设备控制方面，包括设备身份识别模块、控制模块和执行模块三部分。

③ 核心实体：用于实现数字孪生的核心功能，包括运营管理（数字建模模块、维护模块、展示模块、同步模块）、应用服务（仿真模块、报告模块、分析服务模块、应用支持模块）以及资源的获取与交换（互操作支持模块、即插即用

支持模块、存取控制模块、对等接口模块）。

④ 用户实体：主要用于实现数字孪生和用户之间的人机交互，人机交互主要通过人机交互技术实现用户与屏幕之间的交互。

⑤ 跨系统实体：主要功能是实现数字孪生和其他外部信息系统、控制系统和人机交互系统之间的数据和指令交互，包括数据翻译模块、数据确认模块和安全支持模块。

依据该参考框架，在制造元素中嵌入设备控制器和传感器等，通过数据采集技术实现实时数据采集，将数据存储在本地或者云中，通过数据计算技术进行数据处理，然后再通过移动通信等技术将已经处理过的数据传输到其他实体中。通过建模仿真软件创建制造元素的三维模型，对传输的数据进行分析形成报告，并通过人机交互技术将其以虚拟形式呈现，反馈到用户实体、物理实体和相关应用，实现制造元素与虚拟模型之间的实时同步，并以可视化的方式让用户能够直观地与数字孪生系统交互和理解。同时，在万物互联的基础上，通过工业互联网平台实现大量模型和数据的治理，以系统集成和标准化接口，将不同数字孪生子系统整合在一起，实现跨系统的协同工作。

可以发现，该参考框架提供了一个数字孪生在概念层面的一个参考框架。更为详细的工业数字孪生框架可以参考由陶飞主编的《数字孪生工业软件白皮书》，其中提出并设计了 makeTwin 数字孪生工业软件平台参考架构。

makeTwin 参考架构提供了一个数字孪生模型、数据、算法、交互可创建、可配置的公共仿真、测试与研究平台；为项目开发者提供了一个模型、数据、协议和可视化等功能可创建、可配置的低代码开发平台；为企业用户提供了一个场景、功能、模式可配置、可切换和可迁移的应用管理平台。该参考框架包含十大核心功能模块，分别是：孪生模型生成、孪生数据处理、孪生算法生成、虚实连接、虚实交互、孪生仿真、多维可视化、孪生资源库、孪生场景和孪生应用部署，如图 2-2 所示。

① 孪生模型生成：提供数字孪生模型的创建与集成能力，主要包括几何、物理、行为和知识模型的导入、创建、轻量化、格式转换以及模型的装配、融合、验证和修正等功能，可以为虚实交互、多维可视化、孪生仿真等模块提供模型支撑。

② 孪生数据处理：提供对孪生数据的治理能力，主要包括数据导入、数据清洗、数据转换、特征提取、数据关联、数据降维、数据生成以及数据检索等功能，可以为孪生算法生成、虚实交互、孪生仿真等模块提供物理数据、仿真数据等工业数据。

③ 孪生算法生成：提供对数字孪生系统中算法的创建和管理能力，主要包括算法导入、算法检索、算法创建、算法修改、算法调试和算法封装等功能，可

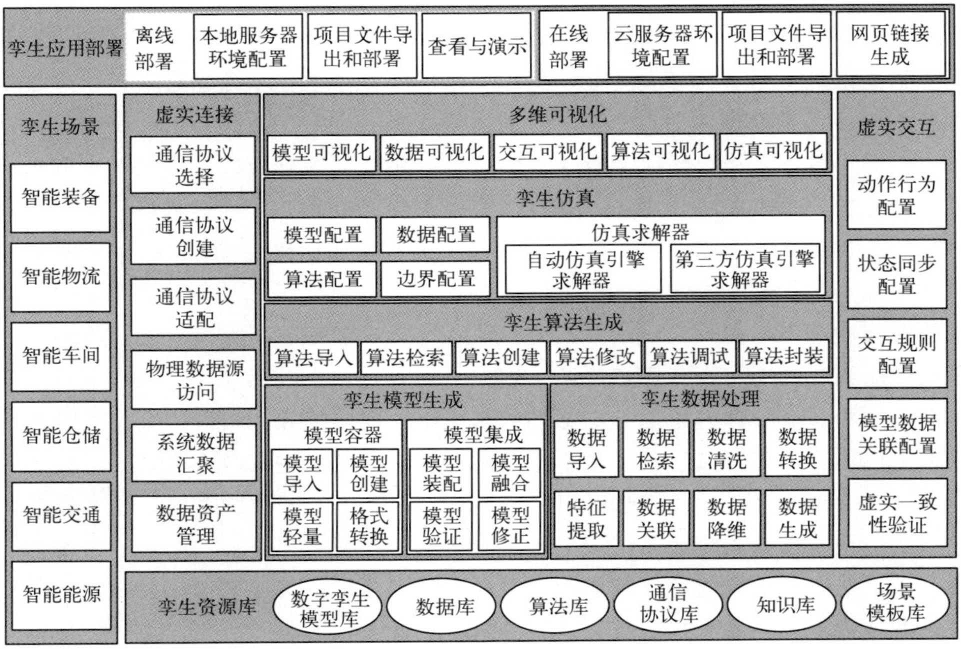

图 2-2 软件开发参考框架

以为虚实交互、孪生仿真、多维可视化提供算法生成。

④ 虚实连接：提供数字孪生系统中虚拟实体和物理实体的连接能力，主要包括通信协议的选择、创建、适配以及物理数据源访问、系统数据汇聚和数据资产管理等功能，主要用于孪生数据的通信以及对数据源的访问。

⑤ 虚实交互：提供数字孪生系统中虚拟实体和物理实体的交互能力，主要包括动作行为配置、状态同步配置、交互规则配置、模型数据关联配置和虚实一致性验证等功能，通过相关配置实现数字孪生系统虚实同步、可视化等特征。

⑥ 孪生仿真：提供数字孪生系统中的计算和仿真能力，主要包括模型配置、算法配置、数据配置、边界配置和仿真求解器等功能，通过仿真，验证数字孪生模型、算法、决策的正确性和有效性。

⑦ 多维可视化：通过人机交互的方式，为用户提供直观的 2D/3D 等可视化信息，主要包括模型、数据、交互、算法和仿真等可视化元素。

⑧ 孪生资源库：为数字孪生系统功能的实现提供各种资源支撑、技术支撑，主要包括模型库、算法库、数据库、知识库、通信协议库和场景模板库等。

⑨ 孪生场景：为数字孪生系统的构建提供模板支撑，通过调用模板库中的资源，开发者可以快速搭建数字孪生系统。

⑩ 孪生应用部署：支持开发者进行离线部署和在线部署，离线部署可提供

对非联网设备的本地服务器配置、项目文件导出和部署等功能，在线部署可提供云服务器环境配置、项目文件导出和部署等功能。

根据该参考框架，开发者可以根据实际的业务需求在孪生场景模板中寻找是否有相应的场景模板：如果有相对应的场景模板，则基于该模板配置相应的数字孪生模型、数据、通信协议和算法等，也可基于孪生基础库进行自定义创建；如果没有相应的场景模板，则需要开发者进行自定义创建后再配置。最后进行仿真分析，通过多维可视化进行人机交互，用户通过数字孪生软件平台生成服务APP后进行部署。

对比两个参考框架，ISO 23247系列标准定义的数字孪生参考框架将整个数字孪生系统分类为可视化制造元素、数据采集和设备控制器实体、核心实体、用户实体和跨系统实体五个部分，强调的是系统的完整性和逻辑性，突出的是概念层面上的内容。而makeTwin数字孪生软件开发参考架构涉及十大功能模块，强调的是数字孪生系统的技术性和可开发性，突出的是技术层面和实际工业领域数字孪生应用层面的内容。除了以上两种参考框架外，本节还列举了其他特征的参考框架，用于更加全面地了解不同数字孪生参考框架的关注点，从发布者、主要特征两方面对不同参考框架进行对比分析，如图2-3所示。

框架	发布者	主要特征
ISO 23247参考框架	ISO	• 为数字孪生制造提供了成熟的原理和参考体系结构 • 实现制造车间产品和流程的同步数字孪生模型 • 强调从环境观察、利用传感器采集数据、建立模型、用户利用应用程序进行不断学习和优化决策的流程 • 基于ISO 30141物联网架构建立
makeTwin参考框架	Digital Twin国际期刊	• 旨在促进数字孪生理论在研究和工业应用的进一步发展 • 定义了数字孪生系统中多个功能模块，如数据采集、通信、传输、仿真优化、算法等 • 更多地关注搭建数字孪生系统中需要运用的关键技术
ADS数字孪生参考框架	Arnis Lektauers等人	• 以主题为导向，基于仿真进行数字孪生的开发 • 允许数字孪生的自下而上设计 • 采用抽象化表达方式提供数字孪生的清晰和简洁的概念 • 以物理实体和虚拟实体为主体，在此基础上融入输入、输出、状态、算法、目标等组成部分
Small-Scale数字孪生参考框架	Jonatan H. Loaiza等人	• 适用于制造系统小规模数字孪生 • 提供物理空间、虚拟空间、信息空间，将不同层级分布于不同的空间里面 • 根据用例和系统需求定义数字孪生的目标、能力和功能 • 根据系统逻辑和物理架构来定义数字孪生设计的关键概念

图2-3 数字孪生参考框架对比分析

通过ISO 23247数字孪生参考框架和makeTwin数字孪生工业软件参考框架

和其他参考框架容易发现：数字孪生不同参考框架的侧重点有所不同，但是各个参考框架所提出的数字孪生系统实现技术大致相同，包括实时孪生数据采集、数据传输、数据存储、数据同步、数据分析、模型与数据融合、可视化等。下面将对工业数字孪生的关键技术进行详细介绍。

2.2 建模仿真技术基础

2.2.1 建模仿真技术概述

工业数字孪生是一种将实际物理系统数字化、模拟和优化的先进技术，它的发展得益于建模仿真技术的支持。建模仿真技术在工业数字孪生中发挥着关键的作用，为实现高效运营、智能决策和持续优化提供了重要支撑。

模型是对现实场景中物理实体的结构信息和行为信息等的呈现，在一定程度和尺度上对物理实体、现象或机制的逻辑和运行规律进行定义和描述，建模的目的是对物理实体进行简化和抽象表达，便于用户理解。而数字孪生的目的是将物理世界进行模型化和数字化，通过数字化技术，提高人们对系统的理解程度，从而减少复杂系统的不确定性以及对系统的投入。因此，对现实场景的物理实体建立数字化模型是搭建数字孪生系统的基础。

根据数字孪生系统的不同参考框架，可以将模型总结归纳为四类：几何模型、物理模型、行为模型和知识模型。

① 几何模型：指设备设施、人员、物料等工业场景内存在的可视化元素以及它们的几何参数和相互关系，以达到对物理世界的场景真实呈现。

② 物理模型：用于分析物理实体的物理属性、约束、特征信息等，如应力、疲劳、流体等。

③ 行为模型：在几何模型和物理模型的基础上对模型之间的交互和运行逻辑的定义，并且可以响应外界驱动及扰动作用，如性能退化、模型的行为动作等。

④ 知识模型：对数字孪生运行过程中的知识、经验、方法进行的模型化描述和总结，主要包括生产工艺、生产管理、产品信息、生产物流、技术知识等。

模型的分类及功能描述如表 2-1 所示。

表 2-1　模型的分类及功能描述

模型名称	功能描述
几何模型	几何模型是构建物理实体的数字化模型，还原物理实体的几何外观、材质、装配关系、空间约束、运动规律等特性，对物理实体的几何外观进行定义和描述

续表

模型名称	功能描述
物理模型	物理模型主要通过构建与物理空间中真实事物相近的虚拟实体来研究物理实体的功能、结构和变化规律，同时将力学、动力学等物理规律导入到模型中，使得信息空间内的模型具备更高的还原能力，提升数字孪生模型的还原能力
行为模型	行为模型是对物理实体运行逻辑的定义和描述，构建信息空间模型同模型内外部信号之间的响应关系，以及模型本身的运行逻辑和规则，行为模型是实现数字孪生运行和仿真的核心
知识模型	知识模型是对数字孪生运行过程中的知识、经验、方法进行的模型化描述和总结，通过数据模型、机理模型和规则模型，建立支撑数字孪生运行的知识库和方法库，提升系统运行效率

如果说建模是对实际物理世界进行抽象表达，获得简化易理解的近似模型，那么仿真就是将这种近似模型转换成计算机能够理解的仿真模型，然后在特定场景运用计算机技术进行求解，从而分析研究系统的过程。可以说，建模是仿真的基础，仿真是建模的目的。

根据国际标准化组织（ISO）定义的名词解释，模拟（Simulation）指选取一个物理的或抽象的系统的某些行为特征，用另一系统来标识它们的过程；仿真（Emulation）指用另一数据处理系统，主要是用硬件来全部或部分地模仿某一数据处理系统，以至于模仿的系统能像被模仿的系统一样接收同样的数据，执行同样的程序，获得同样的结果。由于当前都习惯于称仿真，本书统一用“仿真”表述“模拟”和“仿真”的概念。

建模仿真技术经过了不断发展，对仿真技术进行分类有助于全面地了解数字孪生与仿真的关系。按照系统特性不同，仿真技术可以分为连续系统仿真、离散系统仿真、定量系统仿真、定性系统仿真和混合系统仿真五种；按照仿真时间，可以分为实时仿真（与自然时间保持一致）、欠实时仿真（慢于自然时间）、超实时仿真（快于自然时间）三类；按照用途，可以分为帮助用户对系统进行分析、预测、优化和决策的仿真。

仿真技术是搭建数字孪生系统的技术基础。运用仿真技术，可以实现对孪生模型的分析、预测、训练等活动。通过利用动态实时数据，基于模型不断仿真，并反馈到孪生模型，不断更新，从而保证与物理对象的状态随时保持一致，数字孪生体和对应物理实体实现有效闭环。下面将以动态数据驱动的仿真为例，说明仿真技术与数字孪生系统的关系。

动态数据驱动的仿真充分利用实时、动态的数据，将其应用于数字孪生系统的模拟和反馈机制，实时捕捉和模拟实际系统中的动态变化，通过持续的数据更新和反馈机制，数字孪生模型能够更准确地反映真实世界的变化和相互作用。通过直接集成实时数据源（例如传感器、监控系统等）的输出，数字孪生系统能够即时响应并进行调整，从而更有效地模拟系统的动态性能和变化趋势。这种数据驱动方法使数字孪生系统更贴近实际运行情境，具备更高的实时性和逼真度。通过不断注入动态数据，数字孪生仿真能够模拟实时环境中的各种事件、变化和相互作用，为决策制定、故障诊断和性能优化等方面提供更准确的信息和预测。动态数据驱动的仿真的实施原理如图 2-4 所示。

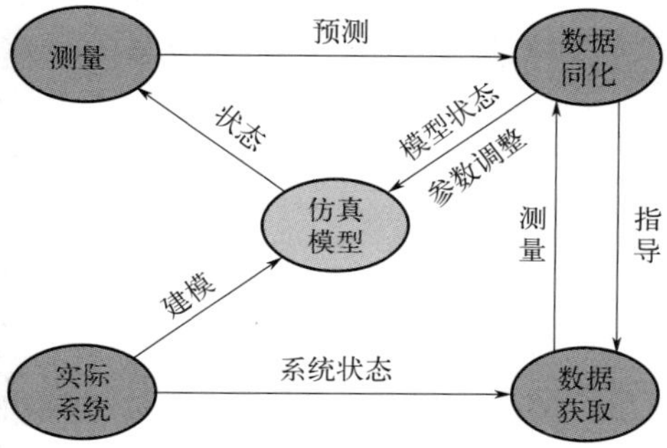

图 2-4 动态数据驱动的仿真的实施原理

2.2.2 典型建模仿真软件

使用好的工具事半功倍。数字孪生系统是物理系统在数字世界的虚拟映射，建立的孪生模型越精确，构建出来的孪生系统也就越相似。目前制造系统数字孪生的建模的基本工程应用，侧重于几何模型和行为模型的建模。目前可支撑工业数字孪生几何模型和行为模型构建的软件工具丰富，每种工具都具有不同的侧重点、特色功能、软件操作复杂度和知识学习曲线等，如图 2-5 所示。根据三维建模的底层原理，可以将几何建模类型分为曲面建模、多边形建模和快速扫描建模三种类型。其中，建模类型为曲面的软件工具有 UG 和 SolidWorks 等，主要面向机械生产制造领域；多边形建模软件有 SketchUp、Blender 与 3ds Max 等，主要面向产品设计、多媒体资源创建以及三维场景搭建等。读者可根据实际需求来选择适合业务开发的软件工具。

行为模型是实现数字孪生运行和仿真的核心，是在几何模型和物理模型的基础上对模型之间的交互和运行逻辑的定义，并且可以响应外界驱动及扰动作用。根据不同软件的侧重点、二次开发能力、特色功能和各自的优势，将工业数字孪生行为模型构建相关的仿真软件进行归纳总结，如表 2-2 所示。

软件名称 / 对比项	UG	SolidWorks	3ds Max	Sketch Up	Blender
建模原理	曲面建模		多边形建模		
软件应用场景	广泛应用于模具的设计、分析及制造工程	应用于产品设计、机械设计、自动化设计、模具以及加工等领域	广泛应用于影视、三维动画、多媒体制作、游戏、以及工程可视化等领域	应用在工厂设计、建筑、室内设计、工业设计、3D模型等设计领域	动画电影、视觉效果、艺术、3D打印模型和视频游戏
软件特征	模型精细化程度高，支持复杂几何形状的创建，可以反映零件、组件之间的装配关系	模型精细化程度高，拥有用户友好的草图工具和快速建模特性	模型精细化程度较高，具备先进的渲染引擎，支持逼真的渲染效果	模型精细化程度中，其具有简单易用的界面和快速建模工具，也有丰富的插件库可扩展其功能	模型精细化程度高，拥有强大的建模、雕刻、动画和渲染功能
导出格式	部件文件(.prt) STEP文件(.step) Parasolid(.x_t) OBJ文件(.obj)	部件文件(.prt) STEP文件(.step) Parasolid(.x_t)	3ds Max(.max) FBX文件(.fbx) Collada(.dae) OBJ文件(.obj)	SU文件(.skp) FBX文件(.fbx) Collada(.dae) OBJ文件(.obj)	FBX文件(.fbx) OBJ文件(.obj) Collada(.dae)
学习曲线陡峭程度	难	适中	较难	较易	中

图 2-5　建模工具对比

表 2-2　构建行为模型的仿真软件分类

侧重点	名称	二次开发	功能和优势
运行逻辑	Anylogic	基于 Java 的二次开发能力，能在 Java 支持的任意平台运行并仿真模型	集成离散时间仿真、多智能体仿真和系统动力学仿真，能较好地解决数字孪生的物流优化调度和虚实映射问题，支持人工算法，支持对孪生数据库的处理
模型交互	Plant Simulation	基于 SimTALK 语言的开发能力	主要面向生产制造领域的离散事件建模，能实现与孪生数据中心建立数据连接和可视化的需求，并通过动画展示系统运行的中间过程
运行逻辑	Flexsim	基于 flexscrip 语言的二次开发	能较好地通过预定义的模型库和对象库实现生产系统运行逻辑的构建，定义离散事件模型，实现生产系统的建模和仿真，无法较好地实现孪生场景中模型交互的内容，可实现与数字孪生数据库的连接，可与外部系统进行集成
模型交互	Unity3D	基于 C# 的系统二次开发	通过 C# 语言定义虚拟实体的属性、物理参数、事件和运行行为，但是无法进行离散事件仿真，可轻松实现数字孪生可视化面板、行为模型交互等功能

续表

侧重点	名称	二次开发	功能和优势
运行逻辑	Process Design & Process Simulation	基于 C#/Java 语言的开发能力	侧重于产线工艺流程的仿真，优化生产周期和节拍，适用于流程型工业数字孪生系统的搭建
模型交互	美擎	基于 C#/Python 语言的开发能力	集 3D 工艺仿真、装配仿真、人机协作、物流仿真、机器人仿真、虚拟调试、数字孪生工厂等功能于一体的数字化工业仿真平台，并在仿真模型"预演"的基础之上，进行分析、评估、验证，迅速发现系统运行中存在的问题和有待改进之处，并及时进行调整与优化

值得注意的是，每一种类型的仿真软件都有自己的特性，在基于建模仿真技术进行数字孪生的相关建模和应用的时候，往往不只选择其中的某一种仿真软件，而是要考虑用多种软件并行开发的方式来共同完成数字孪生系统的搭建。比如，选择 Unity3D 和美擎两种软件并行开发，Unity3D 具备良好的数字孪生可视化面板开发功能特性，而美擎具有良好的展现模型交互的功能特性，此时将两种仿真软件并行开发使用，有助于开发者更好地搭建数字孪生系统。

具体操作是：激活美擎相关许可证，给 Unity3D 软件导入美擎的插件，然后先启动美擎再启动 Unity3D 就可以实现 Unity3D 可视化界面里显示美擎中模型交互的场景，如图 2-6 所示。

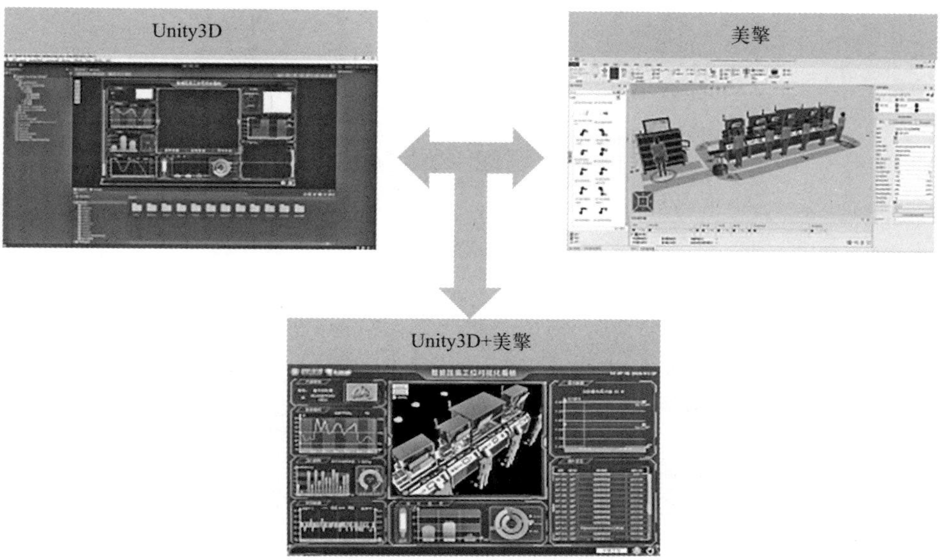

图 2-6　基于 Unity3D 和美擎的并行开发

2.3 新型信息技术

新型信息技术为数字孪生提供了更先进、高效、智能的工具和平台，推动了数字孪生在工业领域的深入发展。标识感知、通信传输、数据计算、工业互联网平台、人机交互等技术的整合，使数字孪生能够更全面、实时地模拟、分析、优化实际工业场景，为实时监测、远程操作、预测分析等提供了强大支持，加速了决策过程，提高了系统效率和可靠性，为未来智能化和可持续发展打下坚实基础，如图 2-7 所示。下面将根据新型信息技术概念模型分别对标识感知技术、通信传输技术、数据计算技术、工业互联网平台技术和人机交互技术进行详细介绍。

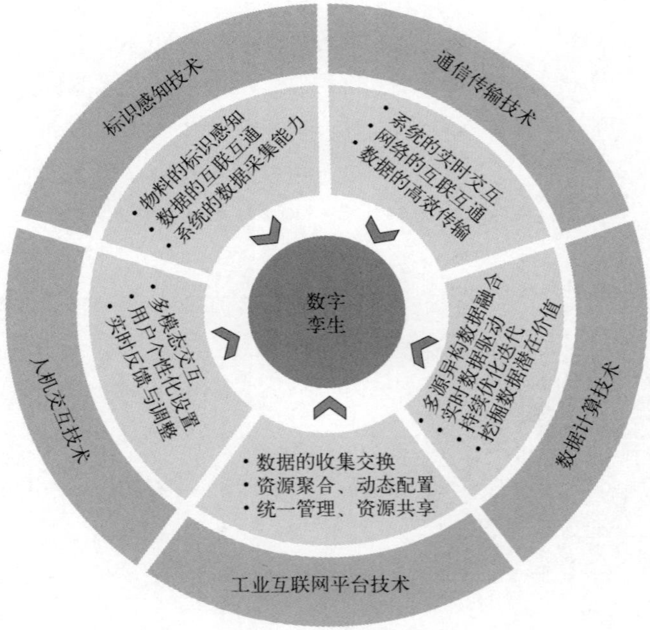

图 2-7 数字孪生相关的新型信息技术

2.3.1 互联互通技术

数字孪生虚拟实体需要实时更新物理实体的数字信息，处理后的信息也必须从虚拟实体传输到物理实体，以实现物理实体和虚拟实体的双向实时映射。因此，数据通信和传输是数字孪生的核心要素之一。在数字孪生的基本应用中，实现虚拟实体和物理实体实时同步是基本目标，在此基础上，数字孪生才能实现数据分析和优化决策等更高层次的目标。

工业物联网技术具有识别、跟踪物理对象的能力，通过将信息通信技术和生产过程相结合，利用具备数据感知能力的传感设备以及具备数据分析处理能力的控制设备，实现数据驱动的贯穿产品制造和产品运营流程的分析优化闭环。实时数据采集以及基于大数据的分析和优化，能够提供设备的精确实时信息，降低通信成本、简化业务流程、提高信息准确性和效率。

在搭建数字孪生系统时，工业物联网能够通过各类标识感知技术，实现采集监控对象的实时数据并通过网络进行回传，实现物与物、物与人的泛在连接，完成对监控对象的智能化识别、感知与管控。工业物联网也能通过各类通信传输技术将监控对象的实时数据传输到数字孪生体，实现数字孪生系统的有效运转。本节将对数字孪生系统需要应用到的工业物联网中的各类标识感知技术和通信传输技术进行简要介绍。

2.3.1.1 标识感知技术

搭建数字孪生系统需要以全系统感知为前提，面向孪生系统建立全域全时段的物联感知体系，实现系统运行的多维度、多层次精准监测，是建设数字孪生系统的关键。而物体与物体之间，不是单独的个体、物体间协同交互，需要明确物体在全域的空间位置及唯一标识，并确保设备可信可控。全域标识能够为物理对象赋予数字“身份信息”，实现孪生映射。

标识感知技术能够为各类系统部件、物体赋予独一无二的数字化身份编码，从而确保现实世界中的每一个物理实体都能与孪生空间中的数字虚体精准映射、一一对应，物理实体的任何状态变化都能同步反映在数字虚体中，对数字虚体的任何操控都能实时影响到对应的物理实体，也便于物理实体之间跨域、跨系统的互通和共享。然后通过直接与对象绑定或与对象连接的数据采集器、控制器技术，完成对对象的属性数据识别、采集和控制操作，如图 2-8 所示。

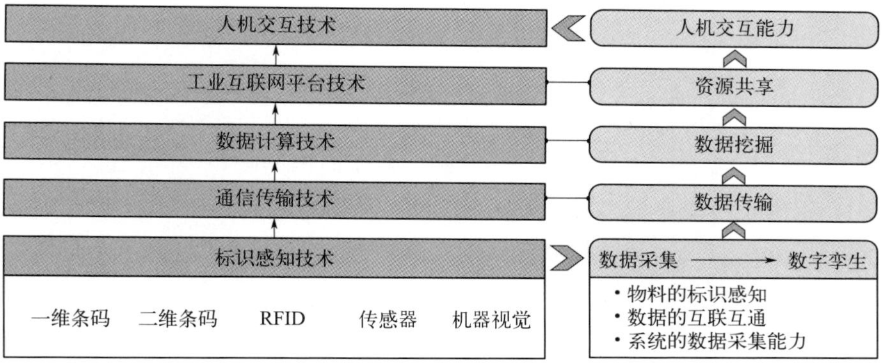

图 2-8 标识感知技术与数字孪生

对于工业场景内的数字孪生系统，如何从工厂物理环境中获取人、机、料、法、环等制造资源的实时数据，是实现数字孪生感知决策闭环的关键。目前，工业场景下采用的标识感知技术主要有 RFID、条码、传感器和机器视觉等技术。对各类标识感知技术的功能、特点和应用场景进行详细介绍和对比分析，如图 2-9 所示。

标识感知技术		功能	特点	应用场景
RFID技术		利用无线射频信号空间耦合的方式，实现无接触的标签信息的自动传输与识别	快速扫描、体积小、形状多样、可读写、数据容量大、安全性、穿透性、抗污染能力强	岗位授权、工艺识别、防呆防错、实时定位、质量追溯、设备盘点等
条码技术	一维条码技术	可以识别货物的基本信息，如名称、种类等，但不能提供货物更详细的信息，要调用更多信息需要与数据库配合	密度低、数据容量小、技术成熟、使用广泛、成本低廉	资源识别、物流标识、岗位识别、物料防错等
	二维条码技术	具备识别功能，而且可以显示更详细的货物内容，如采用的材料、每种材料的百分比等，不需要与数据库配合，简单方便	密度高、数据容量大、具备纠错能力、成本相对较高	仓储物料管理、车间物流管理、生产执行管理、设备资产管理等
传感器技术		通过传感器来感知适应环境，精准并快速地收集物理实体的相关物理参数、属性、状态以及物理实体所处环境中各种相关因素	种类丰富、速度快、精度高、安全性、可重复性、可靠性	产品优化设计、货物管理、产品制造管理、产品运维管理等
机器视觉技术		机器视觉产品通过计算机从客观事物的图像中提取信息，进行处理并加以理解，最终用于实际检测、测量和控制	排除人的主观因素、定量描述、精度高、速度快	质量检测、图像识别、引导定位、视觉测量等

图 2-9　标识感知技术分类及介绍

标识感知技术是数字孪生系统运转和获取数据的源头。在完整的数字孪生系统中，对物理世界和孪生组件自身实时状态数据的获取，是实现数字孪生系统中物理实体和虚拟实体之间全要素、全业务、全流程精准映射与实时交互的至关重要的一个环节。因此，在采集数据的时候，需要考虑到不同应用场景下，对标识感知技术的特定需求，同时也要注意考虑感知数据之间的协同交互，确保设备可信可控。

2.3.1.2　通信传输技术

随着工业物联网的不断兴起，工业场景下通信模式也在不断地更新换代，这不仅使得工厂能够实现更高效的生产管理、更实时的监控，同时也进一步优化资源利用，提高生产效率和产品质量。比如，5G 技术的推广让数据传输更快更可靠，降低了延迟，使得实时控制和协同操作成为可能。同时，通信技术的发展也为工业安全、远程控制、设备维护等方面带来了新的可能性，为工业智能化和自动化奠定了坚实基础。

数字孪生系统从“静态”转变为“动态”，通信传输技术功不可没。通信传输技术为数字孪生系统建立可靠稳定的数据通信网络，实现了生产要素间、物理世界和虚拟世界之间信息的全面互联互通，同时，也通过各种安全可靠的通信协议，使得不同的通信设备之间也能够实现互联互通和信息的实时交换，如图 2-10 所示。

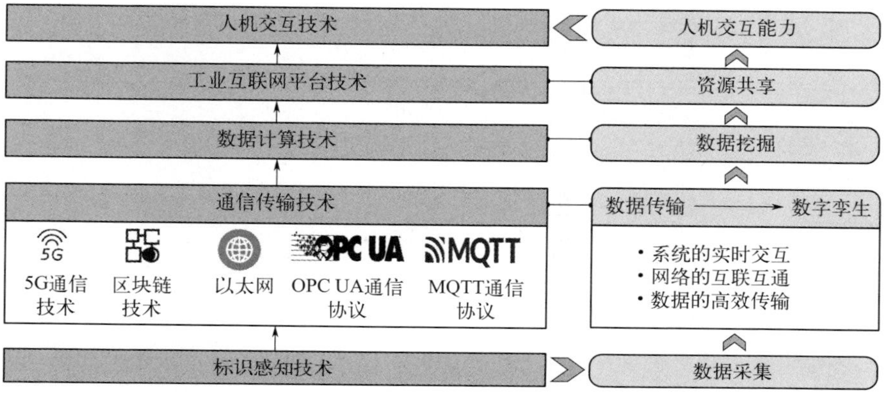

图 2-10　通信传输技术与数字孪生

对于工业场景内的数字孪生系统，从工厂物理环境中获取人、机、料、法、环等制造资源的实时数据之后，如何传输实时数据并保证在传输过程中数据的安全性是实现数字孪生互联互通的关键。目前，工业场景下采用的通信传输技术主要有 5G 通信技术、工业以太网、区块链技术、GPS 卫星通信技术、OPC UA 通信协议、MQTT 通信协议等。对各类通信传输技术的功能、特点和应用场景进行简要介绍和对比分析，如图 2-11 所示。

在搭建工业数字孪生系统的过程中，不仅需要对采集的实时数据进行高效传输，还要在数据传输的过程中保证数据的安全性，防止数据丢失和泄漏，并且不同设备、不同系统、不同平台之间的数据传递也需要进行统一。因此，往往需要应用多种通信传输技术。例如，利用 MQTT 解决 MQTT 客户端与服务器之间的信息交互问题，利用 5G 通信技术解决大型企业数据传递过程中容量大、延时高的问题，利用 OPC UA 实现 PLC 程序编写软件、虚拟 PLC 仿真软件、NetToPLCsim 地址转换软件和 KEPServerEX6 OPC 服务器的串联使用，这些都可能需要在同一个数字孪生系统中进行应用。

2.3.2　数据计算技术

随着信息化和工业化的深度融合，信息技术已经应用到了工业场景下的各个环节，条码技术、传感器技术、5G 通信技术等新型信息技术在工业领域内得到广泛应用，工业企业所产生的数据也日益丰富，分布于机器设备、工业产品、管理系统等各个环节，其中既有结构化和半结构化的传感数据，也有非结构化数

通信传输技术	功能	特点	应用场景
5G通信技术	利用5G网络的大带宽打通物理世界和信息空间的双向流通，支撑数字孪生的虚实互动	低延时、高可靠、海量连接、移动宽带	5G+协同设计、5G+数据采集、5G+远程协同设计等
工业以太网	一种强大区域和单元网络，在以太网和TCP/IP技术的基础上，为数字孪生虚实连接提供途径	成本低、兼容性好、通信速度快、强大的资源共享能力	生产计划管理系统、办公自动化系统、设备管理系统、物料管理系统
区块链技术	通过区块间的Hash值形成链结构，通过各种加密算法和智能合约保证信息安全	开放共识、去中心化、交易透明、不可篡改、可追溯	数字货币、供应链管理、质量追溯、产品全生命周期
GPS卫星通信技术	结合卫星和通信发展的技术，利用导航卫星进行工业场景时间和距离的测量	全天候、高精度、自动化、高效益、双向通信	特定资源定位、位置距离测定、提高加工精度
MQTT通信协议	一种基于发布/订阅模式的轻量级协议，基于TCP/IP协议上，实现数据的互联互通	低代码、低成本、低带宽占用、支持离线功能、设备连接状态可知、数据传输稳定	物联网设备的实时监测和控制、工业自动化和远程监测等
OPC UA通信协议	定义工业软件接口规范，统一不同控制器的通信机制和数据交互格式，实现标准化数据的交互	跨平台、跨语言、安全性、可扩展性、统一架构、开放性	数据采集和监控、设备集成和互操作、云平台连接

图 2-11 通信传输技术的分类及介绍

据。目前，生产现场往往要求数据处理速度达到毫秒级，同时对数据分析的置信度要求较高。因此，数据计算技术不仅仅是支撑，更将驱动着工业领域不断向前发展。

数字孪生系统中的孪生数据集成了物理感知数据、模型生成数据、虚实融合数据等高速产生的多来源、多种类、多结构的全要素、全业务、全流程的海量数据，如图 2-12 所示。如何实现多源异构数据的融合，以实时数据驱动数字孪生系统持续优化迭代，从而建立虚实空间的动态映射关联机制，并且从海量数据中挖掘出数据的潜在价值，是数字孪生系统的核心关键。

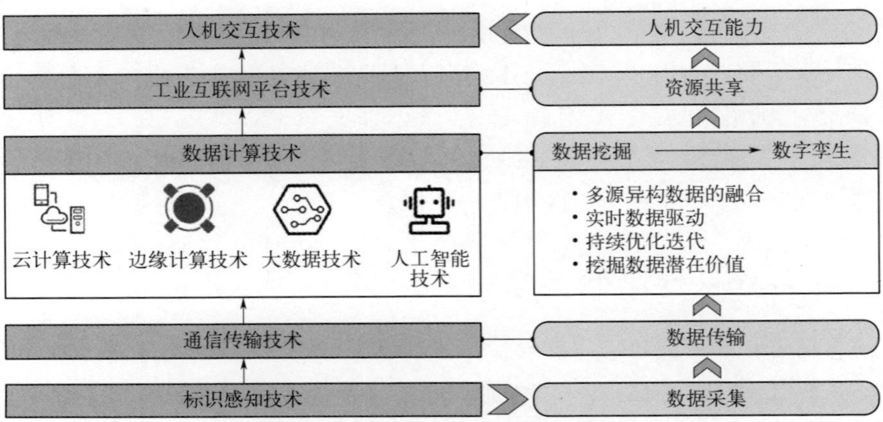

图 2-12 数据计算技术与数字孪生

随着数据资源的价值逐渐被企业所了解，各行各业的决策从“业务驱动”变成了“数据驱动”，同时也引发了大量数据计算技术的产生。其中较为常见的数据计算技术主要有：云计算技术、边缘计算技术、大数据技术以及人工智能技术。对各类数据计算技术的功能、特点和应用场景进行详细介绍和对比分析，如图 2-13 所示。

数据计算技术	功能	特点	应用场景
云计算技术	利用分布式计算等技术，并集成硬件、软件、网络等资源为用户提供便捷的网络访问，提供可配置的资源共享池，为数字孪生提供重要计算基础设施	大规模、虚拟化、按需分配	消费者需求分析确定生产计划、产品质量管理、运维管理平台、企业集成信息管理等
边缘计算技术	将云计算的各类计算资源配置到更贴近用户侧的边缘，从而减少与云端之间的传输，降低服务延时，节省网络带宽，减少安全和隐私问题	成本低、兼容性好、通信速度快、强大的资源共享能力	生产计划管理系统、办公自动化系统、设备管理系统、物料管理系统
大数据技术	包括数据规划、采集、预处理、存储、分析、挖掘等；利用结构化和非结构化数据，从中提炼出隐含的模式，形成知识，从而使工业制造和服务更加智能化	规模性、高速性、多样性、价值性	产品故障诊断与预测、供应链的分析与优化、产品质量管理与分析等
人工智能技术	利用计算机进行深度学习，利用历史经验指导当前环境；将非结构化数据结构化，与用户互动；具备人的处理能力等	自主性、自适应性、智能交互、大数据处理能力、学习能力、并行处理能力、高度集成	智能分拣、生产调度、产品缺陷检测、自动化生产等

图 2-13 数据计算技术的分类及介绍

数字孪生的特点是“模型＋数据”，而数据计算技术的作用就是对工业场景内物理实体产生的实时数据进行分析处理和治理，从而在海量的工业大数据中挖掘出潜在应用价值，数据计算技术是数字孪生系统虚实映射的基本要求。在考虑采用哪些关键技术的时候，往往要考虑很多因素。例如，云计算和边缘计算通过云边端协同的形式为数字孪生提供分布式计算基础。标识感知技术在终端采集数据后，可以将一些小规模局部数据留在边缘端进行轻量的机器学习及仿真，只将大规模整体数据回传到中心云端，进行大数据分析及深度学习训练。对高层次的数字孪生系统，这种云边端协同的形式更能够满足系统的时效、容量和算力的需求，即将各个数字孪生体靠近对应的物理实体进行部署，完成一些具有时效性或轻度的功能，同时将所有边缘侧的数据及计算结果回传至数字孪生总控中心，进行整个数字孪生系统的统一存储、管理及调度。

2.3.3 工业互联网平台技术

工业互联网平台是一个连接设备与服务、数据与人的跨行业、跨领域的全新工业平台。它能够通过数据流和分析实现智能升级，在物理组件和网络组件全面互联的基础上形成新的模式和业态，实现从企业信息获取、数据驱动的智能分析与决策，到企业协作模式创新和系统优化的多层次应用。工业互联网平台不仅仅是制造资源的载体，它侧重于边缘端制造信息的获取和交互，在边缘端，产品足够智能，可以进行自主决策并在本地执行操作。因此，工业互联网平台技术具有连接性、实时性、可拓展性、开放性、互操作性、智能化与自适应性等特性。

工业互联网平台是面向制造业数字化、网络化、智能化需求，构建基于数据采集、传输、计算的服务体系，支撑数字孪生系统的数据收集与交换、资源的聚合和动态配置以及制造资源的泛在连接和弹性共享，如图 2-14 所示。

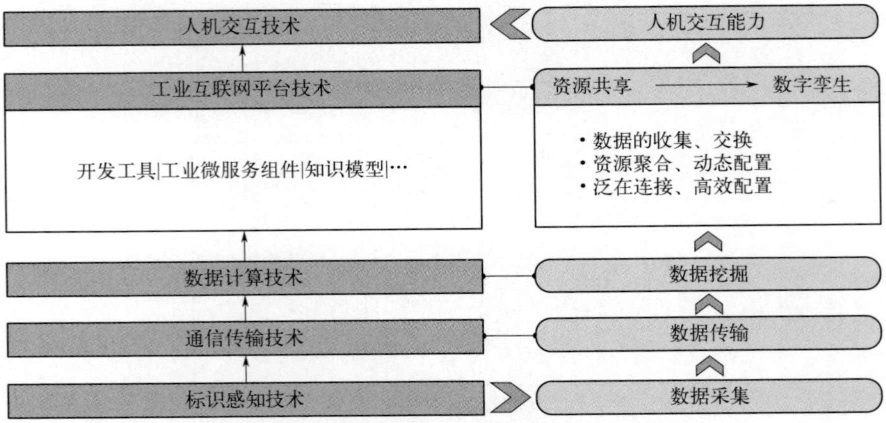

图 2-14　工业互联网平台技术与数字孪生

工业互联网体系架构如图 2-15 所示，主要分为边缘层、IaaS（基础设施即服务）层、PaaS（平台即服务）层、SaaS（软件即服务）层以及企业管理系统五部分，通过这些层次间的协同合作，实现信息流、物料流和价值流的高度整合和协同。

PaaS 层包括通用 PaaS 平台资源部署和管理、工业大数据系统、工业数据建模和分析、应用开发和工业微服务组件库等功能，能够充分调用平台积累的知识模型，能够为用户提供基于工业知识机理的数据分析能力，实现知识的固化与积累，还能为用户提供各种工业知识组件、算法组件、模型组件等。在此层次上，实现了工业数据的集成、存储、处理和分析，为应用层提供强力支持。

SaaS 层中包括设计 APP、生产 APP、管理 APP、服务 APP 等应用程序，为用户提供可视化的生产管理和决策支持。这些应用程序基于 PaaS 层提供的功能和数据，实现了设备状态分析、供应链分析、能耗分析优化等关键任务。

企业管理系统层中包括 SAP/ERP（企业资源管理）、MES（制造执行系统）、WMS（仓储管理系统）、LMS（物流管理系统）、QMS（质量管理系统）、

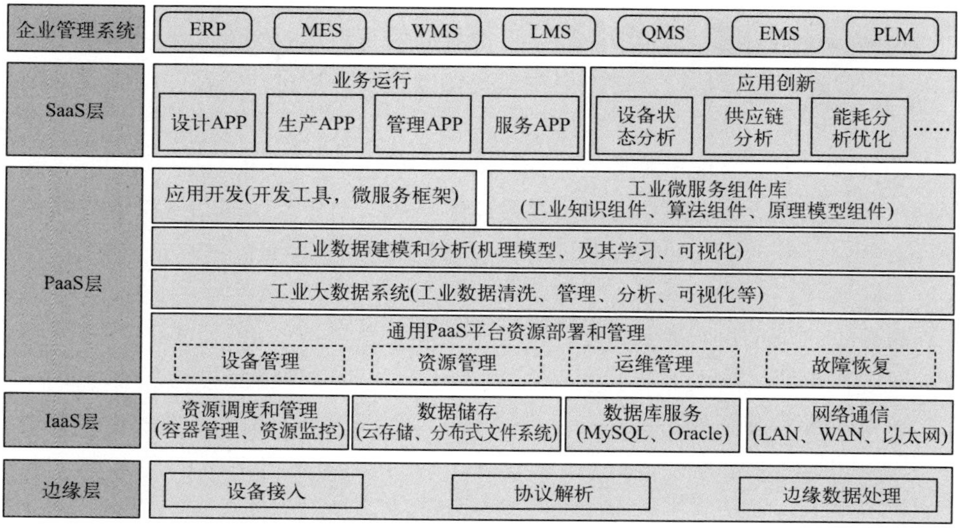

图 2-15 工业互联网体系架构

EMS（能源管理系统）、PLM（产品生命周期管理）等系统。这些系统用于与生产指挥中心进行集成，实现企业级的资源管理和全面协同，企业可以应用工业互联网平台进行系统的搭建。

工业互联网平台是数字孪生系统实施的基础平台。通过工业互联网平台汇聚不同领域、行业、区域的专业人员，利用平台进行供需对接、资源整合，实现模型跨区域、跨领域设计与共享，促进工业知识的复用，解决因不具备专业知识带来的应用数字孪生技术难题。同时，也可以借助工业互联网实现物理实体的数据采集、传输、交换、存储，借助工业互联网平台实现企业从边缘侧进行生产、管理、经营等数据汇聚，企业可根据实际需求通过平台构建满足需求的数字孪生体，使数字孪生在企业生产管理各业务环节中体现，延伸数字孪生生命周期。

2.3.4 人机交互技术

人机交互技术是一种研究人与机器或者计算机化的系统和软件之间交互关系的技术。企业改善人机交互能够提高员工的生产效率，学习人机交互能够帮助用户有效地降低错误发生的概率，避免由于错误引发的损失，降低产品的后续成本。人机交互界面是工业领域内人机交互技术应用最多的内容，主要分为四种：

① 命令行界面。基于命令行界面，用户使用键盘按照一定的规则输入字符，以形成可供机器识别的命令和参数，并触发计算机进行执行。

② 图形用户界面。一般包括窗口、图标、菜单和指针这四类主要的交互元

素，用户通过控制指针来对窗口、图标和菜单等显示元素进行操作。

③ 触摸交互界面。一般包括页面、控件、图标和手势这四类主要的交互元素，用户通过触摸、长按、拖拽等方式直接操控手指接触的目标，或者通过绘制手势的方式触发交互指令。

④ 三维交互界面。主要存在于体感交互、虚拟现实（VR）、增强现实（AR）等交互场景中，用户一般通过身体做出一些动作与三维空间中的界面元素进行交互，计算机通过捕捉用户的动作并进行意图推理，以触发对应的交互功能。

与传统工业互联网平台相比，工业数字孪生系统是一个人、机和环境互相融合、动态变化的复杂虚实迭代系统，能够基于真实地理信息、物理世界各种要素，通过计算机实时渲染生成可交互的二维或三维仿真场景，使物理世界对象在数据世界中完成精准映射和真实呈现，如图 2-16 所示。因此，人机交互技术能够直接影响到工业场景下人对于生产系统的决策判断。

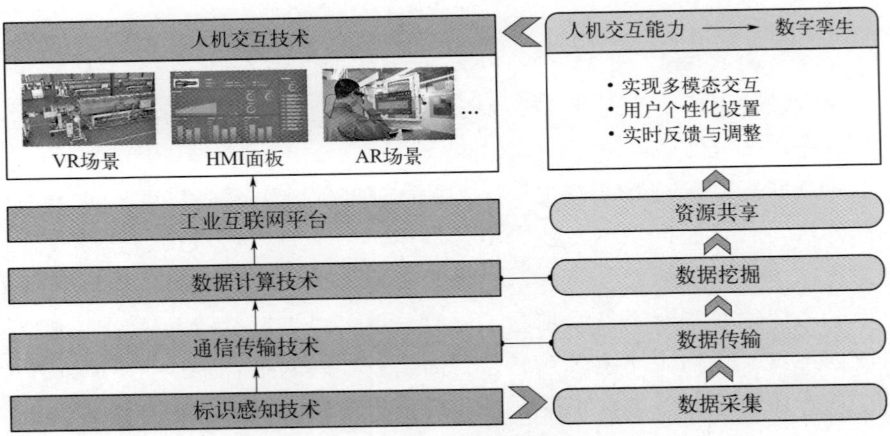

图 2-16　人机交互技术与数字孪生

在不同应用场景下，数字孪生的基本理念均建立于与真实物理世界等价的虚拟数字化表达，而在工业场景下，人是数字孪生系统的重要部分，因此，人机交互是数字孪生研究与应用中必不可少的一环。目前，工业场景下采用的人机交互技术主要有 HMI（人机界面）技术、XR 技术等。对各类人机交互技术的功能、特点和应用场景进行详细介绍和对比分析，如图 2-17 所示。

人机交互技术作为连接用户与系统的纽带，能够实现用户对数字孪生系统的直观操作与有效交流。通过友好的界面设计和多样化的交互方式，人机交互技术使用户能够轻松地探索、操作和理解数字孪生模型，从而实现对实际系统的模拟、监控和优化，为工业生产提供精准的决策支持和智能化的管理手段。

人机交互技术		功能	特点	应用场景
HMI技术		提供用户与设备和系统之间的有效沟通和交互，以监视、控制、优化生产过程，并确保安全性	可靠性、兼容性、可视化、定制性、扩展性	数据可视化、故障诊断与维护、远程监控、数据记录与分析等
XR技术	VR（虚拟现实）	通过特殊装置将用户“投射”入虚拟环境，借助操纵杆、数据手套等设备对虚拟环境进行控制或操作，实现与虚拟环境的交互	沉浸性、交互性、想象性	培训和模拟操作、设计和可视化、远程协作等
	AR（增强现实）	在VR的基础上将虚拟场景与现实世界中的场景融合并对现实场景进行增强，通过显示器、投影仪等设备呈现，实现虚实交互	虚实交融、实时交互	实时维修、实时数据显示、车间内导航等
	MR（混合现实）	在虚拟环境中引入现实场景信息，在虚拟世界、现实世界和用户之间搭建能交互反馈的信息回路，增强用户体验	虚实融合、空间感、交互性	虚实融合的维修、设备状态的展示、远程协助等

图 2-17 人机交互技术的分类及介绍

参考文献

[1] Loaiza J H, Cloutier R J, Lippert K. Proposing a small-scale digital twin implementation framework for manufacturing from a systems perspective [J]. Systems, 2023, 11 (1): 41.

[2] 张霖，陆涵．从建模仿真看数字孪生［J］. 系统仿真学报，2021，33（05）：995-1007.

[3] 中国移动通信研究院．数字孪生技术应用白皮书［R］. 2021.

3

面向生产系统多生命周期的数字孪生系统架构设计

生产系统数字孪生的工程应用贯穿于制造系统的全生命周期，从最初的生产能力评估到生产过程的实时监控与优化。本章将通过深入分析数字孪生在生产系统生产生命周期各阶段的应用，介绍数字孪生技术为制造业提供的低风险、高成本效益的生产流程优化方式。在内容组织方面，本章将通过一个具体的场景案例——模块化可重构装配产线（本书中也称之为示范场景），详细讨论数字孪生在该产线生命周期各阶段的具体应用，并基于此案例，深入介绍面向生产系统生命周期的数字孪生系统架构设计，涵盖了从孪生模型层的柔性建模需求、仿真模拟层的集成与接口需求，到虚拟映射层的可视化监控需求，以及试运行优化层的工艺流程与资源配置优化需求，从而为实现智能制造和工业 4.0 的目标提供新的参考。

3.1 基于数字孪生的生产系统生命周期概述

美国国家标准与技术研究院（NIST）工程实验室系统集成部门于 2016 年 2 月发布的《智能制造系统现行标准体系》报告中将未来美国智能制造系统分为产品、生产系统和商业三个生命周期维度，以各种机器设备、辅助系统和资源创建商品的服务“生产系统”，并给出了生产系统生命周期是整个生产设施及系统的设计、部署、运行和退役情况的标准定义。同时，报告还指出了包括生产系统模型数据和实践、生产系统工程、生产系统维护和生命周期数据管理等支持生产生命周期活动领域的标准。

结合 NIST 智能制造模型和生产系统生命周期业务架构，围绕装配生产线数字孪生系统构建场景，构建了如图 3-1 所示的基于数字孪生的生产系统生命周期图。

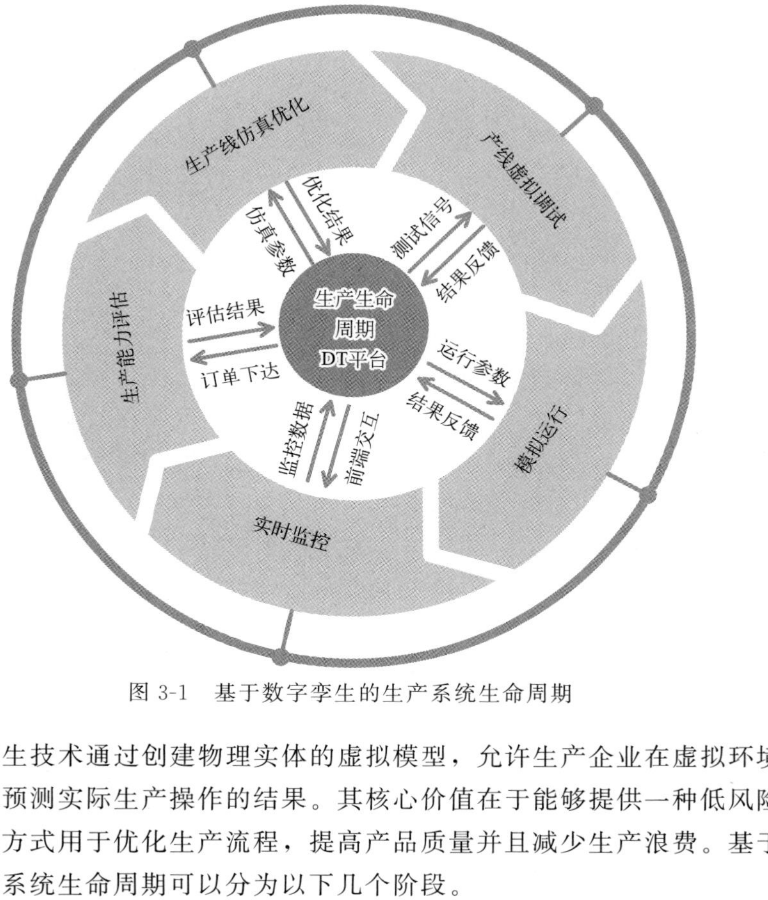

图 3-1 基于数字孪生的生产系统生命周期

数字孪生技术通过创建物理实体的虚拟模型，允许生产企业在虚拟环境中模拟、分析和预测实际生产操作的结果。其核心价值在于能够提供一种低风险、成本效益高的方式用于优化生产流程，提高产品质量并且减少生产浪费。基于数字孪生的生产系统生命周期可以分为以下几个阶段。

(1) 生产能力评估

生产能力评估是制造业中至关重要的一个环节，它通过分析生产系统的生产资源、工艺流程、设备状态等多个维度的数据，评估企业在一定时期内的生产能力和生产效率。这一过程不仅能够帮助企业合理规划生产活动，还能有效识别生产过程中的潜在瓶颈，为生产流程的优化提供数据支持。

在数字孪生技术的支持下，生产能力评估是生产系统生命周期的起始阶段，重点关注产品的工艺设计和工艺仿真。此阶段的主要任务是评估在复杂多变的生产环境下给定订单是否可行。在这一阶段，可以利用数字孪生技术在虚拟环境中对产品进行详细的生产工艺设计和仿真，运用高级仿真工具评估生产过程的各种可能性和变量，以评估不同生产方案的可行性和生产效率。这不仅有助于制定最佳生产策略，还能预测潜在问题，在实际生产之前评估订单的可行性。

（2）生产线仿真优化

此阶段依据生产能力评估的结果，通过模拟不同的生产线配置和操作流程，来识别最优的资源配置和生产流程。目的是提高生产线的平衡率，减少生产瓶颈，并优化生产效率。

在数字孪生技术的支持下，可以利用数字孪生技术创建生产系统的精确虚拟副本，通过模拟不同的生产方案和流程，优化生产线布局和工艺流程。同时，数字孪生技术也可以用来模拟生产系统的操作情况，包括机器的工作状态、物料的流动情况和人员的操作过程，帮助工程师在生产开始前预测和解决可能的问题，提升生产效率和产品质量。

（3）产线虚拟调试

在实际生产开始之前，利用三维建模技术和工具，对生产进行虚拟建模，并进行虚拟信号调试，验证虚拟生产系统的运行能力，确保它能够通过信号驱动正常运作。这一阶段可以通过在虚拟环境中观察生产运行过程中的行为动作和流程有无干涉冲突来识别并解决产线设计过程中的潜在问题，减少物理调试所需的时间和成本。

在数字孪生技术的支持下，生产系统仿真调试可在生产系统实施前对其进行全面的测试，包括设备的配置、调度算法的验证和操作人员的培训。这一过程确保了生产系统的每个组件都能在实际投入生产前达到最佳状态。可见，通过构建数字孪生模型，可以无缝集成生产线设计与现场设备布局，实现生产系统管控过程的优化，大大缩短生产系统从设计到运营的周期。

（4）模拟运行

基于上一阶段搭建的虚拟产线模型，在模拟运行阶段，企业将根据虚拟仿真的需求设置相应参数，并在数字孪生引擎中完成生产系统的虚拟仿真。这有助于验证生产流程的有效性，优化生产计划，并预测可能的生产结果。利用这一过程生成的仿真结果预测和评估生产线在实际运行中的表现。通过这种方式，企业可以在实际投入生产前，识别潜在的问题和改进点。

在数字孪生技术的支持下，能够对生产系统的实际运行情况进行动态模拟，以预测生产过程中可能出现的各种情况。这不仅包括生产效率和产量的预测，也包括设备故障和维护需求的预测。通过模拟运行，可以在不影响实际生产的情况下测试和优化生产策略，提高资源利用率。

（5）实时监控

生产系统实施运行阶段，通过收集实际生产线的数据，并通过人机交互面板进行可视化展示和监控。对生产系统的实时监控能够使企业及时获得生产线状态，通过分析收集到的数据，可以实现对生产流程的调整，快速响应生产中的问题，并持续优化生产效率和产品质量。

在数字孪生技术的支持下，在物理生产系统与其数字孪生之间建立实时数据链接，允许管理者实时跟踪生产过程中的关键性能指标，包括生产效率、产品质量和资源消耗情况，实现实时监控，及时发现问题并迅速响应。同时，数字孪生系统能够实现生产线的动态优化，通过持续的数据分析和学习，实现生产系统的决策支持和持续优化。

综上，基于数字孪生的生产生命周期概述揭示了如何通过数字孪生技术实现生产过程的全面优化和管理。从生产能力评估到实时监控，整个生产系统生命周期是一个闭环系统，每个环节都可以通过数字孪生技术进行重构和优化，以应对生产过程中的变化和挑战。通过实施基于数字孪生的生产生命周期管理，企业能够实现更高的生产灵活性、效率和质量，同时降低生产成本和风险。

3.2 整体参考框架设计

3.2.1 需求层次分析

数字孪生不仅仅是一种技术或工具，它也代表了一种全新的工业革命思维方式，即通过高度精准的虚拟模型实现系统的优化与创新。在这一背景下，理解并分析系统需求层次成为构建有效、高效数字孪生系统的基石。构建数字孪生系统时必须考虑到多层次、多维度需求，从而确保所开发系统能够满足制造领域日益复杂的设计、仿真、运营和优化需求。

如图 3-2 所示，数字孪生包括孪生模型层、仿真模拟层、虚拟映射层和运行优化层四个核心层。在孪生模型层中，需要重点关注模型的适应性、灵活性与用户交互的必要性，强调建模的通用性、可扩展性和易用性，以及如何通过有效的交互和通信满足用户需求；仿真模拟层则侧重于系统的集成与接口需求，以及如何利用虚拟调试和基础仿真技术优化生产系统设计和配置；虚拟映射层重点关注生产过程的可视化监控、数据处理和采集的关键性，强调实时数据分析的重要性；运行优化层则更关注如何通过技术创新提升工艺流程、优化资源配置，并改善物料布局。通过细致的系统需求层次分析，本节旨在为读者提供一个全面、结构化的视角，以理解和应用数字孪生技术在面向生产系统生命周期中的关键作用。

(1) 第一层：孪生模型层

① 柔性建模需求。建模通用性、模型可扩展性、模型易用性：数字孪生系统需要具备高度的适应性和灵活性，以支持不同类型的制造系统和生产需求。

图 3-2　装配生产场景功能需求分析

② 交互和通信需求。UI 界面设计、交互模型的通用性、易用性：为操作人员提供直观、易用的用户界面，确保数字孪生系统能够高效地与用户交互。

③ 集成与处理需求。模型轻量化处理、建模流程规范化与标准化：通过轻量化处理改善模型的传递和加载效率，规范化建模流程以实现与物理实体的高度集成。

（2）第二层：仿真模拟层

① 集成与接口需求。系统数据接口、数字孪生平台接口：确保数据能够无缝集成，同时保持系统间数据交换的安全性和一致性。

② 虚拟调试需求。虚拟信号调试、产线模拟运行测试：在不影响实际生产的情况下进行仿真调试，确保生产线的设计和配置达到最优。

③ 基础仿真需求。生产能力评估、生产过程仿真、设备运行状态仿真：使用仿真技术评估生产能力，模拟生产过程以及设备状态，为生产决策提供支持。

（3）第三层：虚拟映射层

① 可视化监控需求。生产状态/数据可视化监控、工位/产线/车间级监控：实现对生产过程的可视化监控，以提高监控系统的灵活性和故障响应能力。

② 数据处理需求。边缘控制设备、边缘计算与管理设备、通信协议：有效

管理车间内的信息流，保证数据的实时处理和分析。

③ 数据采集需求。生产执行设备、工业传感器、数据采集设备：收集必要的生产数据，确保数字孪生模型的实时更新和准确性。

(4) 第四层：运行优化层

① 工艺流程优化需求。工艺流程分析、自动化与智能化、生产能耗优化：优化工艺流程，提高生产效率，并降低能源消耗。

② 资源配置优化需求。人力资源优化、资金优化、技术优化、设备优化：实现资源的最优配置，以支持高效生产。

③ 物料布局优化需求。物料/零部件运输路线、产线布局优化：优化物料流动，减少生产延迟和成本。

3.2.2 参考框架设计

在现代制造业中，面向生产系统生命周期的数字孪生系统架构设计成为了实现高效、灵活且可持续生产的关键技术基础。该架构深入整合了物理实体、孪生模型与功能服务三大核心要素，通过精准的数据采集、高度逼真的模型仿真与先进的功能服务融合，提供了一个全面、动态的生产管理与优化平台。图 3-3 所示为面向生产系统生命周期的数字孪生系统架构。

(1) 物理实体层

物理实体层构成了数字孪生系统的基础，涵盖了生产线上的所有物理要素，包括但不限于机器设备、工作人员以及生产材料。此外，该层还包括为实现实时数据采集和边缘控制而部署的传感器网络和数据采集设备。通过实时监控和收集设备状态、环境参数以及生产过程中的关键数据，物理实体层为数字孪生模型提供了实时、精确的数据输入，确保模型的实时性和准确性。

(2) 孪生模型层

孪生模型层是数字孪生系统架构中的核心，分为孪生数据和虚拟模型两个部分。孪生数据：包括专为数字孪生系统设计的数据库和数据处理平台，负责存储、管理和处理从物理实体层收集到的所有数据。孪生数据不仅为虚拟模型提供实时驱动数据，也支持对生产过程的深度分析和优化。虚拟模型：由几何模型、行为模型、人机交互模型和逻辑模型组成，高度复现了物理实体的特性和行为。通过与孪生数据的实时交互，虚拟模型能够反映并预测物理实体的状态，支持对生产过程的仿真分析和优化。通过孪生数据输出的统计数据与虚拟模型的驱动数据进行反馈控制，孪生模型层实现了模型的持续迭代优化，以及高效的人机交互和虚实映射功能。

(3) 功能服务层

功能服务层通过整合系统应用层的服务（如 PLM、MES、ERP、CRM 和

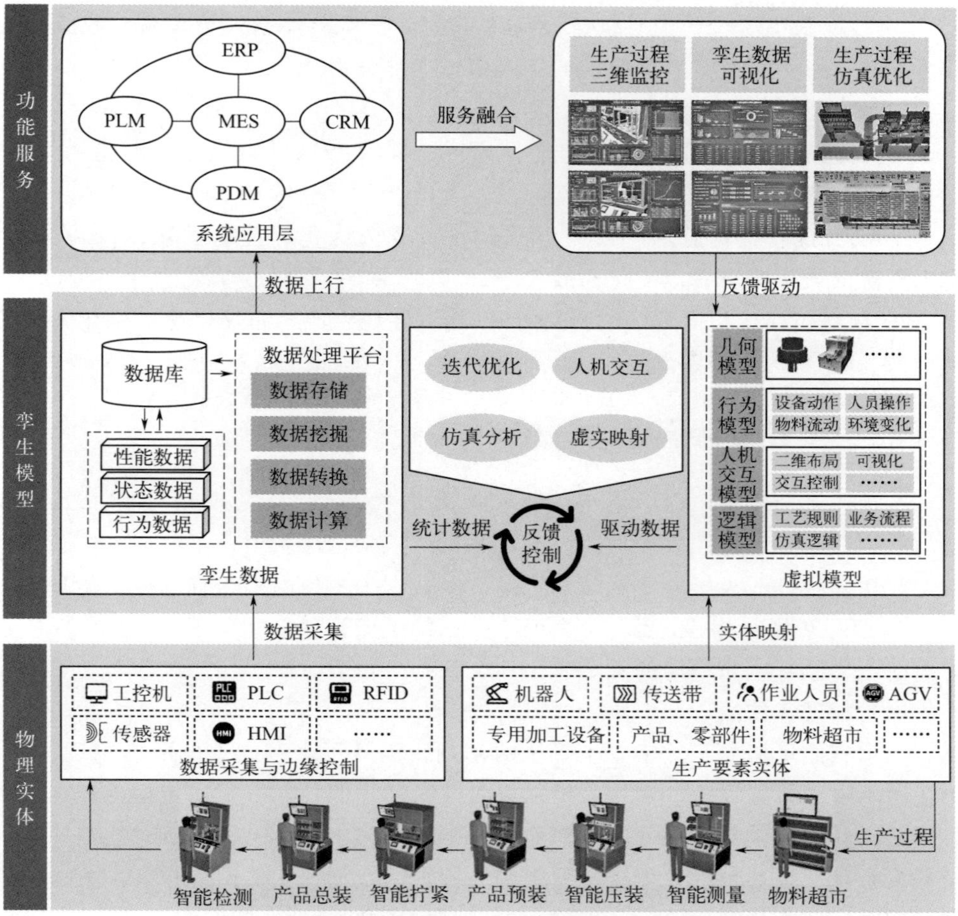

图 3-3　面向生产系统生命周期的数字孪生系统架构

PDM 等)，实现了生产过程的全面数字化管理和优化。该层提供的关键服务包括：生产过程三维监控，利用孪生模型层的数据和模型，实现生产过程的三维可视化展示、实时自适应控制，同时也为生产管理和决策提供直观的视图；孪生数据可视化，通过高级数据可视化技术，将复杂的生产数据转化为直观的图表和图形，便于分析和理解；生产过程仿真优化，利用孪生模型进行生产过程仿真，识别潜在的问题和瓶颈，优化生产流程和资源配置。

面向生产系统生命周期的数字孪生系统架构设计通过这三个层次的紧密集成，为制造企业提供了一个强大的工具，以实现对生产过程的精准管理和优化。该架构不仅支持生产过程的实时监管和控制，还能够基于大数据和人工智能技术进行深度分析和预测，从而提高生产效率，降低成本，提升产品质量。

3.3　柔性生产线示范场景概述

3.3.1　示范场景概述

3.3.1.1　示范场景整体描述

如图 3-4 所示为柔性生产线示范场景，是一条六工位模块化可重构装配产线，加上 AGV、PTL 以及相关软硬件组成的生产系统。示范场景将作为面向生产系统生命周期的数字孪生系统构建案例，以此为载体，开展相关数字孪生设计和实现技术的阐述，同时也通过此案例展现数字孪生技术在生产系统设计、运行及优化中的关键应用价值，揭示数字孪生系统在实现高度适应性、灵活性和实时数据驱动的生产过程中可重构性、数字化管理、仿真与优化、实时数据驱动、人机协作的主要优势。

图 3-4　柔性生产线示范场景

示范场景包含设备有 AGV 1 台，测量、压装、预装、拧紧、总装、检测 6 个非标设备工位，小型电子货架（物料超市）1 套，作业人员 7 人，即分拣作业人员与对应工位作业人员；需完成物料分拣与配送、产线产品装配的完整流程仿真，信号点存储于主控 PLC 的 DB 块中，不同工位的 DB 块不同。该产线具备以下特点：

① 可重构性：示范场景由多个功能专一的非标设备工位组成，能够根据生产需求进行快速调整和重构。AGV 小车为产线提供动态物料搬运，能够根据当前作业需求调整路线和任务。

② 数字化管理：各工位的信号点存储在主控 PLC 的 DB 块中，这使得整个生产流程控制高度数字化。虚实映射，产线的设备和人员通过模型与真实的生产环境紧密连接，实现了高效的生产监控和管理。

③ 仿真与优化：能够进行物料分拣、配送及生产线装配的完整流程仿真，优化生产业务。仿真环境支持根据计划或生产数量进行动态调整，提高资源的利用率和生产的灵活性。

④ 实时数据驱动：仿真与实际操作基于数据库或 OPC UA 服务器的实时数据进行同步，确保生产线反应及时。生产过程中的每一个动作和决策都由实时收集的数据触发，从而减少延迟和提高生产线的响应速度。

⑤ 人机协作：作业人员在与机器的协作中扮演关键角色，完成物料分拣、配送和组装等关键任务。自动化和人工操作相结合，以满足复杂任务的需求，同时提高生产线的适应性和效率。

3.3.1.2 硬件架构及资源配置

在高度自动化的示范场景中，六编组的可重构装配产线代表了先进制造系统的核心，其硬件架构是精心设计的，以支持快速的产品变更和高效率的生产流程。该架构充分利用了数字孪生技术，将物理设备、作业人员以及生产管理软件整合成一个协同工作的系统，以实现生产的高度灵活性和自动化。如图 3-5 所示为场景硬件架构及资源配置。

硬件架构详细描述如下：

① 智能自动引导车（AGV）。作为物流的中枢，不仅承担物料的精确配送，还负责成品的回收工作，具备高度的自主导航能力和调度灵活性。

② 非标自动化工作站。每个工作站都配备有专门的传感器和执行器，这些设备都通过可编程逻辑控制器（PLC）进行集中控制，保证了生产的高精度和高稳定性。工作站设计模块化，便于快速调整或替换，以适应不同的生产任务。

③ 电子物料超市与小型电子货架。系统化存储和管理所有必需的物料，利用先进的库存管理系统实现高效的物料存取和补给。

④ 集成的通信与监控系统。不仅通过可视化界面提供了生产监控，还通过先进的通信协议，如 OPC UA，实现了设备与中央数据库之间的无缝连接，确保信息实时共享和指令下达。

⑤ 中央控制单元（主控 PLC）。高性能的 PLC 系统负责处理所有来自生产线的信号点，其数据库（DB 块）是实现精确控制和即时反馈的基础。

通过这样的硬件架构，示范场景的生产线不仅具有高度的自动化和灵活性，而且能够迅速适应生产需求的变化。该架构具有以下优势：

① 系统的灵活性和可重构性使得它能够迅速适应不同的产品和生产要求。

② 高度集成的硬件和软件确保了生产数据的准确性和透明度，这对于快速诊断和解决问题至关重要。

③ 强大的模拟和仿真能力，可以在不影响实际生产的情况下测试和优化生产流程。

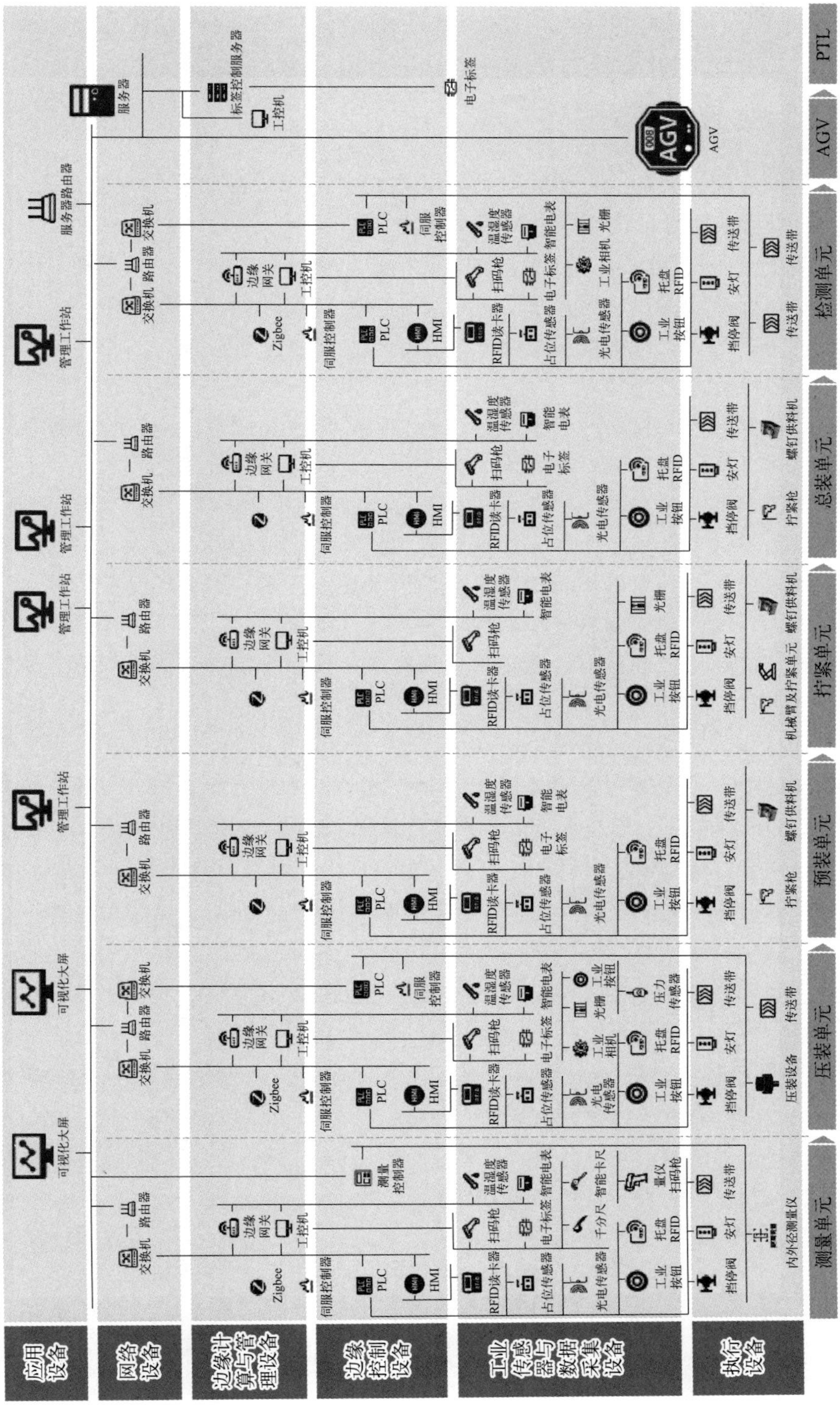

图 3-5 装配生产场景硬件架构及资源配置

这样的数字孪生系统不仅提高了生产效率，降低了成本，还增强了企业对市场变化的响应能力。

3.3.2 业务流程分析

可重构装配产线的业务流程涵盖了从物料管理到成品检测的完整生产周期。如图 3-6 所示是针对示范场景六编组可重构装配产线场景的详细业务流程。

在生产生命周期的最初阶段，需要明确产品的技术需求，包括功能性、性能指标、安全标准和客户特定需求。这些需求为后续设计和开发打下基础。紧接着需要利用建模仿真软件根据技术需求来设计产品。在这个阶段，通过多次迭代以优化产品的性能和可制造性。工艺工程师根据产品设计制定详细的制造工艺流程，包括选择合适的材料、确定制造步骤和设置质量控制点。工艺设计旨在确保产品能够在遵循既定质量标准的同时高效生产。在产品设计工艺管理完成后，生产计划部门根据订单需求、资源可用性和交货期限制定详细的生产计划和排程。计划包括物料需求计划、人力资源安排以及机器和设备的利用计划。同时，仓储管理系统对原材料和组件进行追踪，确保满足生产需求。高效的仓储管理可以减少库存成本，同时确保物料的可用性。一旦生产计划确定，作业派工系统便会分配任务给相应的人员和机器。派工可确保每个工作站都能在正确的时间开始相关的生产任务。

生产过程的具体业务步骤如下：

① 物料分拣。物料管理开始于电子物料超市的手动仓储系统，这里存储所有必要的零部件和材料。作业人员接收到生产任务后，系统将根据产品类型（例如指尖陀螺或行星齿轮）和计划数量自动生成物料清单。物料分拣人员根据系统指导，在物料超市中按清单收集物料，并将其正确放置在 AGV 小车上的指定位置。

② 物料配送。物料分拣完成后，AGV 被触发开始按照预设的路线将物料送到相应的生产工位。各工位作业人员会在 AGV 到达后执行卸料操作，随后 AGV 继续其任务，到达下一个工位，直至全部物料配送完毕。

③ 装配执行。装配线的每个工位都有特定的任务，从初步的数字测量到智能压装、预装、拧紧，再到总装和视觉检测。每个工位的作业人员都会执行特定的装配任务，包括手动操作和自动操作。所有工位的操作均由中央控制单元（PLC）控制，并根据接口信号进行操作。

④ 产品检测。产品总装完成后，产品移至视觉检测工位，进行最后的质量检查和确认。产品经过最终检测合格后，被视为完工品，准备进行后续的包装和发运。

⑤ 信息归档。生产周期内所有操作数据，包括生产进度、质量控制记录和产品追踪信息，都会实时上传至中央数据库。数据库的这些信息可以用于后续的分析，优化生产流程和质量控制。

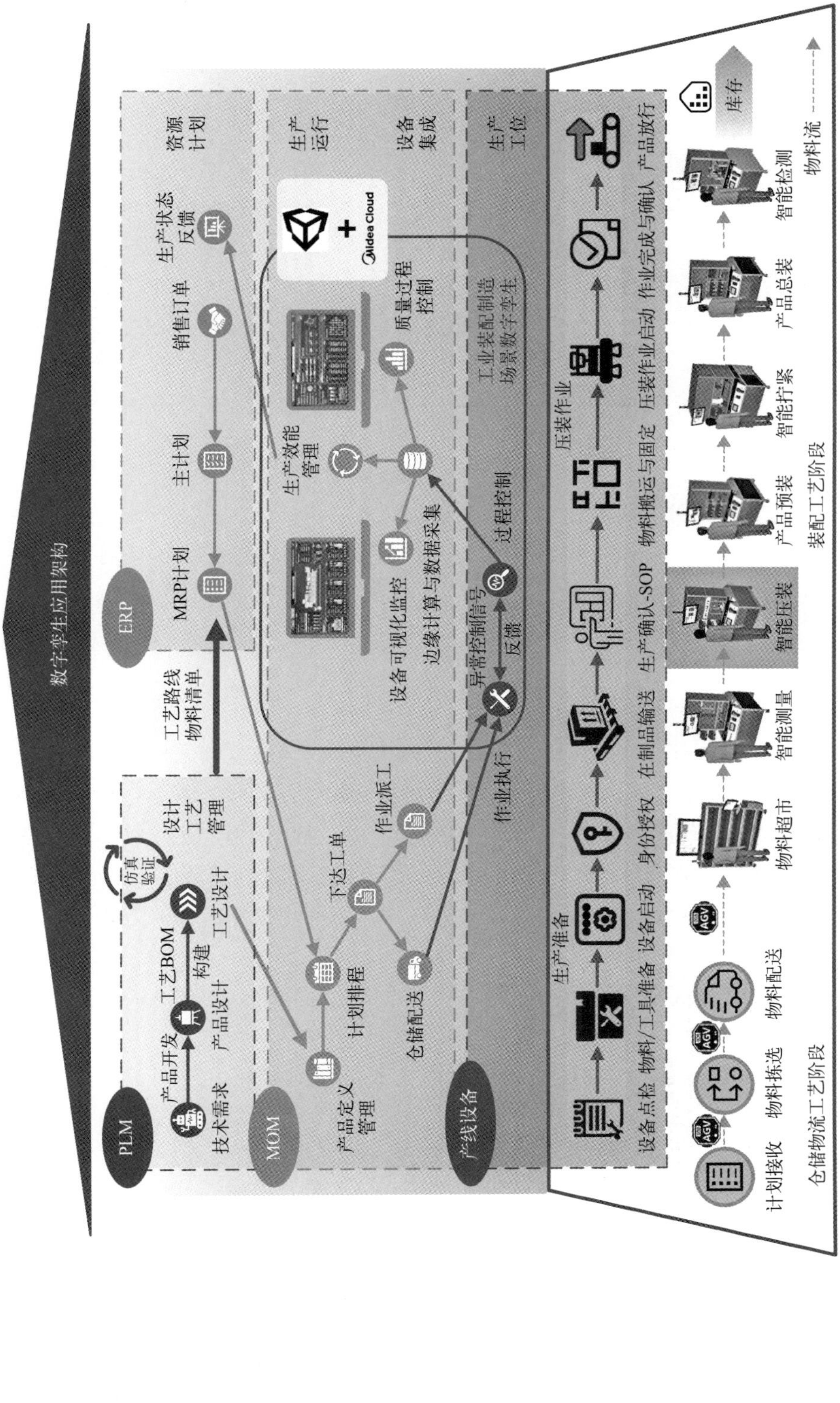

图 3-6 示范场景的业务流程

生产装配的全流程均可通过监控系统实时追踪生产状态，包括机器运行状况、生产进度和质量控制，这样可以迅速地识别并解决生产过程中出现的任何问题。利用数字孪生技术，管理人员能够在不影响实际生产的情况下对生产流程进行测试和优化。虚拟仿真可以帮助评估潜在的改进措施，并预测其对生产效率和产品质量的影响。在整个生产生命周期中，这些流程的紧密集成和协调操作是至关重要的。从产品的概念设计到成品的最终检验，每一步都基于数据驱动的决策和优化。这种整体的生产管理方法确保了生产过程的高效性和产品的高质量，同时提高了对市场变化的适应能力和响应速度。

3.4 系统详细架构设计

3.4.1 应用架构设计

数字孪生的应用架构设计是为了实现高度集成和自动化的生产流程，确保数据的无缝流动和实时反馈。在构建面向生产系统生命周期的数字孪生技术架构时，关键在于确保数据、模型、仿真与实时监控的深度集成和应用，以实现对物理生产系统的全面映射、监控和优化。如图 3-7 所示是面向生产系统生命周期的数字孪生系统应用架构。

(1) 数据采集与处理层

数据采集与处理层构建了一个数据收集和初步处理的基础架构，利用先进的工业传感器和数据采集设备对生产线上的关键参数进行实时监测。边缘计算设备在此层起到关键作用，它们不仅减轻了数据处理中心的负担，还能够实现数据的快速处理和响应。在边缘计算设备上运行的高级算法可以对收集到的数据进行实时分析，从而生成对生产过程的即时调整指令，以优化操作和提高效率。

(2) 孪生模型层

数字孪生模型层是实现物理世界与虚拟世界之间精确映射的核心。它由以下几个子模型组成：

① 几何模型：通过高精度的三维建模技术，准确再现生产设备和产品的物理特征。

② 行为模型：采用物理学和工程学原理，模拟设备操作和产品生产过程中的动态行为。

③ 人机交互模型：结合认知科学和人因工程，设计直观的界面和交互逻辑，以提高操作的效率和安全性。

④ 知识模型：整合专家系统和机器学习技术，融合历史数据、生产经验和

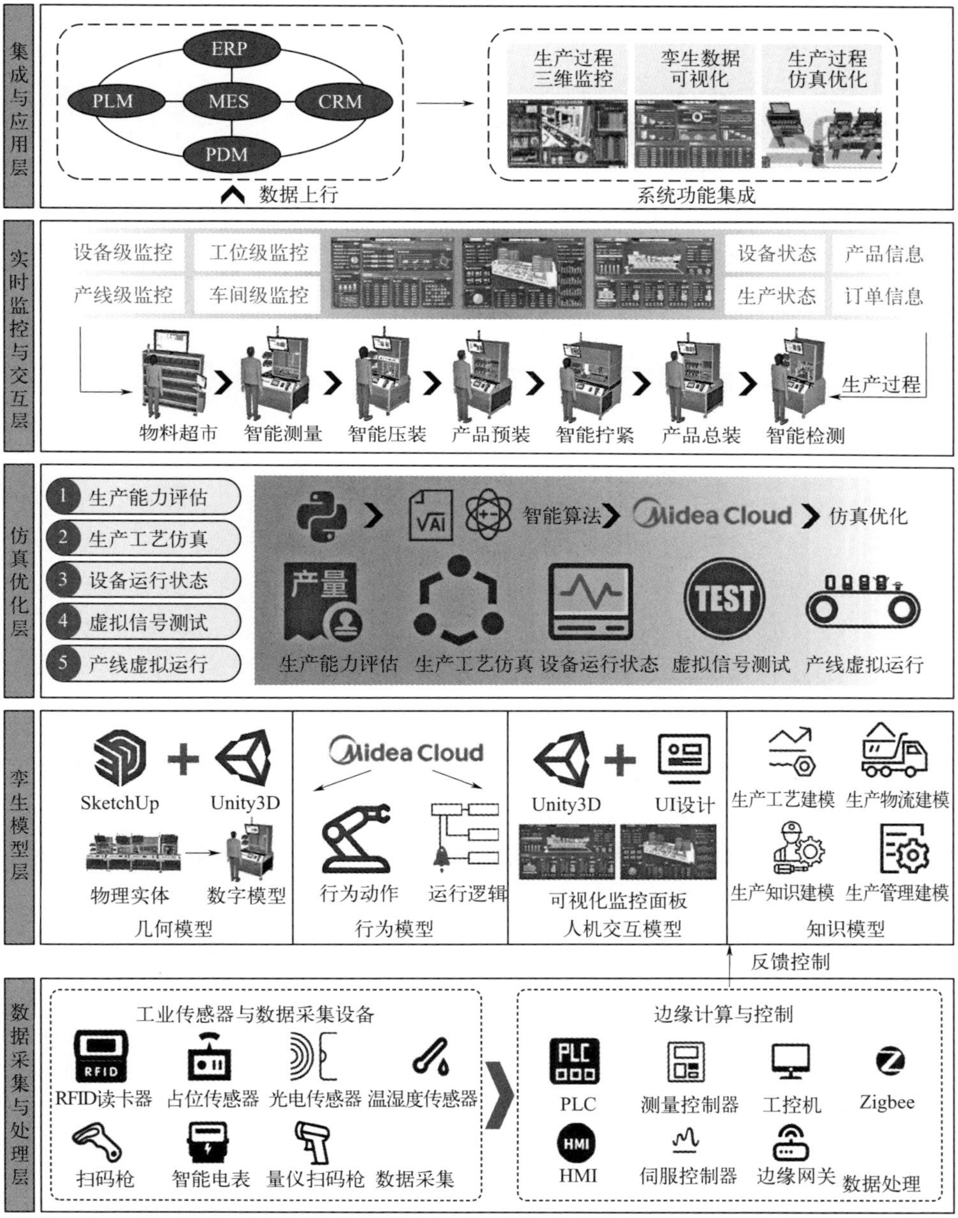

图 3-7 面向生产系统生命周期的数字孪生系统应用架构

最佳实践，支持复杂的决策制定过程。

(3) 仿真优化层

在仿真优化层，综合应用了计算机仿真技术、智能优化算法等，对生产系统的设计、运行和管理进行全方位的模拟和优化。该层能够在不影响实际生产的条件下，通过建立精确的生产模型，对不同的生产方案进行评估和优化，从而找到最佳的生产工艺流程和设备配置方案。

(4) 实时监控与交互层

实时监控与交互层采用了高级的传感器网络和数据通信技术，实现了对整个生产过程的实时数据采集、处理和展示。这一层不仅提供了对生产设备状态的监控，还能够实现对整个生产线和车间的综合监控，确保生产管理者能够及时获取生产状态、产品质量和订单进度等关键信息。

(5) 集成与应用层

集成与应用层实现了数字孪生系统与企业其他信息系统（如 ERP、MES、CRM、PLM、PDM 等）的深度集成。通过这种集成，生产数据能够实时上行到企业管理层，支持更加准确和高效的决策制定。此外，该层还提供了生产过程三维监控、孪生数据可视化以及生产过程仿真优化等高级应用功能，进一步提升了生产系统的智能化和自动化水平。

通过这样的数字孪生技术架构设计，可以实现从数据采集到高级决策支持的全流程自动化和智能化，为制造企业提供了一个强有力的工具，以适应快速变化的市场需求，提高生产效率，降低运营成本，同时确保产品质量和生产安全。

3.4.2 数据架构设计

3.4.2.1 装配生产数据虚实映射

在制造行业中，装配生产数据的虚实映射通过高度精细的数字孪生技术实现，桥接了物理生产系统与其虚拟副本之间的信息流，从而为实时监控、预测性维护以及生产过程优化提供了坚实基础。如图 3-8 所示为装配生产场景数据虚实映射。

(1) 虚拟空间孪生模型行为集合

虚拟空间的孪生模型行为集合反映了制造系统的多维度数据和操作，具体包括：

① 基本信息展示：每个设备的数字孪生模型都包含详细的基本信息，如设备名称、型号、编码及其生产日志。这些信息为系统用户提供了全面的设备背景和历史数据，便于追踪和分析。

② 事件状态：模型能够实时反映生产过程中的关键事件，如开始补料、开始装配、托盘回收和开始压装。通过实时更新这些事件状态，虚拟模型为操作人员提供了即时的生产过程视图。

③ 属性状态：涉及设备的运行属性状态，包括开机状态、温度湿度、物料剩余和生产节拍等。这些属性状态的实时更新，保证了生产调度和控制的准确性

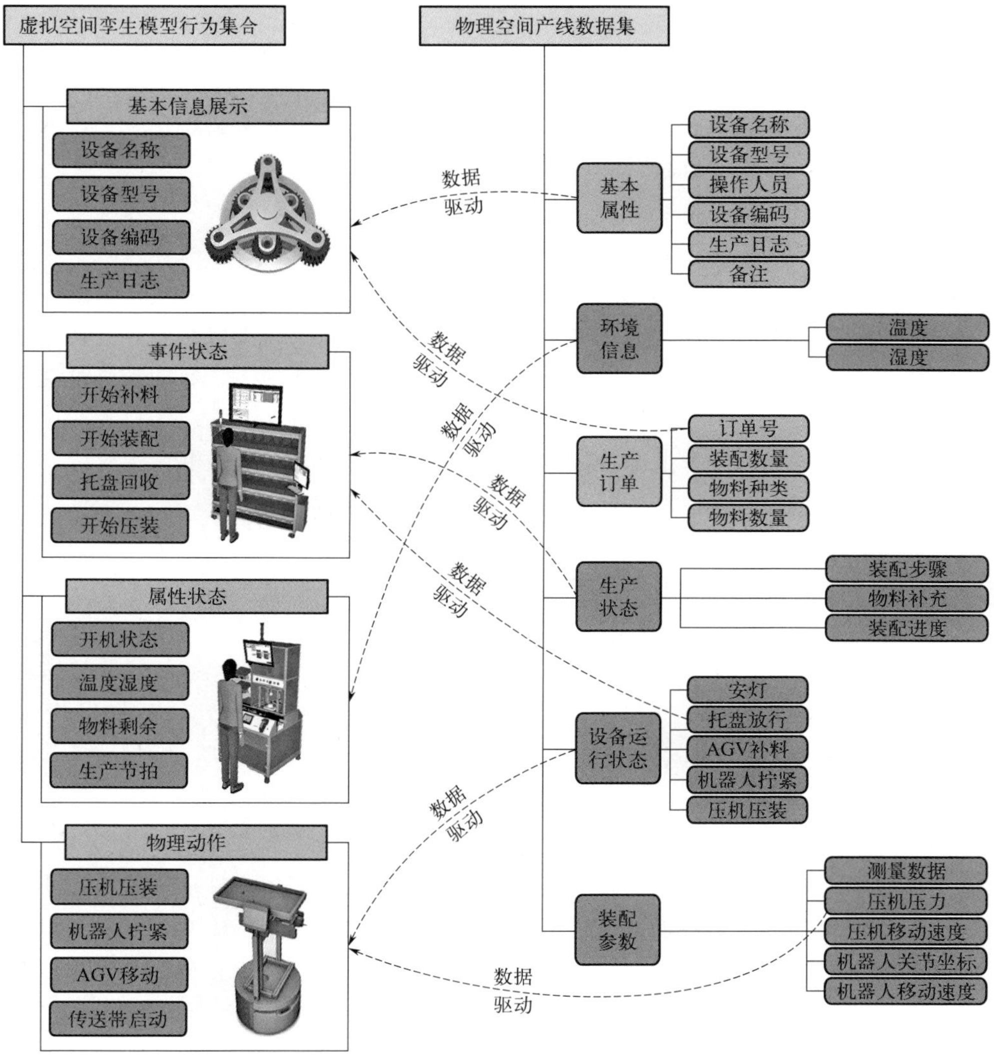

图 3-8　装配生产场景数据虚实映射

和有效性。

④ 物理动作：模型还能够模拟实际的物理动作，如压机压装、机器人拧紧、AGV 移动和传送带启动等。通过精确仿真这些动作，虚拟模型提供了一个可靠的平台，用于生产流程的测试和优化。

（2）物理空间产线数据集

物理空间产线数据集捕获了实际生产环境中的综合信息，核心包括：

① 基本属性和环境信息：记录设备的基础属性和生产环境的相关信息，如温湿度、噪声级别等，对保障设备运行和产品质量至关重要。

② 生产订单和状态：详细记录了当前的生产任务、订单需求以及生产的实时状态，是生产管理和调度的基础。

③ 设备运行状态和装配参数：涵盖了每台设备的运行状况和装配过程中的关键参数，如速度、压力等，对确保装配精度和产品一致性至关重要。

(3) 虚实映射驱动机制

通过先进的数据同步技术和算法实现虚拟空间孪生模型行为集合与物理空间产线数据集之间的一一映射。这种映射机制保证了虚拟模型能够准确反映物理系统的实时状态，并根据物理系统的变化进行动态调整和优化。通过反馈控制循环，虚拟模型中的数据和状态变更能够指导物理系统的实际操作，同时，物理系统的数据变化也会实时更新到虚拟模型中，形成一个闭环的信息流动和决策支持系统。

通过这种精细的数据虚实映射并构建数字孪生，制造企业能够实现对生产系统的深入理解和全面掌控，从而优化生产流程、提高操作效率和确保产品质量。数字孪生技术在此过程中的应用，不仅促进了制造业的智能化和数字化转型，也为面临复杂生产挑战的企业提供了有效的解决方案。

3.4.2.2 数据集成与管理

面向生产系统生命周期的数字孪生系统旨在通过高度集成的数据架构实现对生产过程的全面监控、分析和优化。该系统数据架构紧密结合了数据采集、数据处理与分析以及关键数据可视化呈现三个核心层次，以支持从原始数据到决策支持的全流程转化。如图 3-9 所示是三层数据架构示意图。

(1) 数据采集层

数据采集层构成了数字孪生系统的基础，负责从物理生产环境中实时收集关键数据。该层包含多种数据采集设备，如传感器、扫描器和摄像头，它们被部署于关键的生产设备和工作站上，以捕获包括温度、压力、速度、位置等在内的各种参数。此外，数据采集层还依赖于多种工业通信协议，如 OPC UA、MQTT 和 Modbus 等，这些协议确保了数据从源头到处理中心的高效、安全传输。通过这一层的工作，系统能够获得原始的生产数据，为后续的分析和决策提供基础。

(2) 数据处理与分析层

数据处理与分析层是数字孪生系统的核心，负责对收集到的大量数据进行实时处理、分析和存储。该层主要包括边缘控制系统、边缘控制设备、边缘网关以及边缘云和边缘计算资源。边缘控制系统和设备在数据源附近进行初步的数据处理和分析，能够减少数据传输延迟，提高系统响应速度。边缘网关作为物理设备与网络的桥梁，支持数据的聚合、过滤和转发。边缘云和边缘计算资源则提供更加强大的数据处理能力，支持复杂的数据分析算法和机器学习模型的运行。通过这一层的工作，系统能够从海量数据中提取有价值的信息，支持生产过程的实时

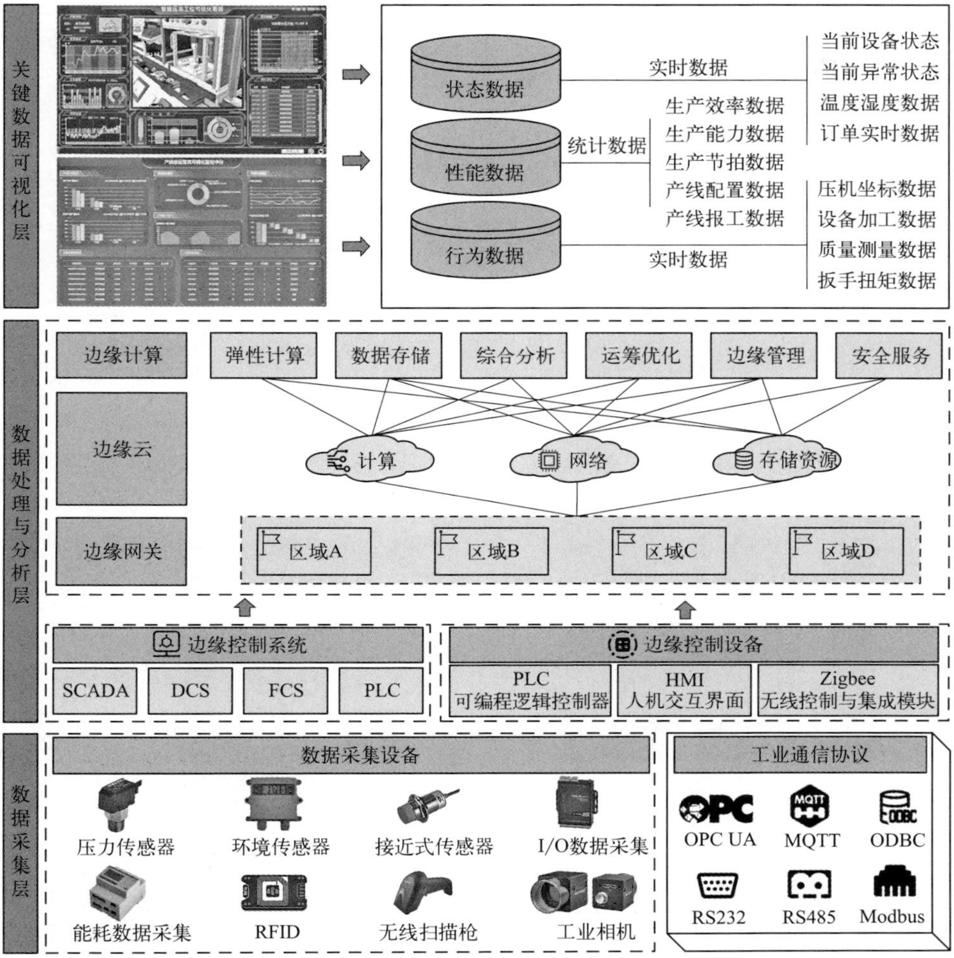

图 3-9 三层数据架构

监控、预测性维护和优化决策。

(3) 关键数据可视化层

关键数据可视化层是数字孪生系统向用户展示信息的界面，通过图形化的方法将复杂的数据转换为直观、易于理解的视觉表示。该层重点关注状态数据、性能数据和行为数据的可视化展示，包括设备的运行状态、生产线的效率指标以及作业人员的行为模式等。通过仪表盘、图表、3D 模型等可视化工具，操作人员和管理者能够实时监控生产过程，迅速识别问题所在，及时作出调整或决策。此外，可视化层也支持对历史数据的分析展示，帮助用户挖掘生产过程中的潜在优化机会。

综上所述，面向生产生命周期的装配生产数字孪生系统通过其精心设计的数据架构，实现了从数据采集到决策支持的全链路覆盖，极大地提高了制造企业的生产智能化和信息化水平，为实现高效、可持续的制造提供了坚实的技术支持。

3.4.3 技术架构设计

技术架构是系统实现技术选择和组合应用的蓝图，在系统研发过程中发挥着至关重要的作用。数字工坊是一个集软硬件、网络、数据、模型于一体的集成系统，涉及的技术种类多。图 3-10 为示范场景的技术架构图。

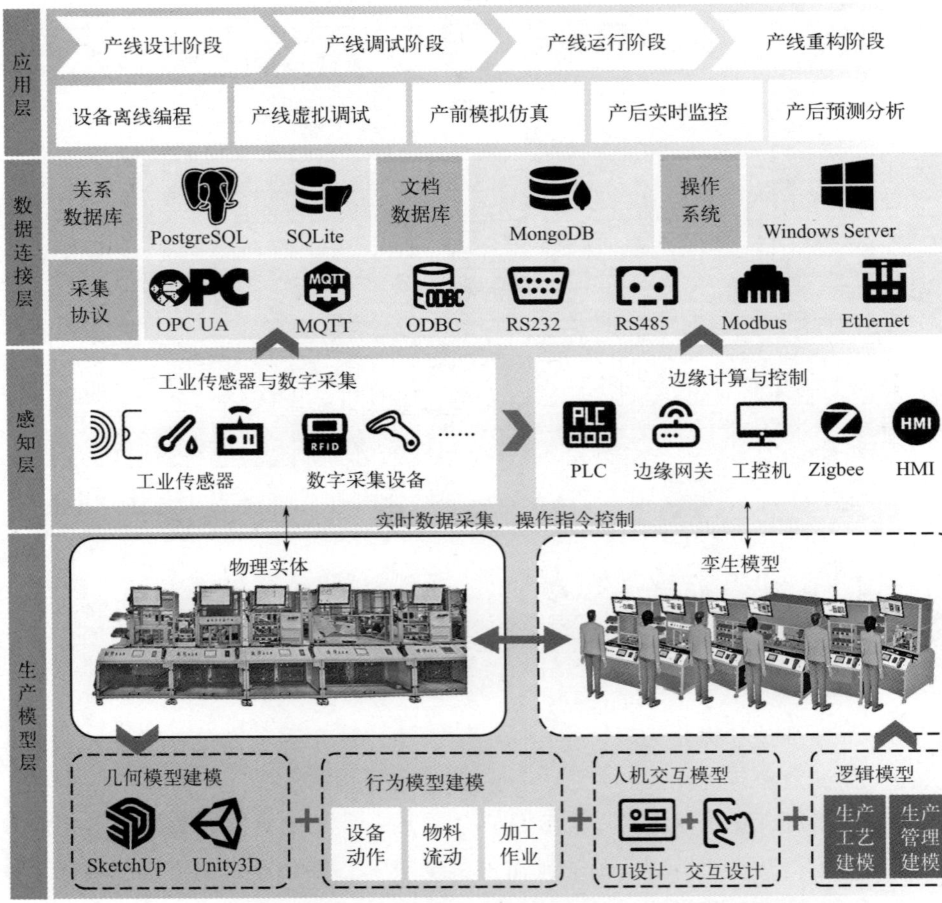

图 3-10 面向生产生命周期的数字孪生装配生产系统示范场景的技术架构

（1）第一层：生产模型层

生产模型层是数字孪生架构的基础，它孪生了物理生产环境的多个方面，包括几何形状、行为模式、人机交互界面和逻辑关系。这一层通过精确建模，构建了物理实体在数字空间中的孪生体。几何建模捕获了产品和组件的尺寸和形态，行为建模模拟了它们的动态性能，人机交互模拟了人员与生产系统的交互方式，而逻辑建模则描述了生产流程和决策规则。

（2）第二层：感知层

感知层是数字孪生技术架构中负责数据采集的部分，通过工业传感器和数字采集设备实时获取生产数据，如温度、压力、速度等参数。这些数据随后传输到边缘控制设备，如工业 PC 或专用的边缘控制器。在这一层，边缘计算设备执行数据分析，处理操作指令，做出快速响应，以实现对生产过程的实时监控。

（3）第三层：数据连接层

数据连接层负责确保信息流的连续性和一致性。它使用各种工业通信协议，如 OPC UA，以及关系数据库系统，实现生产数据与数字孪生平台的无缝交互。这一层收集的数据被用来支持更高级的数据分析和生产决策，并被存储用于历史趋势分析、报告生成和长期策略规划。

（4）第四层：应用层

应用层包含了基于连接层和感知层相关数据的高级应用功能。这里是生产调度系统进行工序优化的地方，以最大化资源利用和生产效率。工时预测功能帮助评估未来的生产需求和可能的瓶颈。设备管理功能确保设备保养和维护工作得到适时处理，从而延长设备寿命并减少停机时间。虚实联动功能将实际生产操作与数字模型同步，使得数字孪生模型能够实时反映物理实体的状态。

这四层构成了一个完整的数字孪生技术架构，使得生产系统能够实现高度的自动化、灵活性和适应性。通过此技术架构，可以实现从产品设计到最终生产的全过程优化，提升整个生产生命周期的效率和质量。

参考文献

[1] 张霖，陆涵．从建模仿真看数字孪生［J］．系统仿真学报，2021，33（05）：995-1007.

[2] 杨子兵，周海臣，邢亮，等．数字孪生技术在全生命周期生产中的应用［J］．电子技术，2022，51（0）：250-251.

[3] 裴沛，曾高辉．基于工业互联网的大数据平台建设分析［J］．信息系统工程，2023（08）：112-115.

[4] 赵永豪，郭昊．基于数字孪生技术的自动物料检测输送线设计与仿真［J］．信息与电脑（理论版），2022，34（17）：7-10.

[5] 程昊，王红军，杨俊峰，等．面向生产线全生命周期的数字孪生模型应用［J］．电子测量与仪器学报，2023，37（04）：115-121.

[6] 阴艳超，冯嘉胜，易斌，等．面向流程制造的数字孪生车间可视化监控系统研究［J］．系统仿真学报，2024，36（01）：120-130.

[7] 冷柏寒，夏唐斌，孙贺，等．面向可重构制造的数字孪生映射建模与监控仿真［J］．浙江大学学报（工学版），2022，56（05）：843-855.

[8] 罗瑞平，盛步云，黄宇哲，等．基于数字孪生的生产系统仿真软件关键技术与发展趋势［J］．计算机集成制造系统，2023，29（06）：1965-1982.

[9] 彭宇升，孙勇，凌云汉．航空锻造单元数字孪生系统构建及应用［J］．锻压技术，2022，47（04）：51-61.

[10] 闫纪红，姬思阳．大数据驱动的车间数字孪生模型构建方法［J］．机械工程学报，2023，59（12）：62-77.

[11] Fan Y，Yang J，Chen J，et al. A digital-twin visualized architecture for Flexible Manufacturing System［J］. Journal of Manufacturing Systems，2021，60：176-201.

[12] Zhu X，Ji Y. A digital twin-driven method for online quality control in process industry［J］. The International Journal of Advanced Manufacturing Technology，2022，119（5）：3045-3064.

4 工业数字孪生系统几何建模

几何建模技术是工业数字孪生系统的基本建模技术之一，决定了数字孪生对物理空间的还原程度。几何建模技术涉及使用计算机软件来创建物理对象的三维表示，目的是创建视觉化和进一步分析处理的3D模型，以实现对物理实体的高度还原。本章主要分析工业数字孪生应用场景，对几何模型构建要求及原则、建模方法和建模流程、几何建模工具进行介绍，并以SketchUp和Unity3D软件为使用案例介绍基础操作、模型资源库构建、场景搭建集成方法。

4.1 制造资源几何建模要求与原则

4.1.1 几何模型的需求分析

几何建模是将现实世界中的实体物体或场景以数字形式进行表示的过程，对于数字孪生开发中的几何建模，往往有如表4-1所示需求。

表4-1 制造资源几何建模需求

几何建模需求	说明
精确性和准确性	数字孪生需要精确反映现实世界的几何形状和结构，准确的高精度几何建模可以确保数字孪生在运行过程中提供可靠的结果
复杂性处理	真实场景中的物体往往具有复杂的几何结构，包括各种形状、曲线和表面。几何建模工具需要能够处理这些复杂结构，以便在准确捕捉和表示实际对象的外观和结构的同时，使模型更加轻量、易于使用
多尺度支持	制造资源往往涉及多种尺度的组件，从宏观到微观。数字孪生几何模型需要支持多尺度表示，以在不同层次上进行分析和仿真
实时性与交互性	在数字孪生的实际应用中，有时需要实时更新几何模型，以反映实时的物理世界变化。此外，用户可能需要与数字孪生进行交互，改变几何结构或观察不同的角度

续表

几何建模需求	说明
材料和物理属性	几何建模不仅包括形状的表示，还需要考虑材料的物理属性。这对于模拟物体的力学行为和其他物理特性非常重要
可视化和用户体验	几何建模的结果通常需要以可视化的形式呈现给用户。因此，用户体验方面的考虑也是几何建模工作的一个重要需求
开放性和标准化	为了确保数字孪生的互操作性和可持续性，几何建模需要遵循开放标准和通用格式，以便不同系统和工具之间能够无缝交换信息

4.1.2 工业几何模型的质量要求

在数字孪生几何模型构建中，模型整体的装配性、轻量化、准确性与精度以及详细性是非常重要的，它们对设计的产品质量、效益和可行性有很大影响。

本书中数字孪生主要面向制造业服务，因此所涉及的几何模型大多属于工业模型，与非制造业几何模型相比，工业几何模型具有模型复杂性高的显著特点，比如一个压机设备上面有很多难以观察的螺栓、小孔、光滑倒角等，这些模型特征导入数字孪生开发引擎中，所有网格特征会自动转换成大量三角片元的模型，势必会给设备性能带来负面影响，从而给系统使用者带来不佳的使用体验。

在构建与使用工业几何模型时往往会遇到以下问题，需要读者特别关注：

① 模型数据获取困难：模型数据的质量和准确性直接影响数字孪生模型的精确度和可靠性，比如具有机械行为的物理设备几何尺寸信息，如果数据不精确，会导致几何模型在执行行为时产生动作累积偏差。

② 模型复杂性：制定模型要考虑复杂的系统和工艺，尤其是在工业几何模型中，涉及多个交互的变量和流程，模型的复杂性可能会使其难以管理和维护。

③ 模型更新和实时性：保持数字孪生模型与实际系统的实时同步是一个挑战，系统可能会随时间变化，需要不断更新和调整模型以保持准确性。工业几何模型里面存在大量的关节，需要确保数字孪生几何模型关节值与实际物理设备中关节值之间的实时同步。

④ 模型验证和验证数据：验证数字孪生模型的准确性是至关重要的，需要使用有效的验证方法和真实数据来确认模型的可信度，否则会随着系统时间的推移而产生不可纠正的系统累积误差。

为了确保数字孪生体不因工业几何模型质量而产生问题，对工业几何模型提出质量要求是关键的预防措施，以下从功能角度与技术角度分别说明数字孪生工业几何模型的质量要求，如图 4-1 所示。

从功能角度来看，有以下要求：

① 外形保真：指的是数字孪生模型与实际对象在外观上的相似程度。在实

际应用中，保持模型的外观真实性至关重要，因为它可以用于模拟和预测实际产品的性能和行为。外形保真度高意味着模型能够准确地反映实际物体的形状、尺寸和外观特征。

② 体积轻量：模型需要在保持足够详细和精确度的情况下，尽可能地减少其体积和复杂度。轻量级模型有助于提高计算效率和模拟速度，特别是在大规模系统建模或实时模拟中。

③ 具备传播性：模型能够传递信息和数据以支持决策制定、分析和沟通。传播性强的模型可以被轻松分享、使用和理解，促进团队之间的合作以及决策的有效性。

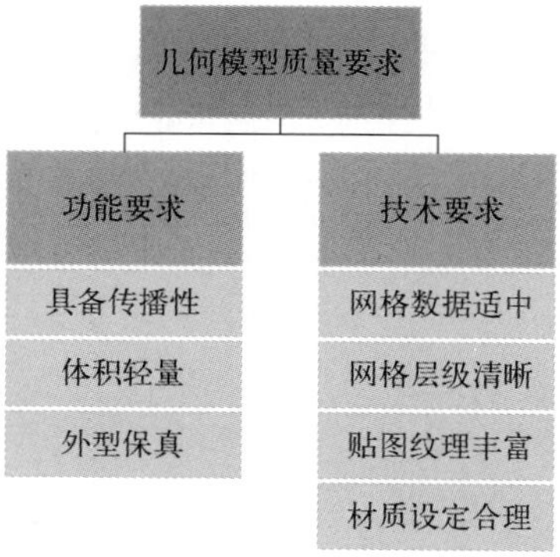

图 4-1　几何模型质量要求

从技术角度有以下要求：

① 网格数据适中：适中的网格数据指的是在模型中使用合适数量和质量的网格。这可以确保模型在精度和性能之间取得平衡，不至于牺牲模型的准确性或性能。

② 网格层级清晰：清晰的网格层级意味着网格的细分和层次结构应该清晰可见。这有助于模型在不同分辨率下呈现出良好的细节和准确度。

③ 贴图纹理丰富：贴图纹理的丰富性指的是模型表面纹理和细节的丰富程度。这可以使模型更逼真，增强视觉效果，提升用户体验。

④ 材质设定合理：正确的材质设定是确保模型看起来真实和逼真的关键。合理的材质设置可以模拟实际物体的光泽、反射率、表面纹理等属性。

为了满足数字孪生几何模型质量要求，需要对工业几何模型原始文件进行轻量化综合性处理操作。轻量化处理操作是对原始模型进行有效转换、压缩与再组织，这一过程能够显著降低模型的复杂度，减少存储空间，提高绘制时模型加载与初始化的效率。轻量化通常包含模型格式转换、模型数据组织、模型分割以及模型数据压缩等过程。

如果在构建数字孪生工业几何模型时，不对模型进行轻量化处理，可能会导致以下后果：

① 计算资源需求增加：未经过轻量化处理的模型通常会包含大量细节和复杂性，这会增加模拟和渲染所需的计算资源。如果模型过于复杂，可能会导致计算速度变慢、系统负载增加，甚至无法在某些设备或平台上运行。

② 性能下降：复杂的模型可能会对系统性能造成负面影响，尤其是在需要实时渲染或模拟的情况下。这可能导致延迟、卡顿或运行速度缓慢，降低用户体验。

③ 存储需求增加：复杂模型通常需要更多的存储空间。如果未对模型进行轻量化处理，会增加存储需求，可能会导致存储空间不足的问题。

④ 跨平台兼容性问题：在不同平台下，未经过轻量化处理的模型可能会表现出不同的影响。一些平台可能无法有效地处理过大或过于复杂的模型，导致不一致的用户体验或功能限制。

⑤ 难以分享和传输：复杂的模型可能会增加传输和分享的难度。在需要共享模型或在网络上传输模型时，大型模型可能会导致传输时间延长或者限制传输的可行性。

因此，轻量化处理在确保模型在各种平台上良好运行、提高性能和减少资源需求方面非常重要。

4.1.3 工业几何模型建模原则

对于复杂的几何模型，其模型三角面的数量庞大，占用空间较大，且导入Unity3D或美擎等其他软件开发工具后会导致软件运行卡顿，因此设计过程中需要将建模软件中的模型进行轻量化处理，使模型轻量化之后软件运行流畅，不再出现卡顿问题，提高系统运行帧率。

在不影响模型表现效果的前提下，工业几何建模原则如表4-2所示。

表4-2 工业几何建模原则

几何建模原则	说明
控制独立网格数量	在创建几何模型时，独立网格数量应当尽量控制在最低。过多的网格会增加模型的复杂度，导致处理速度变慢。应该通过优化网格结构，合并那些不会影响模型整体外观和功能的网格，以减少不必要的细节
合理贴图代替复杂表面	对于复杂的表面纹理和细节，使用高分辨率的贴图来模拟这些细节，而不是在几何模型上直接建模。这种方法可以大幅减少所需的几何细节，同时保持外观的真实性
控制材质球数量与质量	材质球是定义物体表面属性的元素，如颜色、质感等。应当合理控制材质球的数量和质量。过多或过高质量的材质球会增加渲染时间和计算资源的消耗。在保证视觉效果的前提下，尽量减少和简化材质球的使用
不可视区域不进行建模	对于模型中永远不会被观察到的区域，比如被其他部件遮挡的内部结构，不需要进行详细建模，这样可以大幅减少模型的复杂度和文件大小
剔除孔洞模型特征	在模型中，不必要的小孔洞或复杂的孔洞结构会增加模型的复杂度。如果这些孔洞对模型的功能或外观没有重要影响，应当考虑剔除，以简化模型
慎重使用倒角	倒角是在边缘或角上添加的小斜面，通常用来增强模型的真实感。但是，过度使用倒角会显著增加模型的网格数量。因此，在不影响模型外观和功能的前提下，应当慎重使用倒角，特别是在模型的不显眼部分

4.2 几何模型构建方法与流程

4.2.1 模型组成

几何模型是由若干不同类型的数据组成，主要包括网格数据、贴图数据、材质数据、动画数据等，这些数据共同构成完整的数字孪生三维几何模型，数据的质量水平很大程度上决定了工业几何模型的质量水平。以下将对这些不同数据进行展开描述，方便读者对几何模型有更深的理解和认知。

① 网格数据：网格数据是模型的基本组成部分，描述了模型的形状和结构。它由顶点、边和面构成，定义了模型的表面细节、形状和轮廓，是构建模型最基本的部分。图 4-2 是网格视图下的三维模型。

② 贴图数据：贴图数据用于增强模型的视觉效果，给模型表面添加纹理、颜色、图案等。贴图可以分为不同类型，如漫反射贴图、法线贴图、高光贴图等，每种贴图都用于模拟不同的表面特征，增加模型的逼真感。好的贴图与合理的贴图混合方式可以减轻工业几何模型对网格数据的保真性要求，即原本是高精度网格模型，在好的贴图加持下可以转为低精度模型同时提升视觉效果。图 4-3 是模拟机械加工设备上磨损纹理贴图。

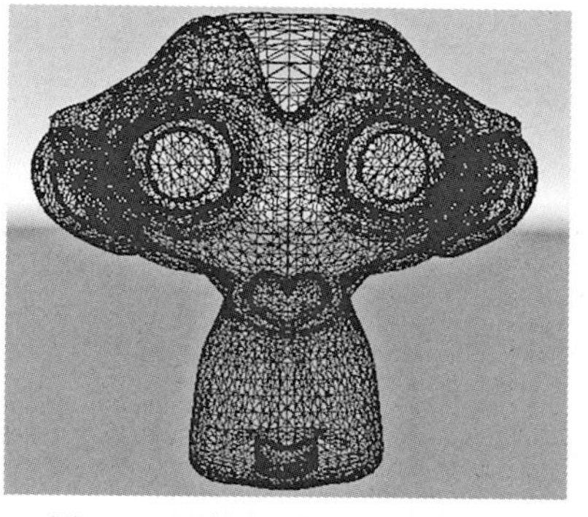

图 4-2 网格视图下的三维模型

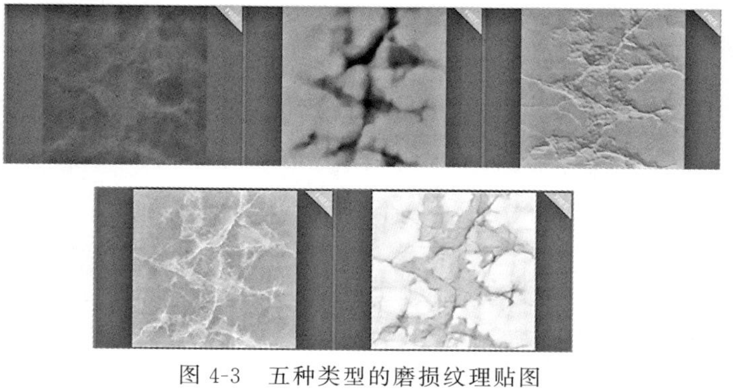

图 4-3 五种类型的磨损纹理贴图

③ 材质数据：材质数据定义了模型表面的物理特性，如光泽度、反射率、

折射率等。材质数据和贴图数据一起影响模型的外观，使模型看起来更接近真实物体。图 4-4 是 3ds Max 建模软件中的材质球库。

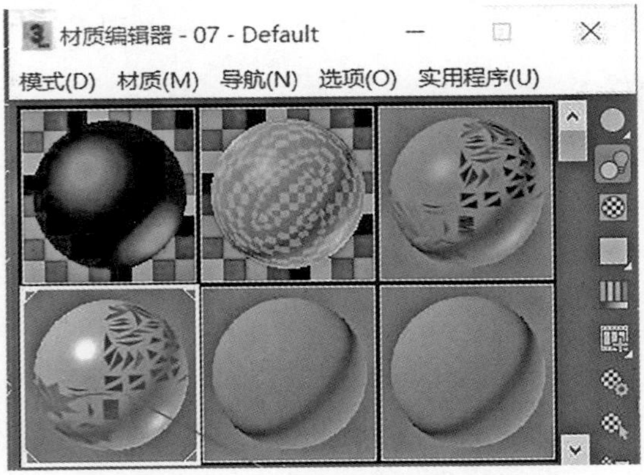

图 4-4　3ds Max 里的材质球库

④ 动画数据：动画数据描述了模型的运动、变换或变形。它包括关键帧动画、骨骼动画、形状关键帧等，用于模拟模型的运动或变化，使模型可以在场景中动态地呈现。图 4-5 所示是 Unity3D 引擎控制不同动画片段数据的状态机组件，在它的控制下一个工业几何模型可以产生不同的动画行为。高质量动画数据与合理的状态机控制方式，为数字孪生虚实同步提供了有力的保障。

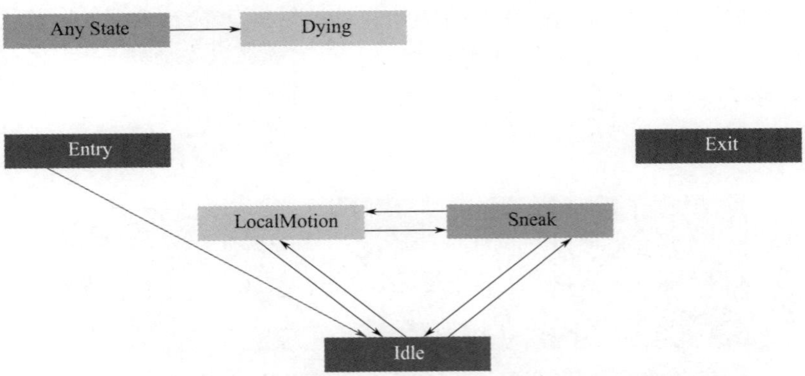

图 4-5　Unity3D 引擎控制不同动画片段数据的状态机组件示意图

为了方便读者理解不同数据与几何模型的关系，以人类外形与几何模型来类比，网格数据类似骨骼，贴图数据类似皮肤，材质数据类似衣服，动画数据类似行为等，如图 4-6 所示。其中网格数据是几何模型的基础，是不可缺少的。

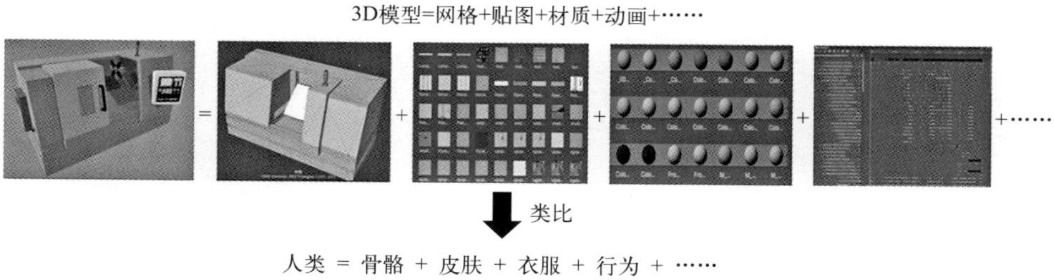

图 4-6 几何模型与人的类比示意图

4.2.2 模型构建方法与通用流程

虽然市面上有很多支持几何模型构建的专业三维建模软件，但是它们有很多共同点，比如提供组或组件方式的建模分组管理模块、图层系统、标准的工具栏和快捷键系统等。因此，采用专业三维建模软件构建几何模型时，应注意几何模型构建方法，如表 4-3 所示。

表 4-3 几何模型构建方法

几何模型构建方法	说明
合理使用组和组件	建模的时候将模型的各个部分编辑为组或组件，这样便于管理和编辑模型，而且便于后续动画节点的制作
区分图层	使用图层工具可以分别显示、编辑和控制模型的各个部分，比如图层可分为地板部分、厂房壳体部分、加工设备部分、运输设备部分、存储设备部分等
随时测量	多次使用测量工具以保证模型的正确尺寸和比例，尤其有些模型后续有行为建模的需要，必须确保尺寸比例正确
注意模型整洁度	创建模型时应当尽量避免过多的复杂细节，通过线与面进行模型构建来保持模型的整洁，使模型更易编辑，提高模型在三维建模软件工具中的运行流畅度
善用工具栏与快捷键	熟悉包括 SketchUp 在内的各类三维建模软件的快捷键和工具栏，可大幅提高工作效率
巧用辅助线与参考点	辅助线与参考点可以在模型绘制过程中准确地定位，以便更精准地绘制模型
利用材质和纹理	材质和纹理可以为模型增加细节和真实感
优化模型的性能	为了在绘图和模型使用中保持良好的性能和流畅的操作，应当避免创建太过复杂和超负荷的模型
探索、学习与使用插件	以 SketchUp 为例的各类三维建模软件有许多插件可以扩展其功能，其中许多插件可以高效地构建更准确、美观的模型

以上是几何模型的构建方法，在 Unity3D 中进行工业数字孪生场景的设计制作时，所需模型的构建流程如图 4-7 所示。

① 场景规划设计：根据需求，对场景进行规划和设计，确定布局、物体的大小与摆放位置等。

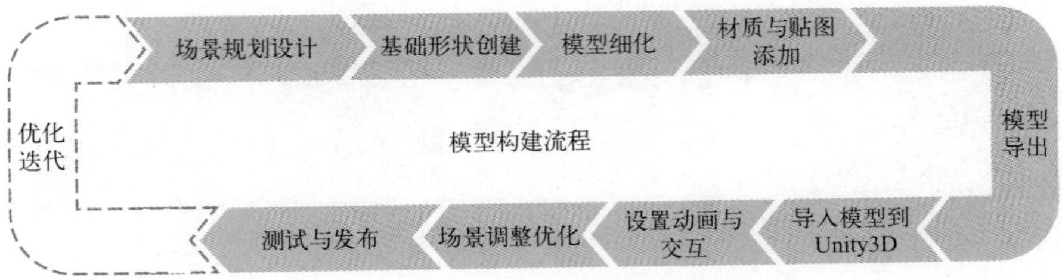

图 4-7　模型构建流程

② 基础形状创建：使用三维建模软件创建场景中的基础形状，如矩形、圆形、多边形等，再通过拉伸、推拉等方式将其转换为立体物体，如墙壁、立柱、家具等。

③ 模型细化：根据需求，对基础形状进行细化调整，添加细节、调整尺寸、倒角等。

④ 材质与贴图添加：为模型添加材质和贴图，可以导入外部贴图，或在三维建模软件中直接绘制材质和贴图。

⑤ 模型导出：将三维模型导出为合适的格式，如 .obj、.fbx 等，以便后续导入到 Unity3D 等软件工具中使用。

⑥ 导入模型到 Unity3D：在 Unity3D 中创建新场景，将导出的模型文件导入 Unity3D 项目文件夹里，然后将模型拖入到场景中。

⑦ 设置动画与交互：使用 Unity3D 动画和脚本工具，为模型添加动画与交互功能，可以使用 Unity3D 提供的动画编辑器或者脚本编程。

⑧ 场景调整优化：调整场景中的相机视角、光照效果、碰撞体等，改善场景的表现和性能。

⑨ 测试与发布：在 Unity3D 中进行场景的测试与调试，确认动画与交互正确。测试通过后，将场景发布为可执行文件、移动应用或 Web 应用等。

4.3　几何建模工具概述

4.3.1　建模类型

三维场景搭建是工业数字孪生系统构建的关键步骤之一，三维场景主要由工业领域中一些复杂的机械电气设备共同组成，它们最初的几何模型数据往往由曲面建模类型的建模软件进行几何建模得到。曲面建模具有高保真、高精度的特点，然而将它们导入三维开发引擎中进行数字孪生体构建的时候，三维开发引擎会自动地把几何模型从曲面类型转为多边形类型，这势必导致工业几何模型在三维开发引擎中产生几何数据体积增加、复杂度增加等负面不可控现象，降低了场景运行流畅度，不利于用户进行三维场景搭建工作。表 4-4 是曲面建模与多边形建模的对比。

表 4-4　曲面建模与多边形建模的对比

对比项	曲面建模	多边形建模
定义	通过数学曲面方程或参数方程来描述三维对象表面的技术	使用多边形网络（通常是三角形或四边形）来表示三维对象的表面
特点	它能够产生高度精确的曲面，并且在对表面进行修改和编辑时能保持曲面的连续性	对于计算机渲染来说简单且易于处理，在迅速建模和处理大量几何数据时具有优势
应用	常用于工业设计、汽车设计、航空航天等领域	常见于实时图形应用，例如电影、游戏、动画和虚拟现实制作领域
精度细节	适合精确曲面和高细节要求	适合实时渲染和高性能表现
存储计算	体积较大	节省体积空间

两种建模类型各有优势，通常根据特定需求和使用场景选择合适的建模技术。在某些情况下，两者也可以结合使用，以满足不同的建模要求。如果三维开发引擎中工业几何模型对象来自曲面建模软件工具，就必须考虑工业几何模型综合轻量化处理方法，以确保数字孪生场景的流畅运行。

4.3.2　建模工具选择与基础操作

常见的工业数字孪生建模软件有 SketchUp、AutoCAD、SolidWorks、CATIA 等，一般需要开发者根据具体需求、项目特点来选择适合的软件。本章以 SketchUp 为使用例介绍建模基础操作。

SketchUp 具有直观且易用的界面，使得用户能够快速而灵活地创建三维模型。SketchUp 提供了强大的绘图工具，使得建模过程更加直观和流畅，其丰富的插件库和社区支持也为用户提供了更多扩展功能的可能性。此外，SketchUp 具有强大的渲染能力和与其他设计软件的兼容性。

4.3.2.1　建模工具基础操作

使用 SketchUp 软件建模需要掌握一些软件基础操作技能，这些技能本书不作详细讲解，需要读者提前学习掌握。SketchUp 基础技能树如图 4-8 所示。

此外，在进行数字孪生建模的过程中，有一些经常使用到的进阶建模操作，如阵列、路径跟随、布尔运算，介绍如下。

（1）阵列

在模型的构建过程中，阵列的生成主要有两种方式：阵列总长度固定时生成阵列、各物体间距固定时生成阵列，如图 4-9 所示。生成阵列步骤如下：

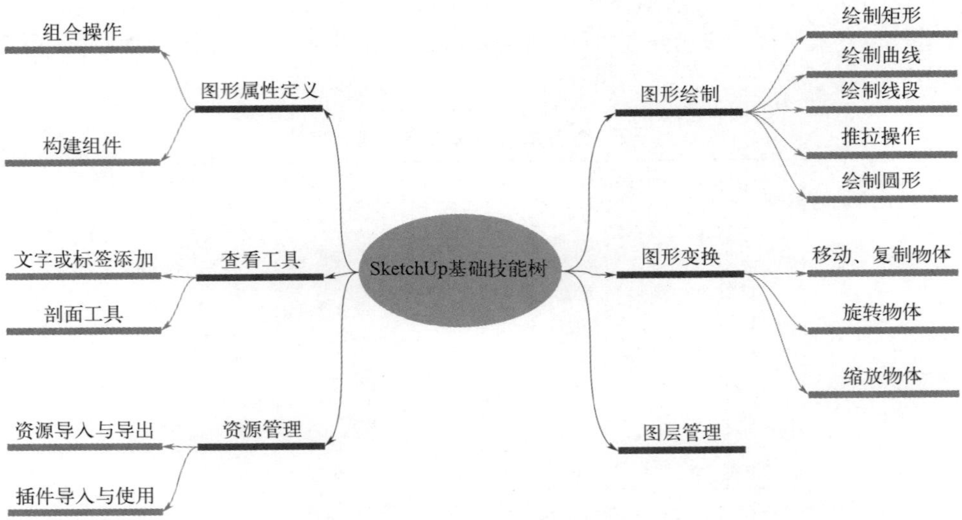

图 4-8　SketchUp 基础技能树

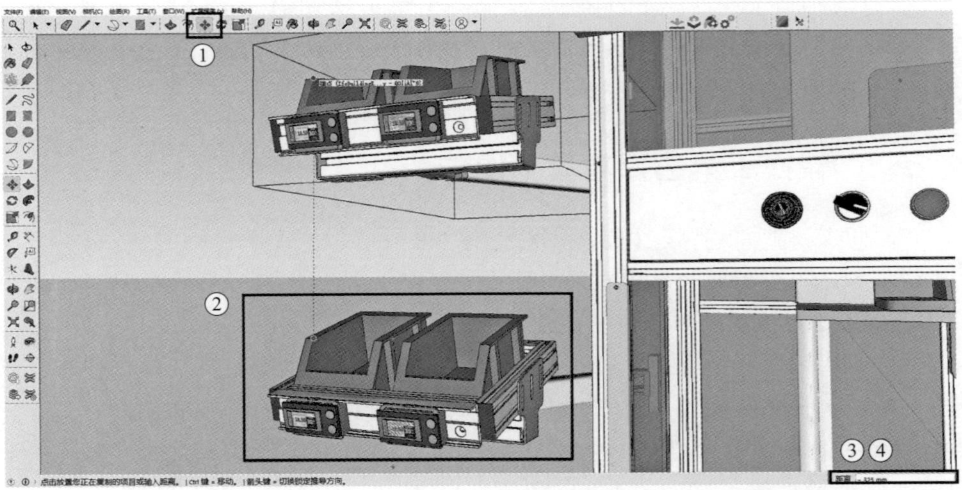

图 4-9　阵列生成

① 选择“移动”(m)；

② 选中物体，按 Ctrl 键进行复制和移动；

③ 在“距离”中键入阵列最大长度；

④ 键入“/n”(除)，得到总长度固定的阵列；键入“＊n”(乘)，得到各物体间距离固定的阵列。

(2) 路径跟随

利用路径跟随可以使两个二维线形或平面生成三维实体。单击工具栏“路径跟随”按钮即可使用，如图 4-10 所示。

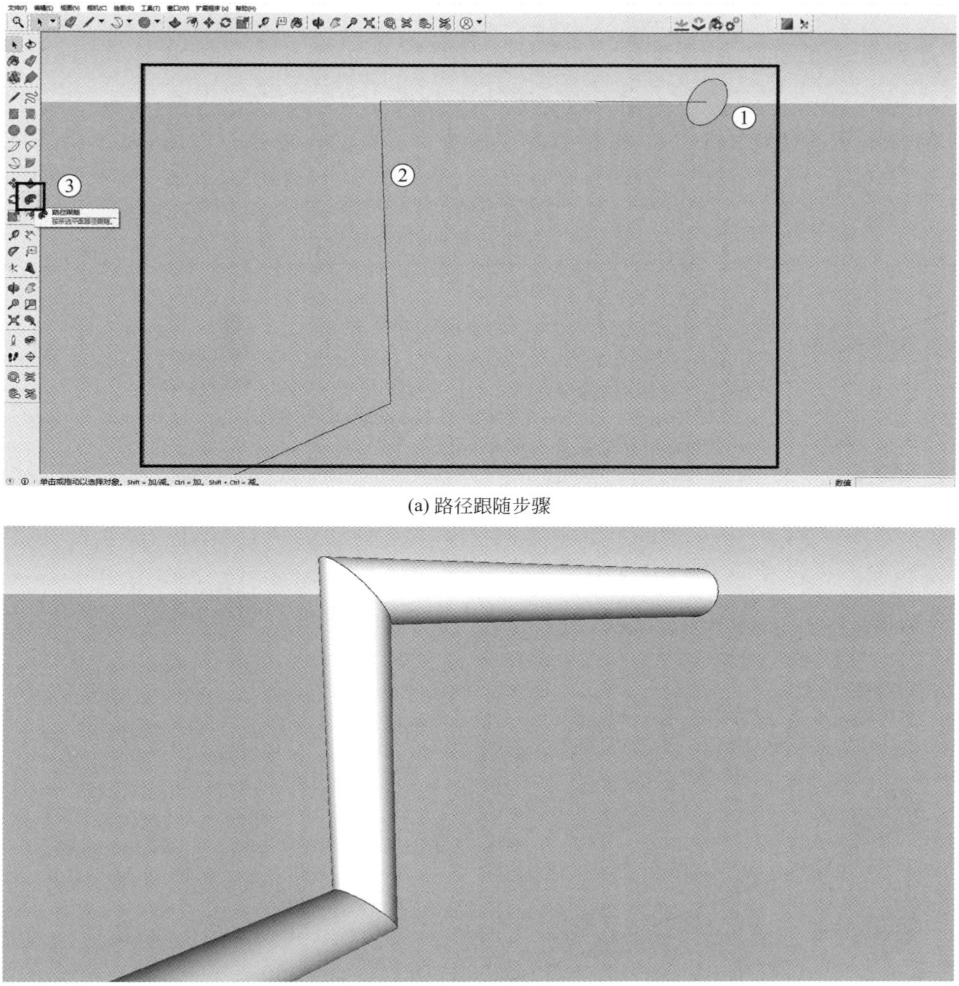

(a) 路径跟随步骤

(b) 路径跟随效果

图 4-10 路径跟随

路径跟随步骤如下：

① 找到需要跟随的路径（黑色折线），并在路径尽头作需要的图形；

② 选中需要跟随的路径；

③ 选择路径跟随；

④ 点击步骤② 中所作的面，路径跟随完成。

在选择跟随的路径时，可以使用框选或按住 Ctrl 键光标点选的方式进行选择。

另外，可以不选择跟随的路径，直接使用“路径跟随”，这样可以通过移动光标，自主选择路径跟随的范围。

(3) 布尔运算

布尔运算实质是逻辑运算，包括实体外壳、相交、联合、减去、剪辑、拆分，如表 4-5 所示。在图形操作中运用布尔运算处理两个及以上的基本图形，可以组合出新的特殊的形体。注意，在进行布尔运算前，需要将进行布尔运算的物体进行打组操作，使其成为一个整体。

表 4-5 布尔运算的几种形式

形式	说明	示例
 实体外壳	框选需要进行布尔运算的所有实体，点击“实体外壳”，将所有选定实体合并为一个实体并删除所有内部图元	
 相交	框选需要进行布尔运算的所有实体，点击“相交”，将所有选定实体相交并仅将其交点保留在模型内	
 联合	框选需要进行布尔运算的所有实体，点击“联合”，将所有选定实体合并为一个实体并保留内部空隙	
 减去	使用 Ctrl+光标点选的方式选择实体，点击“减去”，根据所选的第二个实体减去第一个实体并仅将结果保留在模型中	
 剪辑	使用 Ctrl+光标点选的方式选择实体，点击“剪辑”，根据所选的第二个实体减去第一个实体并将两者同时保留在模型中	
 拆分	框选需要进行布尔运算的所有实体，点击“拆分”，将所有选定实体相交并将所有结果保留在模型中	

以上是 SketchUp 三维建模的常见操作，读者可以根据需要自学掌握。

4.3.2.2 几何模型轻量化与模型输出

在 SketchUp 中，各个面都是由三角面组成的，三角面数量决定了模型的复杂度。由于建模设备的性能所限，当三角面数量过高时，会导致设备卡顿、发热等情况，严重影响建模工作。为此，可以通过 Skimp 插件减少模型的三角面数量，使得模型更加轻量化，来减轻设备的卡顿等。

(1) Skimp 简介

Skimp 可以导入模型、轻量化组件、更换材质，本节中主要用到轻量化的功能。Skimp 的工具栏如表 4-6 所示。

表 4-6 Skimp 工具栏

功能	导入模型	轻量化模型	材质更换工具	设置
说明	简化和导入外部模型	选择一个组件来进行简化	更换表面材质的纹理和颜色	对插件的功能进行设置

(2) 轻量化模型

对模型的轻量化程度需要适当控制，若模型轻量化程度过高会导致外观变化，并影响到之后动画制作。推荐使用拖动进度条的方式来控制轻量化百分比，这种方式可以实时了解模型外观的变化，以便更好地选择模型轻量化的百分比。使用插件对模型进行轻量化的步骤如图 4-11 所示。

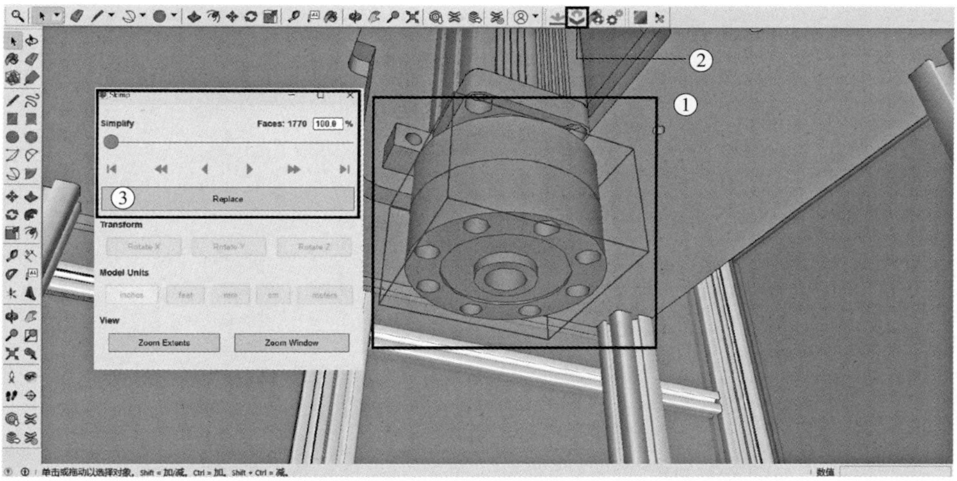

图 4-11 轻量化模型

具体步骤如下：

① 框选需要轻量化的模型；

② 点击轻量化按钮；

③ 输入百分比或控制进度条来控制模型轻量化程度，点击“Replace”。

特别要注意的是，简化数值不宜过低，否则会出现破面现象，即几何模型表面出现不可修复的三角形镂空区域，影响工业几何模型的整体性与美观性，建议读者在进行插件轻量化之前对模型进行备份操作，并迭代式调整参数以逐步轻量化模型来接近最佳参数。

4.4 基于 Unity3D 的几何模型优化

4.4.1 模型资源导入

模型资源导入 Unity3D 引擎的方法分为外部模型资源导入与自定义模型资源导入两种。外部模型资源导入是指外部构建的几何模型或其他资源文件导入到 Unity 项目中，例如 3D Warehouse 中的几何模型。自定义模型资源导入是指将在 SketchUp 软件中构建的几何模型或其他资源文件导入到 Unity 项目中。

(1) 从 SU 中导出 FBX 文件

从 SU 中导出 FBX 文件的步骤如图 4-12 所示。

具体步骤如下：

① 选择“文件”；

② 选择“导出”；

③ 选择“三维模型”；

④ 选择“FBX 文件（*.fbx）”；

⑤ 选择导出位置，点击“导出”。

(2) 将 FBX 文件导入 Unity3D

在 Unity Hub 中新建一个 3D 项目，打开所建项目后，首先将 FBX 文件导入到 Unity 的 Assets（资源）中。勾选完毕后点击“Apply”，如图 4-13 所示。

步骤如下：

① 将 FBX 文件拖到“Assets”栏中，点击导入的文件；

② 取消勾选“Convert Units”；

③ 勾选“Read/Write”。

然后将 Assets 中的模型导入到 Scene（场景）中，如图 4-14 所示。

步骤如下：

① 将“Assets”中的模型拖到“SampleScene”中；

② 右击导入的模型，选择“Prefab”；

③ 选择“Unpack Completely”。

4.4.2 模型资源优化

在对数字孪生场景进行搭建时，由于其中的各个模型为单独构建，可能存在模型间比例不协调、尺寸不一致等问题，在导入 Unity 之后，需要对模型的比例以及尺寸进行修正，以保证所有模型和整体场景一致以及不同元素之间比例协调。

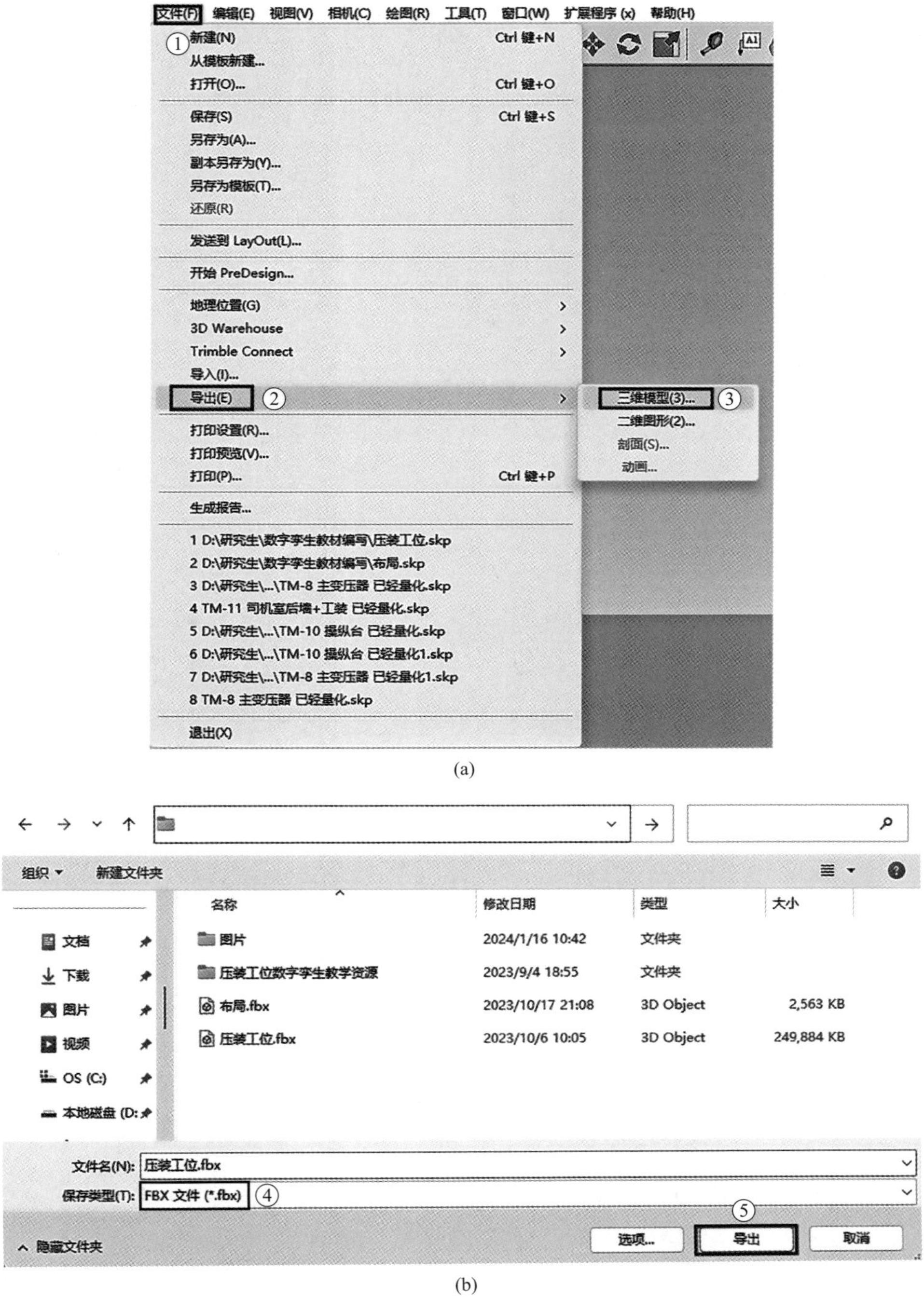

图 4-12　从 SU 中导出 FBX 文件

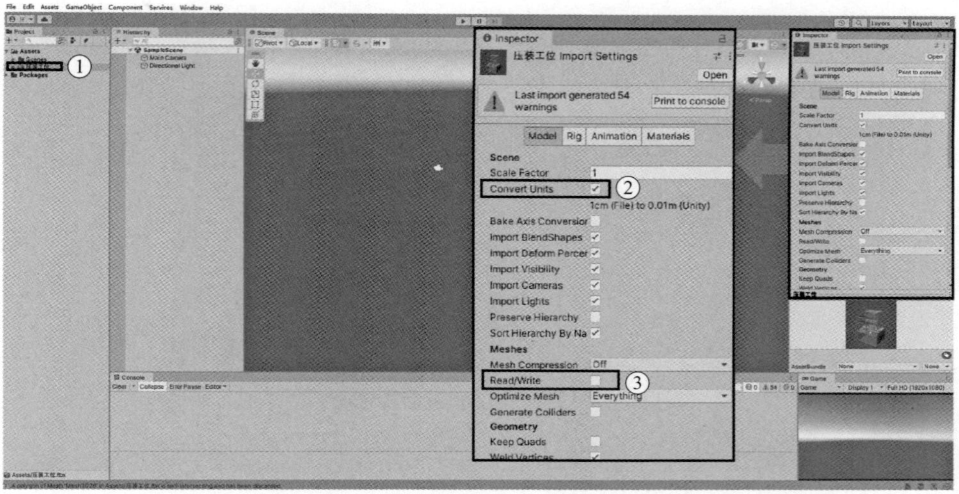

图 4-13　模型导入设置

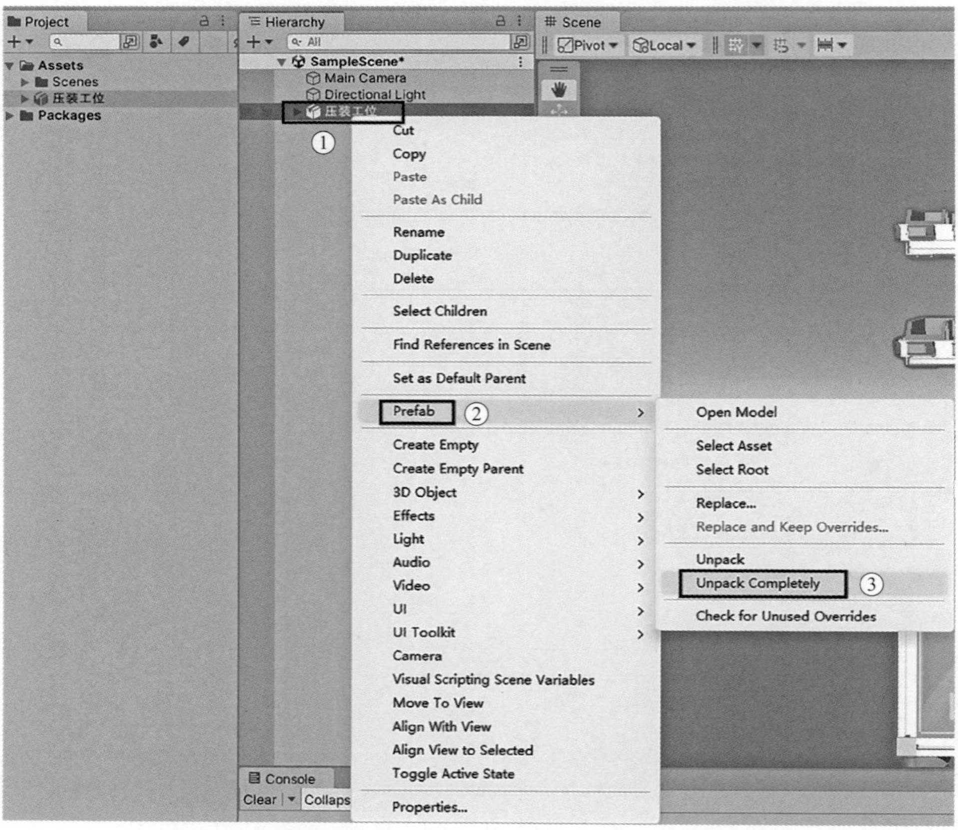

图 4-14　导入模型到 Scene

4.4.2.1 模型网格优化

(1) 删除冗余对象

将导入的模型完全解压缩之后，会有很多冗余的对象，在进行网格合并前，需要删除这些冗余的对象。下面是删除冗余对象的步骤。

Step1：创建一个空对象来存放模型的网格，右击“SampleScene”栏，选择“Create Empty”，创建一个空对象，并对其重命名，如图 4-15 所示。

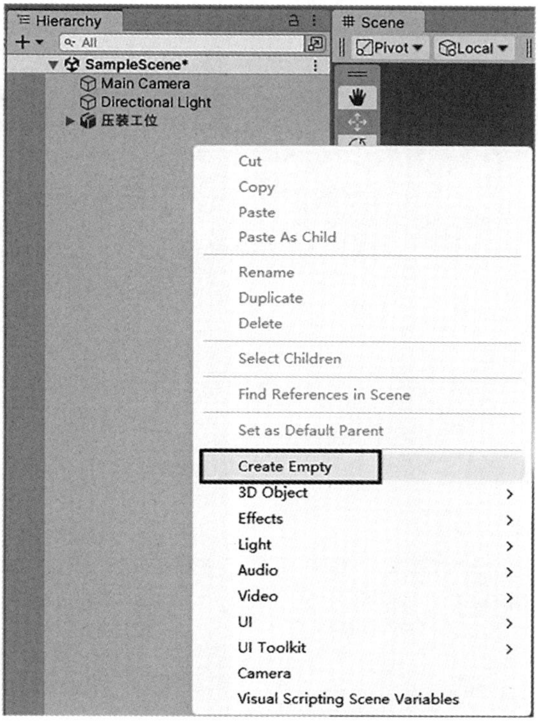

图 4-15 创建空对象

Step2：将模型的所有网格装到新建的空对象中，如图 4-16 所示。

具体步骤如下：

① 框选中全部模型；

② 将选中的所有 Mesh 拖到创建的空对象上。新建的对象“压装工位”拥有模型的所有网格，旧对象下只有冗余的空对象，将旧对象删除即可。

至此，模型网格优化初步完成。

(2) 结构树状图优化及重命名

为了进行后续的动画制作，需要构建模型的结构树，将模型各个部件的网格分类存放。以图 4-16 所示模型为例，其分为物料架、控制柜、工作柜、夹具+导轨和显示器几部分。

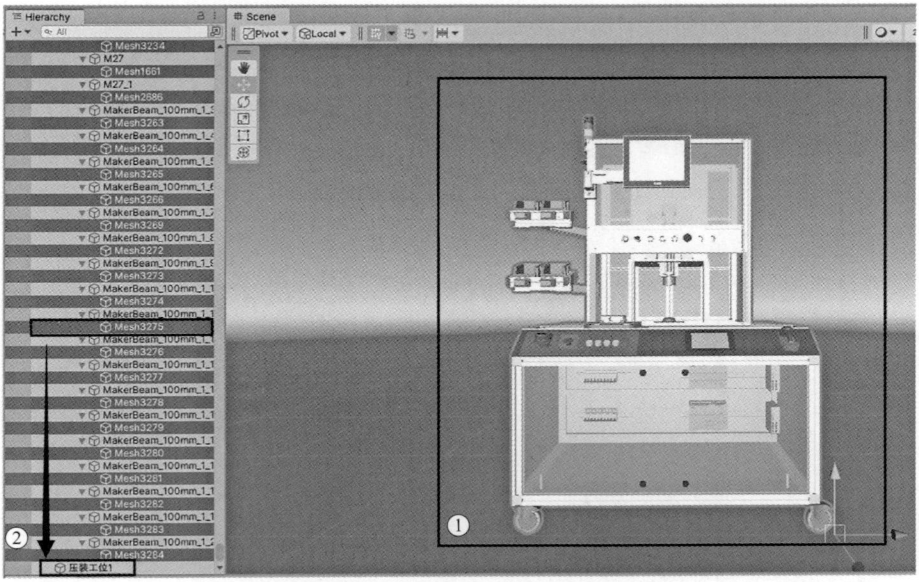

图 4-16　将网格拖到空对象中

Step1：将场景坐标系转换为 Pivot 模式，如图 4-17 所示。

具体步骤为：

① 点击“Center”；

② 选择“Pivot”。

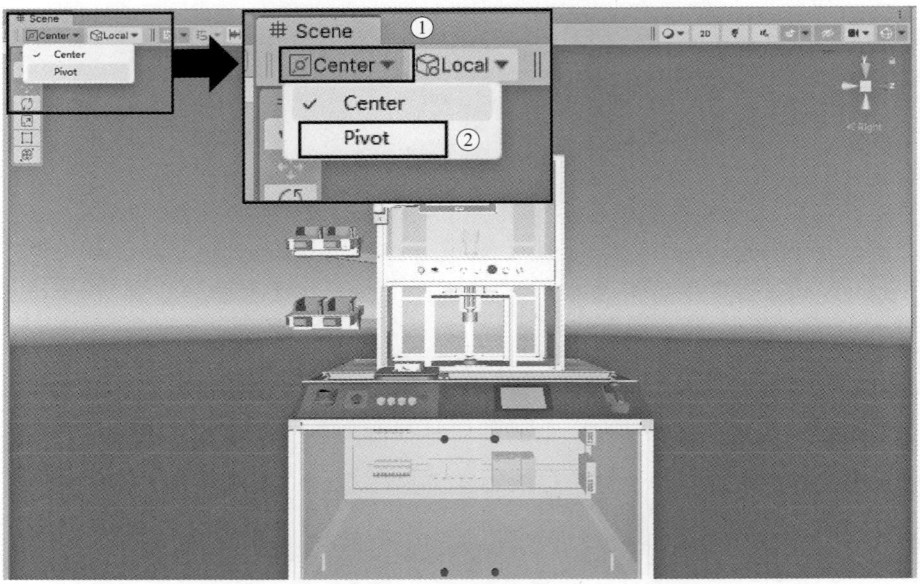

图 4-17　坐标系转换

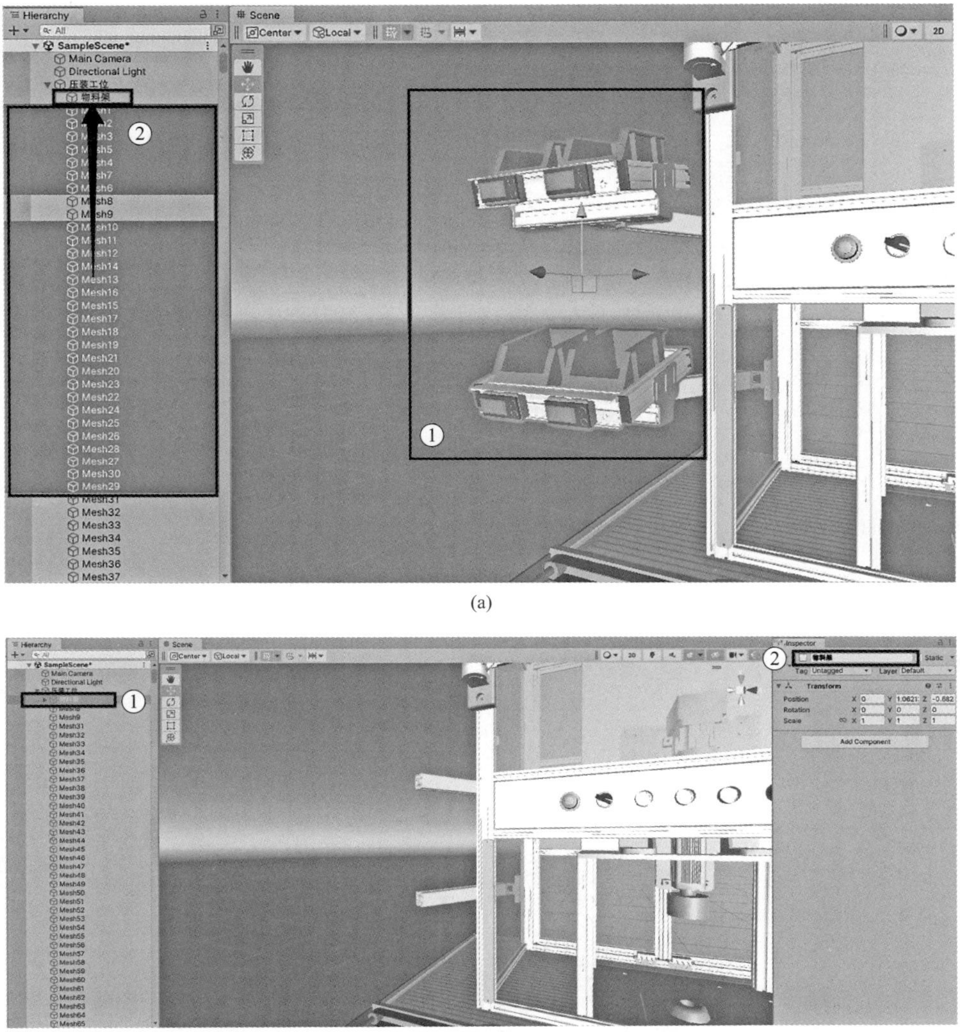

(a)

(b)

图 4-18　各部件网格归类

Step2：将各部件对应的 Mesh（网格）拖到建立的新对象中。

在对部件进行框选的过程中，会有一些零件没有被选中，可以通过多次选择的方式，直到选中整个部件。这里以模型的物料架为例，如图 4-18 所示。具体步骤为：

① 框选模型的物料架；

② 将选中的 Mesh 拖到创建的“物料架”对象上；

③ 选择“物料架”；

④ 取消勾选，将物料架隐藏，再对剩余未选中的零件重复步骤①②操作。

模型最终网格分类如图 4-19 所示。

(3) 网格合并

图 4-19 网格分类结果

Unity3D 引擎中渲染代价的指标是场景中网格(Mesh)的数量，对显卡来说，渲染一个 100 面的物体和渲染一个 1500 面的物体几乎是等价的，所以当多个物体的材质(Shader)相同时，可以把他们的网格合并起来，然后共用一个材料(Material)来降低渲染的成本，达到优化体验的效果。

在大型项目中，将模型精简化是十分必要的，网格分类完成后，对网格进行合并可以有效地降低设备运行时的负载，减少响应时间。

下面的网格合并以图例模型的物料架为例。

Step1：导入 MeshCombiner。

在 Unity 中导入 MeshCombiner 插件的步骤如图 4-20 所示。具体步骤为：

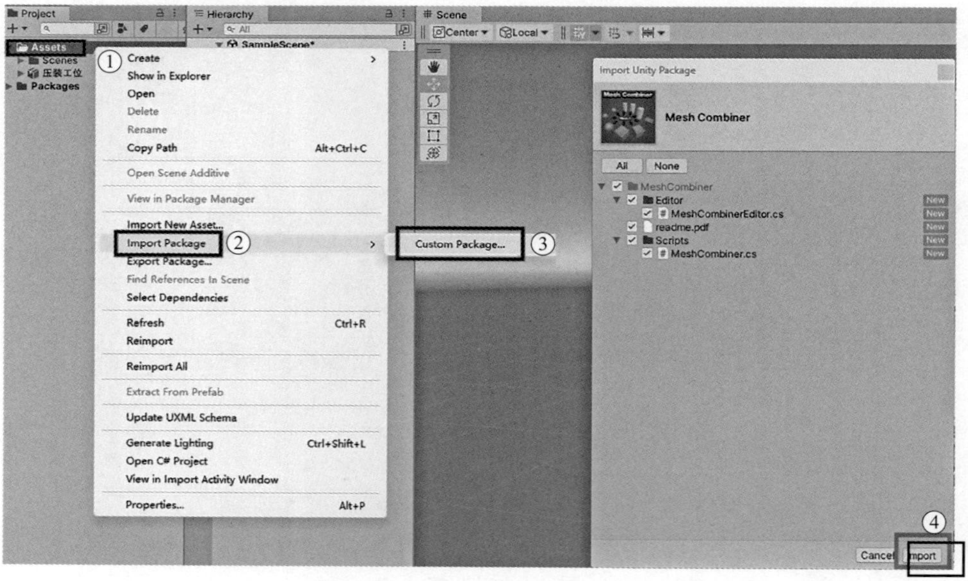

图 4-20 导入 MeshCombiner

① 在“Project”窗格中右击“Assets”；

② 选择“Import Package”；

③ 选择“Custom Package...”；

④ 在弹出窗口中选择“Import”。

Step2：添加组件。

将 MeshCombiner 导入到 Assets 栏中后，选择需要进行网格合并的部件，为其添加 MeshCombiner 组件，步骤如图 4-21 所示。

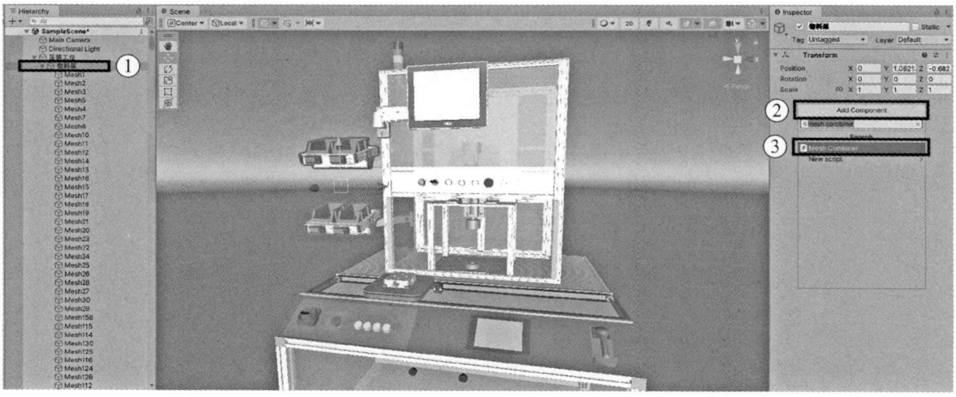

图 4-21　添加组件

具体步骤为：

① 选择物料架；

② 点击“Add Component”；

③ 搜索“MeshCombiner”并选择。

Step3：合并网格。

使用 MeshCombiner 进行网格合并是不可逆的，故在进行网格合并之前需要进行备份，步骤如图 4-22 所示。

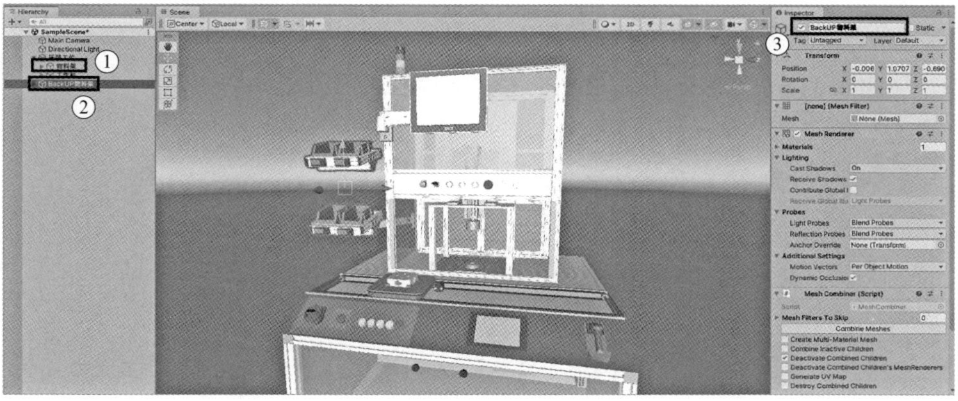

图 4-22　备份部件

具体步骤为：

① 选择物料架，点击 Ctrl+C 进行复制，点击 Ctrl+V 进行粘贴；

② 将粘贴对象命名为“BackUP 物料架”；

③ 取消勾选，隐藏备份部件。

选择需要合并网格的部件后，使用插件进行网格合并，如图 4-23 所示。

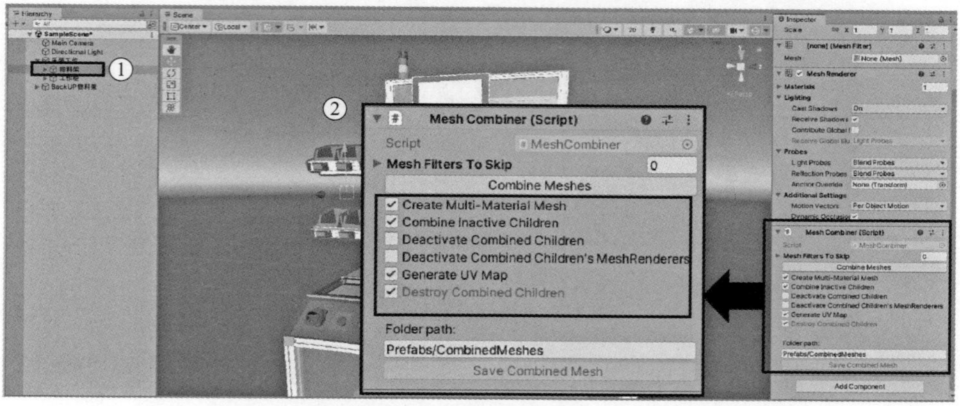

图 4-23　进行网格合并

步骤为：

① 选择物料架；

② 勾选，然后点击“Combine Meshes”。

Step4：构建模型结构树。

利用 Step3 将所有部件的网格合并后，为了进行后续的动画制作，需要构建模型的结构树，即构建部件的子父结构，将选定的子结构对象拖到其父结构对象上即可。此步目的是使模型在机械运动时，父结构运动会同时带动子结构运动。

4.4.2.2　模型赋材

材质与 Unity 中的网格渲染器、粒子系统和其他渲染组件结合使用。材质对于定义对象的显示方式起着至关重要的作用，新建材质球的步骤如图 4-24 所示。

具体步骤为：

① 点击“Assets”，选择“Create”；

② 选择“Material”；

③ 右侧 Inspector 为材质的检视面板，如图 4-25 所示。

Inspector 面板操作步骤为：

① 选择标准着色器；

② 将所需贴图导入到 Assets 栏后，点击此处可选择贴图和更换材质颜色；

③ Metallic 可调整材质金属度，Smoothness 可调整材质平滑度。

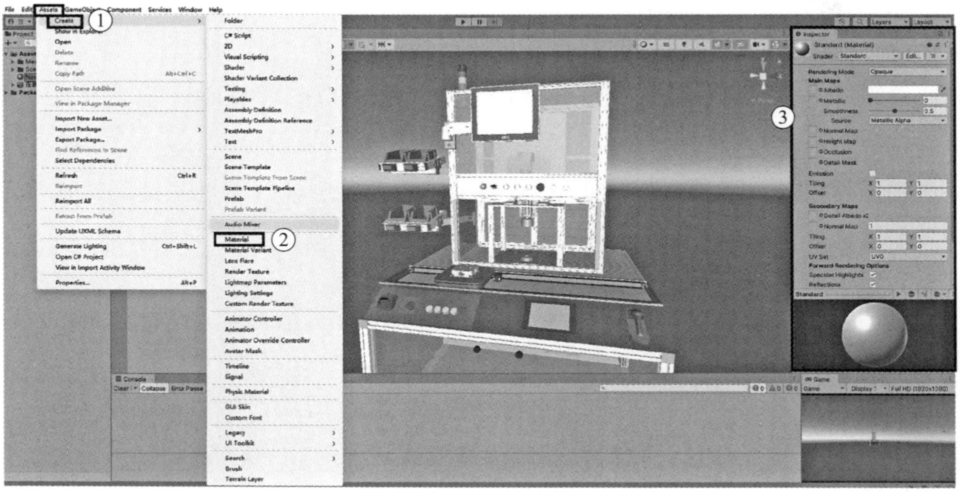

图 4-24 新建材质球

4.4.3 模型资源封装与输出

4.4.3.1 模型库搭建规范要求

(1) 模型资源文件命名规范

① 清晰描述：文件名应清晰、简洁，能够准确描述模型的内容，包括模型类型、用途、关键特征等。

② 避免特殊字符：避免在文件名中使用特殊字符或空格，以确保在不同平台和系统上的兼容性。

③ 版本管理：对于不同版本的模型，可以在文件名中加入版本号或日期，以便追踪和管理。

(2) 模型资源文件一体化

① 文件夹结构：将模型、材质、贴图等相关文件组织在一个文件夹中，以确保文件的整体性。

② 相对路径：使用相对路径来引用模型内部的资源文件，以便在不同环境中移植模型时保持链接。

③ 归档格式：可以考虑将模型和相关资

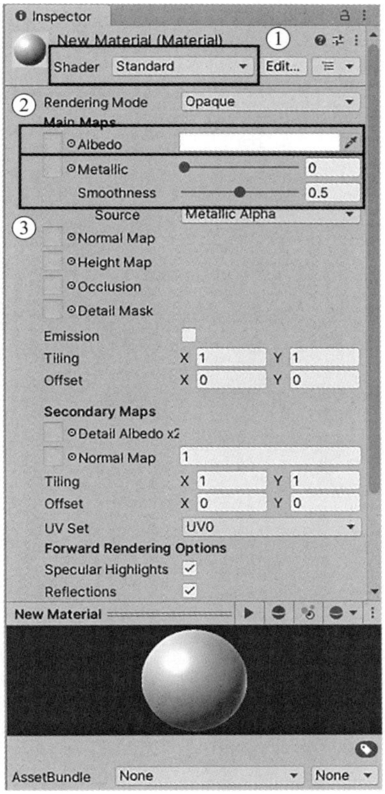

图 4-25 设置材质球

源打包成归档格式（如 ZIP）以便于分发和备份。

（3）模型库分类规范

① 按功能分类：根据工业场景的人、机、料、法、环等功能进行分类，以方便用户查找和使用。

② 标签系统：使用标签或关键词系统，使得用户可以通过关键词快速搜索相关模型。

（4）模型库格式规范

① 主流格式支持：使用主流的模型格式，如 SketchUp（.skp）、FBX、3DS 等，以满足不同建模和渲染软件的需求。

② 标准化导出：标准化导出设置，确保导出文件在不同软件间的兼容性。

③ 文档说明：在模型库中提供格式说明和使用文档，帮助用户正确导入和使用模型。

4.4.3.2 Unity3D 引擎模型资源封装存储方法

使用 FbxExporter 插件将模型导出为 Fbx 文件时，需要保证该模型在导入时是可读的。

（1）导入 Fbx Exporter 插件

按照前文导入“MeshCombiner”的方法导入 FbxExporter 插件，或将 Fbx Exporter 插件的 Unitypackage 文件拖到 Assets 栏中，再点击“Import”即可，如图 4-26 所示。

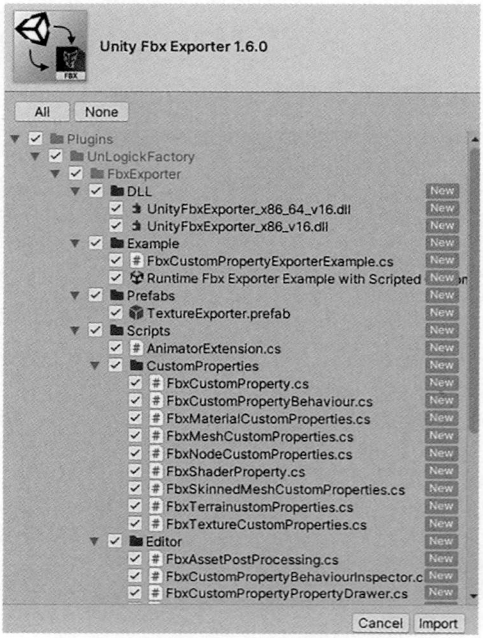

图 4-26 导入 Fbx Exporter 插件

(2) Fbx 单个模型导出

为了建立 Unity 的模型库，需要将网格优化后的单个模型导出，步骤如图 4-27 所示。

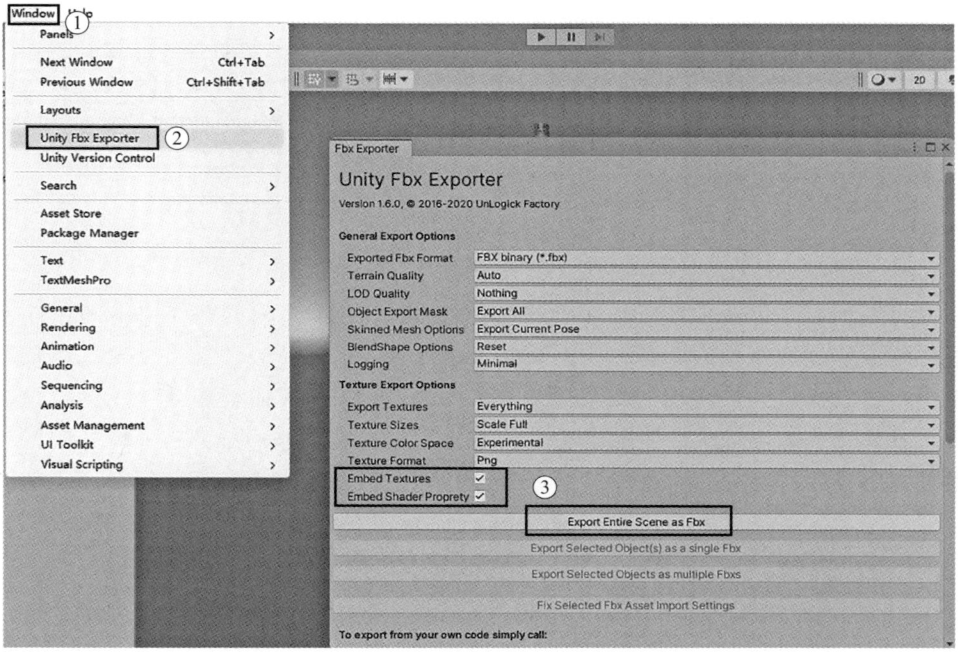

图 4-27　Fbx 单个模型导出

步骤如下：

① 选择要导出的模型后，点击“Window”；

② 选择“Unity Fbx Exporter”；

③ 勾选左侧两项后选择第一个按钮，即可导出。

(3) Unity Pack 整体场景导出

方法与单个模型导出一致，但注意要先直接选择“Hierarchy”中的场景或不选任何对象，再选择“Windows－Unity Fbx Exporter”，之后步骤一致，即可导出。

参考文献

[1] 薛俊杰，施国强，周军华，等．复杂产品三维模型轻量化服务构建技术[J]. 系统仿真学报，2020，32 (4)：553-561.

[2] 周雪薇．基于 Unity3D 的小学科学教育游戏的设计与开发 [J]. 微型电脑应用，2021，37 (1)：44-46.

5

工业数字孪生系统行为建模

行为建模是工业数字孪生系统的核心组成部分之一，通过模拟和分析工业系统中各个实体和组件的动态行为、交互关系以及决策过程，工业数字孪生系统能够模拟物理系统的实时运行状态、预测未来的变化。本章首先对比常见的行为建模工具，分析核心生产要素的行为建模需求，对标准和非标准的工业设备的行为建模基本流程进行介绍，最后，列举典型智能设备行为建模实例，帮助读者理解工业数字孪生系统行为建模全过程。

5.1 行为建模概述

5.1.1 常见行为建模工具对比

行为建模是赋予数字孪生体几何模型行为逻辑的关键步骤，它旨在描述和模拟物理实体在一定时间内如何相互作用、响应、演化和变化。行为建模的主要目标是捕捉物理实体的动态行为，包括事件、过程、状态转换和交互，以便在虚拟空间中实时模拟和分析数字孪生体的性能和行为。它为工业数字孪生系统的虚拟仿真、虚实映射、诊断评估和智能决策等功能提供了重要工具。

行为建模在工业数字孪生系统中涵盖了产品全生命周期的“研-产-供-销-维”中的研发设计、生产制造、服务运维等多个阶段，这些阶段中数字孪生体的行为仿真模型主要包括生产流程优化、设备利用率分析、物料流仿真等生产作业仿真。结合相关企业实际应用，常见的行为建模工具可分为加工工艺仿真、装配过程仿真、生产线布局规划仿真、车间内部物流仿真等几个维度，一些典型的工具软件描述如下。

① 美擎。美擎是一款专业的工业仿真软件，旨在帮助企业进行数字化建模和仿真，它提供了直观且强大的工具，主要用于生产场景布局规划仿真与数字孪生应用验证。在布局方面，其应用程序具有丰富的工业资源模型（如机器人、机

床、输送线等)，能够支持拖动式快速布局；在流程建模方面，可视化工作流引擎可以最大程度减少编程需求，并支持三维场景中的生产流程查看和管理，更易于分析并排除故障和修改布局。同时，基于丰富的模型库以及通信接口，美擎也被广泛用于车间数字孪生系统的开发。通过内置的仿真引擎，美擎对制造流程进行实时仿真，有助于预测潜在问题、优化生产线和改进效率。

② Unity3D。Unity3D 是一款跨平台游戏引擎，其强大的图形渲染和实时交互特性也使其在工业数字孪生领域具有潜力。Unity3D 可以用于建模和模拟工业系统，包括制造流程、设备行为等，这有助于数字孪生的创建，以便更好地理解和优化实际工业过程；利用 Unity3D 的图形渲染能力，工业数字孪生可以在 3D 环境中可视化工厂过程，帮助更好地理解生产流程和设备交互；Unity3D 的实时交互性使用户能够与数字孪生环境进行实时互动，观察系统行为并进行实时决策。

③ AnyLogic。AnyLogic 是一款针对离散、多智能体混合的系统建模和仿真工具，具备强大的工作流引擎及工作流建模功能，常用于分析和优化复杂系统，支持离散事件与连续系统的建模与仿真，广泛应用于布局方案验证以及各种复杂场景下的物流仿真模拟，了解各系统间的相互作用和影响，实时调整和观察系统的响应；优化生产流程，减少资源浪费，提高生产效率。除此之外，AnyLogic 的通信功能可用于工业数字孪生系统的构建与验证。

④ Plant Simulation。Plant Simulation 是一款集建模、仿真和优化等功能于一体的离散事件仿真软件，主要应用于布局物流仿真、车间产能预测及产线平衡与优化，该软件能够通过持续的迭代优化完成对方案的仿真分析。在布局物流方面，通过遗传算法对各作业单元进行优化排序，通过试验设计求出最优物流设施数量与物流路线；在车间产能预测方面，通过时间分布函数、设备故障率等概率事件仿真模拟，预测出未来车间规划方案的产能指标，通过指标对比优化并确定最终方案；在产线平衡优化方面，通过仿真分析得出产线平衡率，并找出瓶颈问题进行优化，实现产线均衡生产。Plant Simulation 可用于数字孪生体与物理实体的实时交互。

⑤ FlexSim。FlexSim 是面向对象的离散事件仿真软件，广泛应用于生产制造中的物流仿真。其主要功能是通过对物流系统的建模与仿真，支撑工厂布局和物流规划方案的优化与确定。软件具备面向对象的特性，建模过程操作比较简单，支持在平面布置图上通过拖放建立三维模型；也支持用户自定义复杂链接，使建立和完善分散式生产流程简单化；软件的开放性和柔韧性较强，能够为大多数产业定制特定模型。FlexSim 可用于对数字孪生体的实时监控。

对美擎、Unity3D、AnyLogic、Plant Simulation 与 FlexSim 工具软件从不同维度进行对比分析，总结各个工具的相对优势，可分为强、中、弱 3 个等级，如图 5-1 所示。

其中，数据处理分析、图形建模与信息反馈、建模效率、操作辅助以及模型

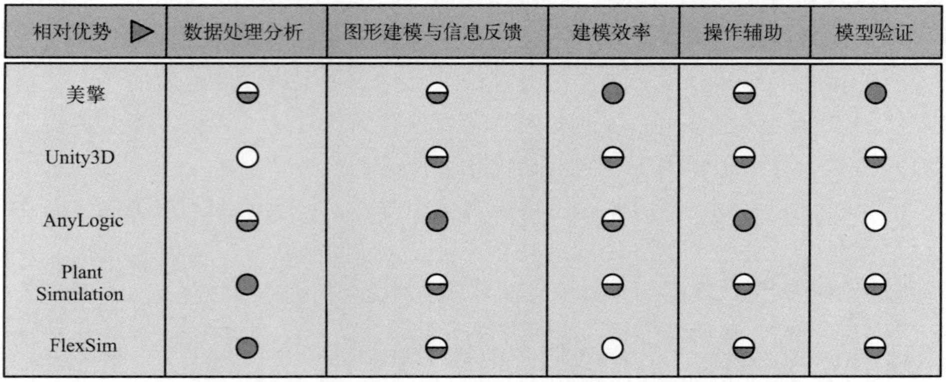

图 5-1 常见行为建模工具对比分析

○ —弱；⊖ —中；● —强

验证是工具的性能维度指标，具体含义如下。

① 数据处理分析：体现为轨迹文件生成、多样化数据输出汇总、数据库维护、流程分析、拟合度测试等。

② 图形建模与信息反馈：体现为丰富的模型库以及图形自定义建模与警报等类型的信息反馈、虚拟现实支持等。

③ 建模效率：体现为模块化设计、仿真模型与数据分析、模型可移植性以及模型可重构性等。

④ 操作辅助：体现为提供模型的储存检索、模型组件操作、排错难度、视角转换等。

⑤ 模型验证：体现为模型的逻辑行为检查、结果检查提示等。

5.1.2 行为建模工具选择

美擎是集 3D 工艺仿真、装配仿真、人机协作、物流仿真、机器人仿真、虚拟调试、数字孪生工厂等功能于一体的数字化工业仿真平台。可应用于新建工厂的产线布局设计、物流规划、价值流分析，工厂生产效率提升、精益改善，新产品研发端的可制造性分析、工艺设计、装配仿真，自动化虚拟调试、机器人轨迹规划及示教等场景。

美擎具备丰富的组件库，涵盖堆垛机、AGV、滚筒传送带、传送带（直线和曲线）、链式传送带、并行机器人、A 字架、移动货架等 2000 多种物流系统的设备及模块组件库，用户通过鼠标拖拽、特殊的 PnP 快速逻辑连接、属性参数配置、简单接口连线等方式，即可快速实现自定义电商物流、快递物流、生产企业内部物流、仓储物流等场景搭建。使用美擎展开行为建模具有以下优势，如图 5-2 所示。

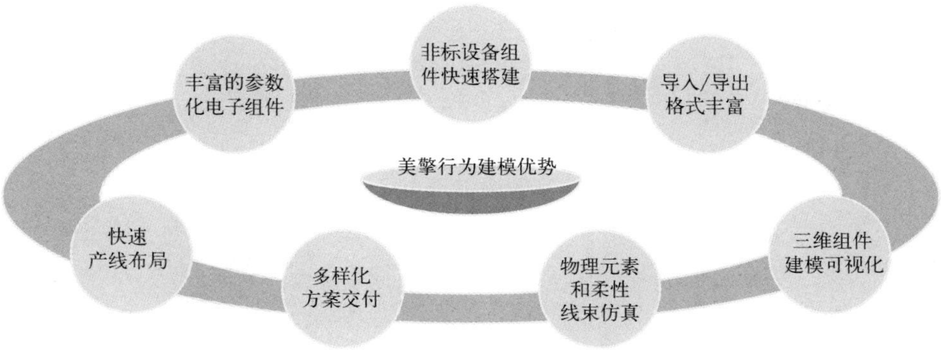

图 5-2 美擎的行为建模优势

(1) 丰富的参数化电子组件

美擎的电子组件库中内置常见的主流工厂应用组件，如图 5-3 所示，这些组件能够覆盖各大品牌商的机器人、工装夹具和自动化设备组件，如各种工业机器人、加工机床、龙门架、变位机、地轨、人机协作元素、3D 立体仓库、AGV、人员、叉车、货物、分拣机、车辆载具系统组件库、行李搬运系统等，能够满足大部分的工艺仿真组件需求。且库中绝大部分组件都是参数化的，可根据布局要求修改组件的尺寸、颜色、形状等静态属性和运行速度、规则、逻辑等动态属性；网络组件库中的组件均为免费提供，来自全球的开发者/使用者都能更新共享电子组件库，并在本地联网更新。

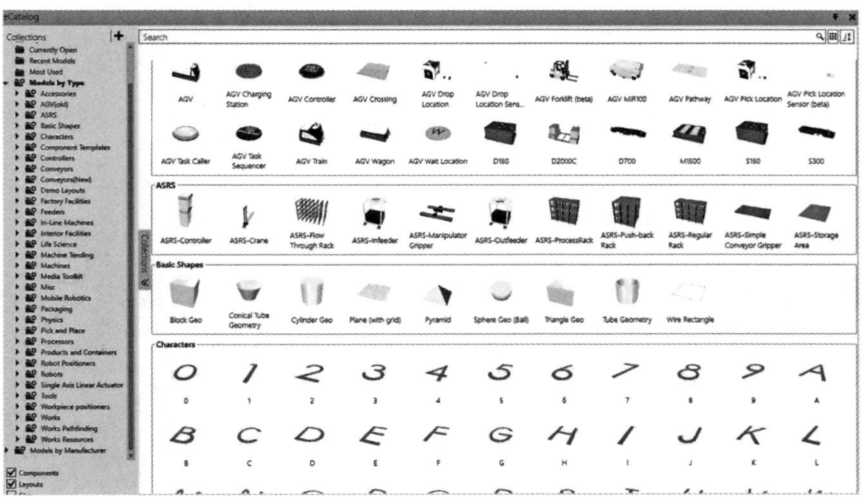

图 5-3 美擎软件丰富的组件库

(2) 非标设备组件快速搭建

美擎支持用户快速自定义非标设备组件库，大致方法是导入非标设备模型文件，然后对其进行建模处理操作，在非标设备运作分析结果上完成自定义属性与行为的添加，最后完成非标设备组件的本地化打包操作，可支持用户在不同仿真项目中重复使用，大大节约了用户的建模与重构效率。除此之外，用户还可以依需建立公有云/私有云/本地化组件库，项目组成员按权限访问；逐步迭代更新，建立自己的数字化工厂和知识库。

(3) 导入/导出格式丰富

美擎无须中间格式转换，支持市面上50多种主流3D格式导入与导出操作，且支持模型的标注、优化、修改、逻辑定义、上色等，极大地方便了用户非标设备组件的开发工作。导出的模型还可以由其他建模软件进行二次加工编辑，可支持用户搭建适合业务需求的工具开发链。

(4) 三维组件建模可视化

美擎内部可快速更新三维组件模型，包括创建、编辑、删除和自定义几何、实体形状和结构。三维组件建模提供了三维曲面和实体设计能力，提供长方体、圆柱体、球、圆锥体、楔形体等常见三维实体，可通过建模工具包自定义构建三维实体；用户也可修改导入的三维数模文件，在三维环境中快速构建产品、工装、设备、机器人、场地等的组件模型，并可根据需要修改组件的尺寸、颜色、形状等静态属性和运行速度、规则、逻辑等动态属性。

(5) 物理元素和柔性线束仿真

美擎采用NVIDIA公司的PhysX物理引擎，PhysX是目前使用最为广泛的物理引擎，能够高效、逼真地模拟重力、摩擦力、碰撞、惯性、柔性线束、速度等物理属性，使仿真画面更加真实而生动。用户可根据自身需要来自定义添加或关闭物理仿真效果，在场景布局过大时可关闭物理效果，提高仿真运行速度；支持线束电缆仿真，可根据前后端受力仿真线缆运动动作，并实时检查其与其他部件的动态干涉。如图5-4所示是重力与线束的物理仿真效果示意图。

图5-4 物理仿真效果示意图

（6）多样化方案交付

美擎可输出 4K 高清图片和高达 2160P 的动画视频，支持海报级高级渲染功能。除此之外，用户可根据三维布局直接生成二维平面布局图纸，节省用户的大量手动绘制时间。美擎仿真软件还支持交互式 VR 虚拟产线，用户可以像游戏一样身临其境地操作产线设备与控制工厂运行；无须安装插件即可通过 PDF 浏览器实现仿真环境自主漫游与场景交互功能，可全方位地展示方案局部细节信息，如图 5-5 所示。

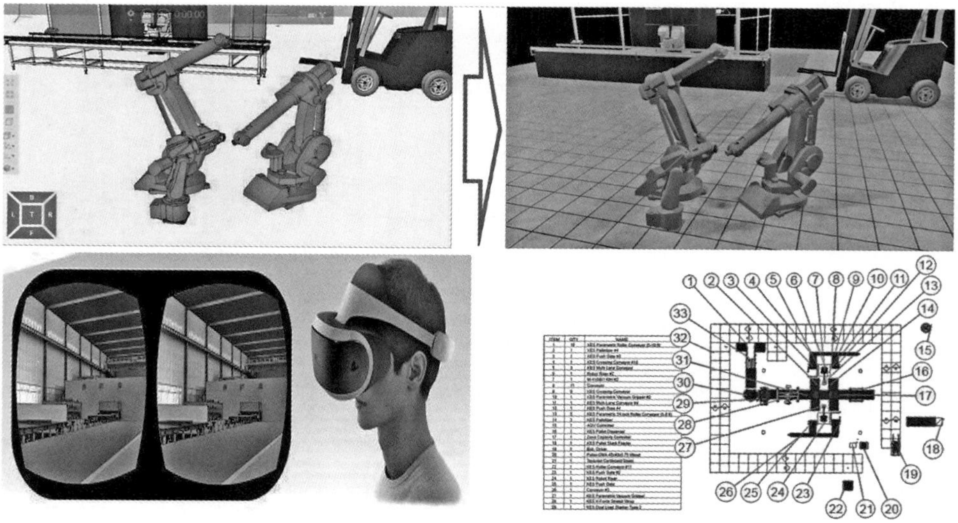

图 5-5　美擎场景渲染、VR 交互、二维布局图

（7）快速产线布局

美擎的 PnP 快速连接功能可以快速实现物流设备、机器人工装夹具等工厂组件的逻辑连接，只需鼠标拖拽，以搭积木的方式来搭建工厂产线布局，帮助厂房设计者在实体设备还未安装之前便可确定厂房的布置安排，提前发现并解决生产流程问题，具备强大且快速的方案实现能力。

因此，本书选择美擎作为工业互联网系统行为建模的仿真软件，对工业设备进行几何处理、行为建模与组件封装等一系列操作，为工业数字孪生应用程序开发提供高保真、高实时性的生产虚拟仿真基础，确保数字孪生中虚拟对象与真实空间中物理对象之间的相互映射同步。

5.2　核心生产要素行为建模需求分析

核心生产要素行为建模旨在对一个或多个生产系统中的关键要素展开行为建

模，以了解系统间或系统内各个物理实体的行为、相互作用和对整体的影响。对核心生产要素行为建模进行需求分析，首先要识别核心生产要素，主要包括作业人员、生产设备、物料等。

作业人员的行为具有重复性、复杂性以及协作性等特点，作业人员的行为分类主要包括点到点移动、手部协助装配、机器设备操作等基本类型；生产设备的行为具有精准性、周期性以及复杂性等特点，生产设备的行为分类主要包括加工、装配、检测、运输等基本类型；物料的行为具有可变性、流动性等特点，物料的行为分类主要包括运输、存储、装配等基本类型。

综合分析相关文献研究，基于作业人员、生产设备、物料等核心生产要素的基本行为类型，结合6大典型智能设备应用场景，梳理出核心生产要素在应用场景中的具体行为动作，如图5-6所示。

5.3 基于工业仿真软件的行为建模方法

5.3.1 标准工业设备组件基本使用

标准工业设备组件是工业仿真软件的组件库中原生的、通用的组件。标准工业设备组件的性能潜力可通过虚拟仿真技术充分展现，工业仿真软件不仅能模拟这些组件在实际工作环境中的状态，更允许在虚拟空间中测试不同的生产场景和工艺流程，以便更好地优化整个制造过程。这些标准工业设备组件作为通用的构建模块，为工业数字孪生系统的行为建模提供了可靠的解决方案。如图5-7所示是行为建模过程中常用的几种标准工业设备组件。

(1) 工艺节点

在行为建模中，工艺节点（Process Node）是指模型中表示某个特定处理步骤或活动的节点，通常用于描述系统或流程中的特定行为、操作或功能。工艺节点允许对系统或流程中的抽象行为进行建模，将复杂的操作或活动分解为一系列工艺节点，可以更清晰地理解和描述系统的运作；不同节点之间的连接和交互可以表示系统中各个行为之间的关联，有利于捕捉系统中复杂的交互模式，包括数据流、消息传递等；通过表示特定行为发生的时机以及它们之间的相对顺序，可以将系统分解为更小的、可管理的模块，从而提高系统的可维护性和可扩展性。工艺节点的基本使用方法如图5-8所示。

① 选择相关工艺节点。不同工艺节点代表不同工艺流程，本书建议读者新建工艺节点后将该工艺节点重命名，以便区分。

核心生产要素	典型智能设备场景											
	智能压装设备		智能拧紧设备		智能视觉检测设备		智能测量设备		智能物流运输设备		智能仓储设备	
作业人员	移动	上料	取料	放入在制品	样本设置	上料	取料	上料	……		移动	
	取料	启动压装	定位	启动拧紧	启动检测		启动测量		……		放料	
	……		……		……		……		……		……	
生产设备	抓料	转动连接	机器人抓取螺母		传送带转动		传送带转动		取料	平移	传送带转动	
	转动调节	定位	机器臂转动及移动		上料	自动检测	气缸升降	平移	旋转	定位	升降板平移	
	固定	限位校准	螺母定位	固定	……		上料	固定连接	底座升降		物料定位	固定
	伺服电缸升降		拧紧模块工作		……		红外线测量		……		……	
	……		……		……		……		……		……	
物料	位置移动	状态变化	位置移动	状态变化	位置移动	状态变化	位置移动	状态变化	位置移动	状态变化	位置移动	状态变化

图 5-6 智能设备 6 大典型场景中核心生产要素的行为

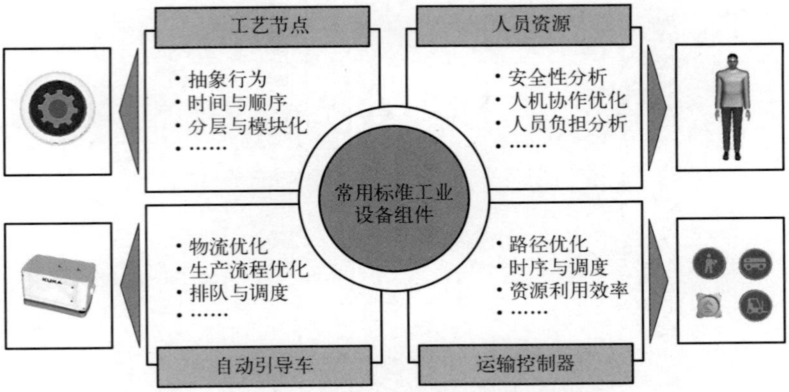

图 5-7 行为建模过程中常用标准工业设备组件

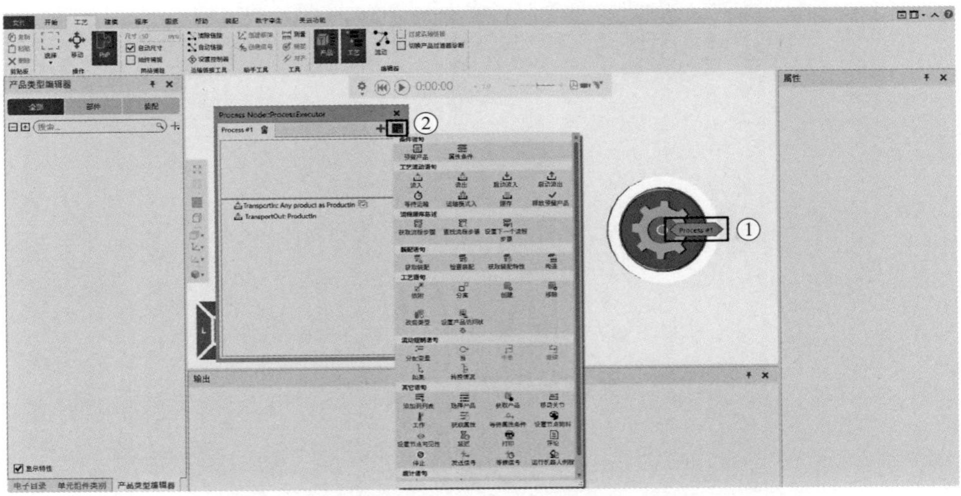

图 5-8 Process Node 基本使用方法

② 添加相关语句。添加不同命令语句，工艺节点所完成的工艺以及工艺顺序有所不同。

(2) 运输控制器

在行为建模中，运输控制器（PM Transport Controllers）用于控制行为模型中人员、机器人、AGV 等具有相对运动的组件资源的运动路径，是用于描述系统中各个模型行为和动作的重要组件，运输控制器在行为建模中起到了定义、规划和控制系统中各个实体的行为的作用。以 Human Transport Controller 为例，对运输控制器的基本使用进行描述，如图 5-9 所示。

① 选择接口。PM Transport Controllers 对组件的控制是通过接口实现的，一个运输控制器可以同时控制不同组件资源。运输控制器在行为模型中没有相对

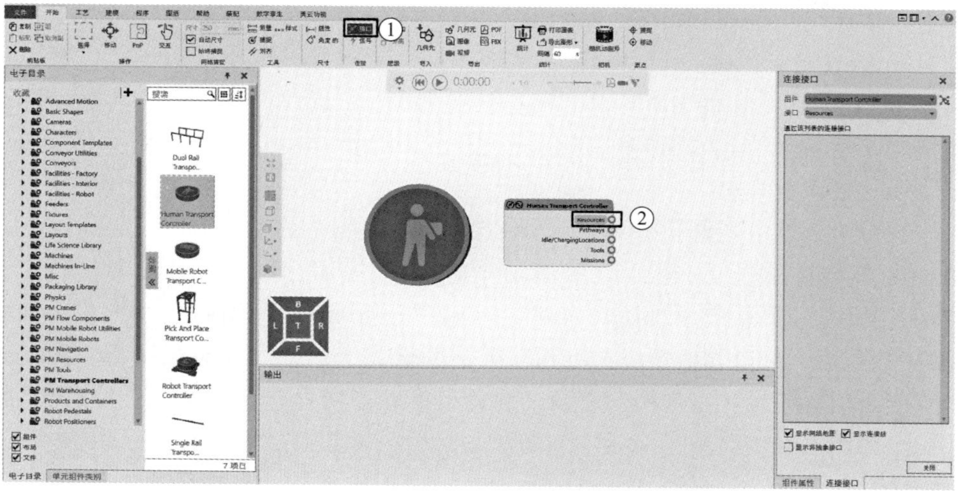

图 5-9 PM Transport Controllers 基本使用方法

运动，这是控制其他模型进行相对运动的基础。

② 连接相应 Resources。以 Human Transport Controller 为例，要控制行为模型中人的行为动作，需要将 Human 组件资源与 Human Transport Controller 相连接，在流动组中的两个工艺节点之间添加控制选项。

(3) 人员资源

在行为建模中，人员资源（Human）模型可用于评估和分析人机交互的效果和影响，通过模拟人类行为，可以预测和评估系统在实际使用中的用户体验、工作负荷和效率，有利于识别和解决潜在的问题，改进系统设计和交互方式。Human 的基本使用方法如图 5-10 所示。

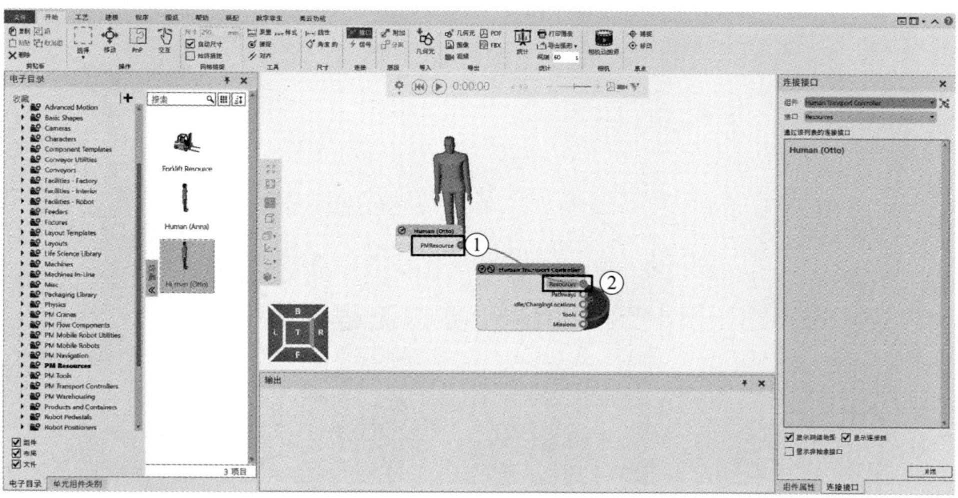

图 5-10 Human 基本使用方法

① 选择 Human 及相应的控制器。

② 通过接口连接。

将 Human 下方的 PMResource 与控制器的 Resources 相连接，可通过控制器控制 Human 的行为动作。

(4) 自动引导车

在行为建模中，自动引导车（AGV）描述系统中的物料运输的移动行为。通过建立 AGV 的行为模型，可以规定其移动方式、路径选择、速度调整等行为特征，从而实现系统中的物料搬运、运输和分配等任务。在虚拟环境中模拟 AGV 的行为，可以评估系统在不同场景下的性能指标，如响应时间、任务完成率、能源消耗等，从而优化系统设计和调整参数。同样，AGV 需要搭配控制器使用，如图 5-11 所示。

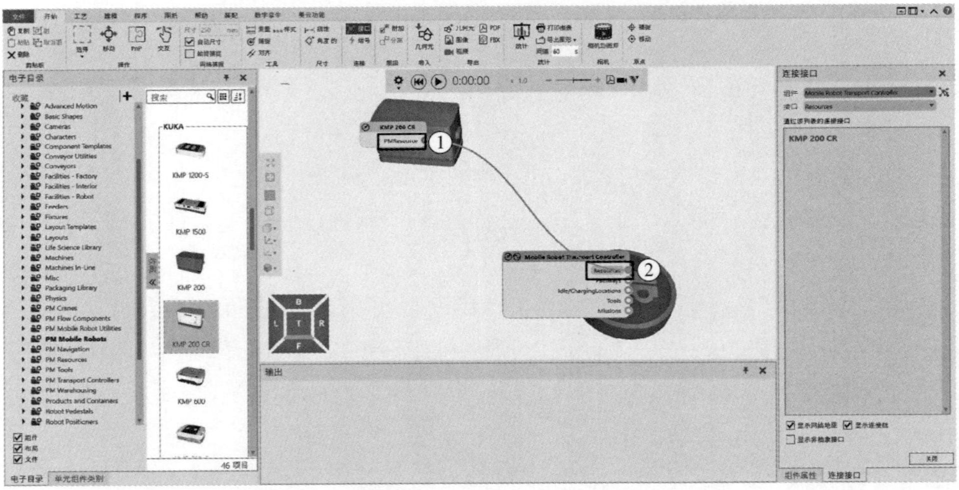

图 5-11 AGV 基本使用方法

① 选择 AGV 及相应控制器。

② 通过接口连接。

将 AGV 下方的 PMResource 与控制器的 Resources 相连接，可通过控制器控制 AGV 的移动。

5.3.2 非标工业设备行为建模基本流程

非标工业设备指的是根据特定的生产需求或者特定的工艺流程而定制或者个性化设计的工业设备，为了满足特定的生产需求或工艺流程，非标工业设备通常会融入先进的技术和定制化的功能，这些功能可能包括自动控制、智能监测、精准调节等，以提高生产效率和产品质量，这要求非标工业设备通常具有更高的灵活性和适应性，能够满足特定的生产要求和工艺流程的变化。对非标工业设备的行为建模，可以更加深入了解非标设备的性能特点，更加贴合非标工业设备的工作方式。

非标工业设备的行为建模基本流程可分为行为建模准备、组件特征定义、非标工业设备行为建模三部分，如图 5-12 所示。本节以智能压装设备为例，对非标工业设备进行行为建模。

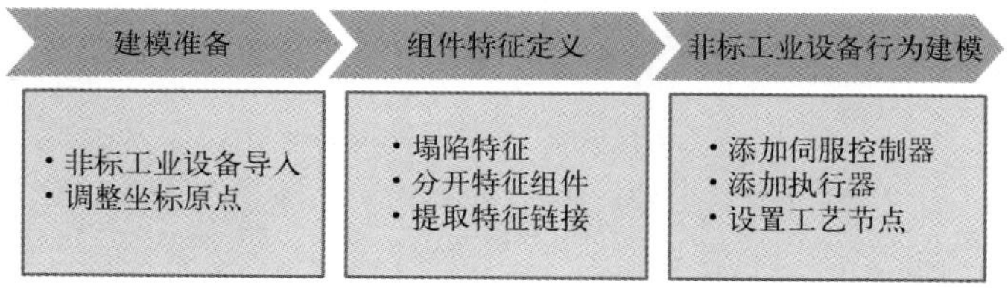

图 5-12　非标工业设备行为建模流程

(1) 非标工业设备行为建模准备

非标工业设备导入（图 5-13）步骤如下：

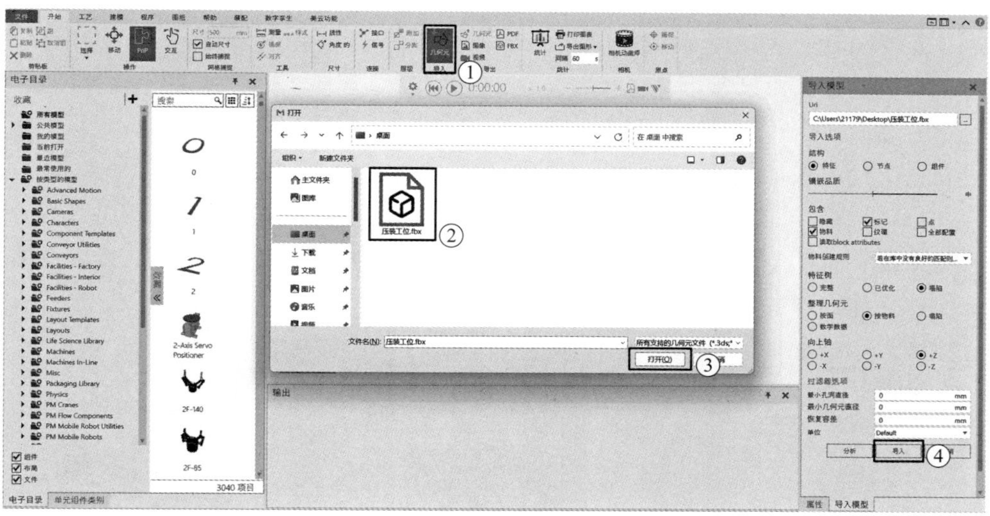

图 5-13　非标工业设备导入

① 点击“几何元”导入。

② 选择非标工业设备几何模型。

③ 选择“塌陷”特征树、“按物料”整理几何元。

④ 点击“导入”。

调整坐标原点（图 5-14）步骤如下：

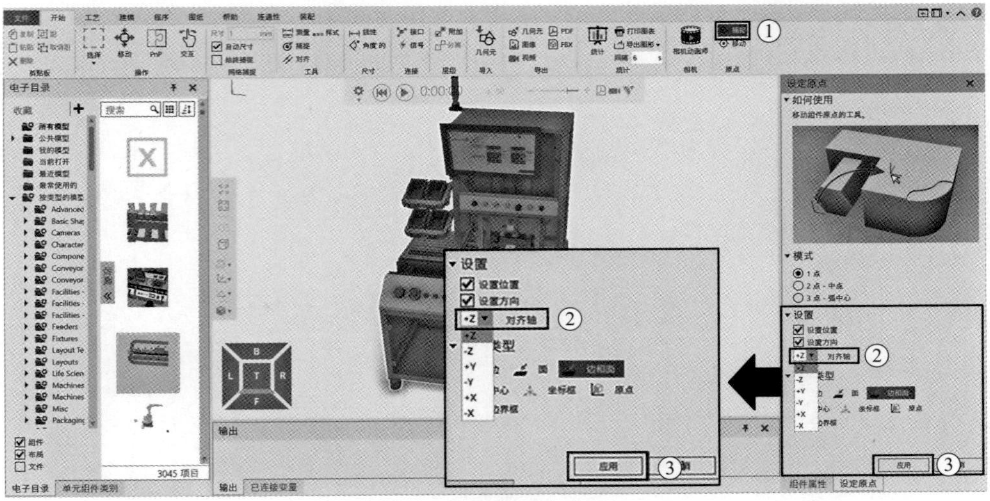

图 5-14　调整坐标原点

① 点击“捕捉”原点坐标。

② 选择对齐轴方向为“＋Z”轴。

③ 点击“应用”。

（2）非标工业设备组件特征定义

非标工业设备建模准备完成后，对其设备组件进行特征定义，即将非标工业设备按照行为特征分类。首先要进行特征原点与组件原点重合操作（图 5-15），即“塌陷特征”，其目的是避免特征定义过程中出现非标组件行为与预期行为不符的情况；特征原点与组件原点重合后，即可将特征分开（图 5-16），最后对特征组件进行提取链接（图 5-17）。

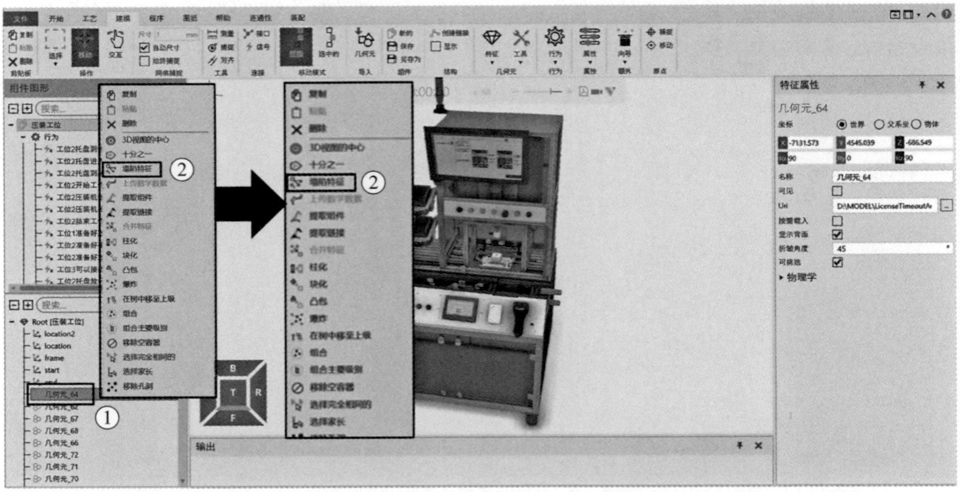

图 5-15　特征原点与组件原点重合

特征原点与组件原点重合操作：

① 选择相应特征。

② 选择“塌陷特征”。

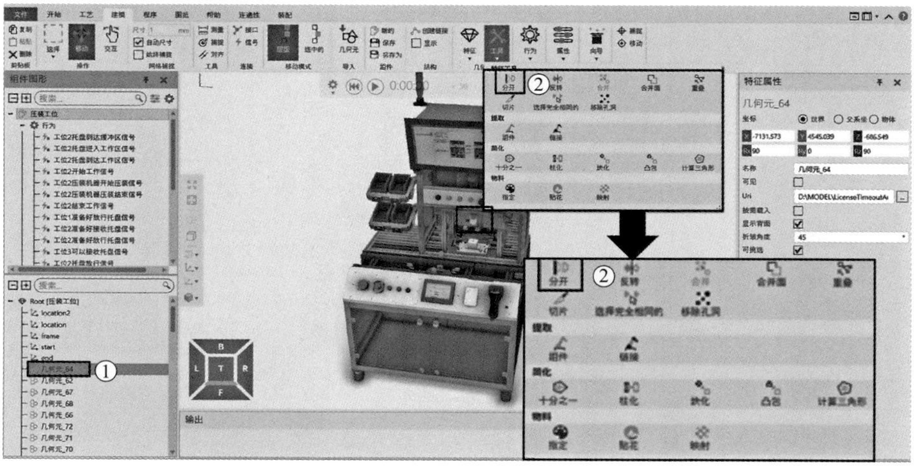

图 5-16　分开特征组件

分开特征组件：

① 选择相应特征。

② 选择“工具”中的“分开”。

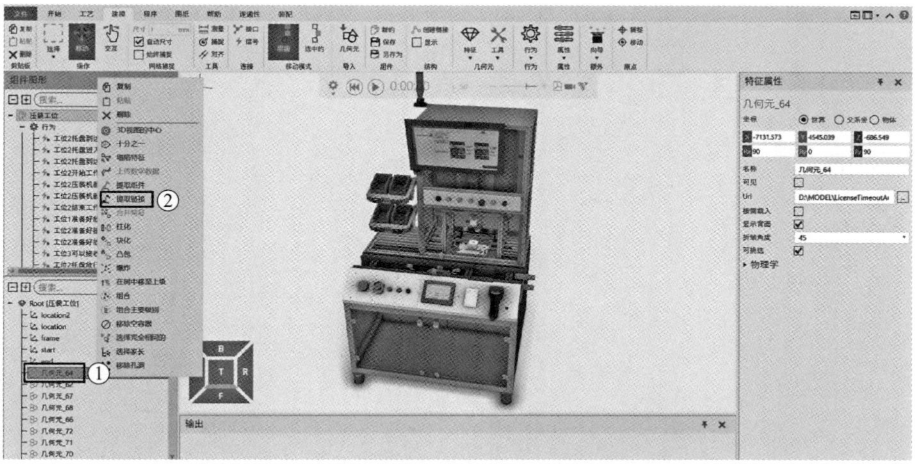

图 5-17　对特征组件进行提取链接

对特征组件进行提取链接：

① 选择相应特征。

② 点击“提取链接”。

(3) 非标工业设备行为建模

非标工业设备组件完成特征定义后，其组件已经具备相应的行为特征，要使其按照定义好的特征进行相对运动，则需添加伺服控制器，对其行为特征进行控制；执行器的作用是捕捉到工艺节点信号后，对控制器发出执行信号，组件按照行为特征进行相对运动。非标工业设备行为建模流程如图 5-18～图 5-24 所示。

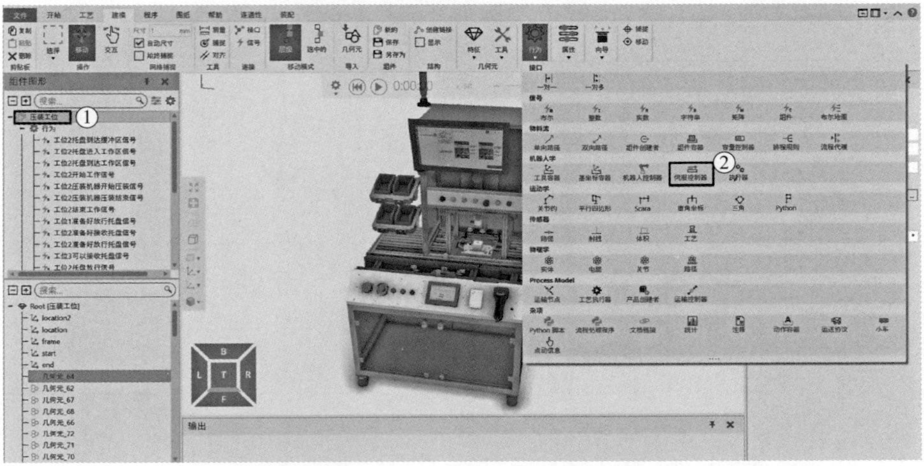

图 5-18　对非标工业设备添加伺服控制器

添加伺服控制器：

① 选择组件根目录。

② 选择“行为”中的“伺服控制器”。

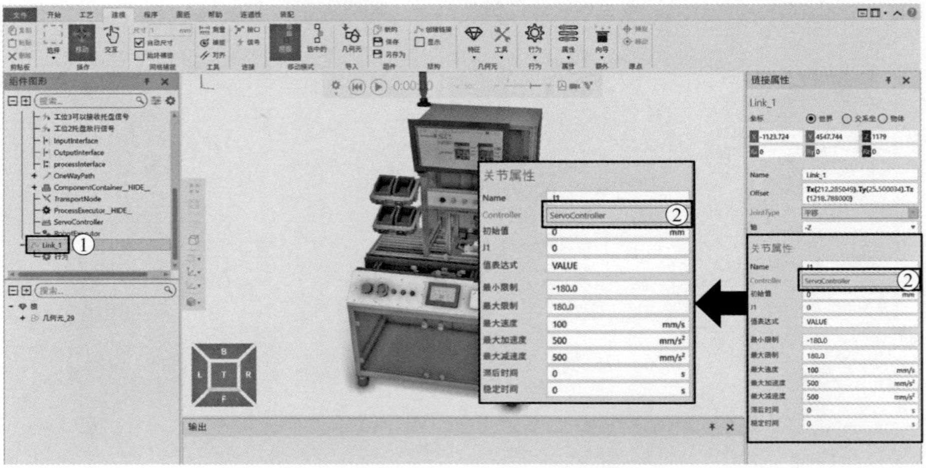

图 5-19　特征行为选择伺服控制器

选择伺服控制器：

① 选择提取成功的链接。

② 在右侧属性页面，将“Controller”选择为新添加的“SeverController”。

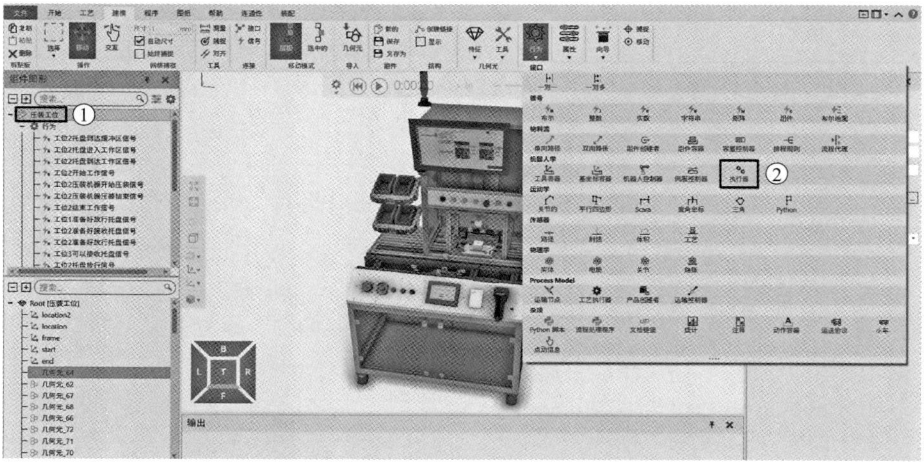

图 5-20　非标工业设备添加执行器

添加执行器：

① 选择组件根目录。

② 选择“行为”中的“执行器”。

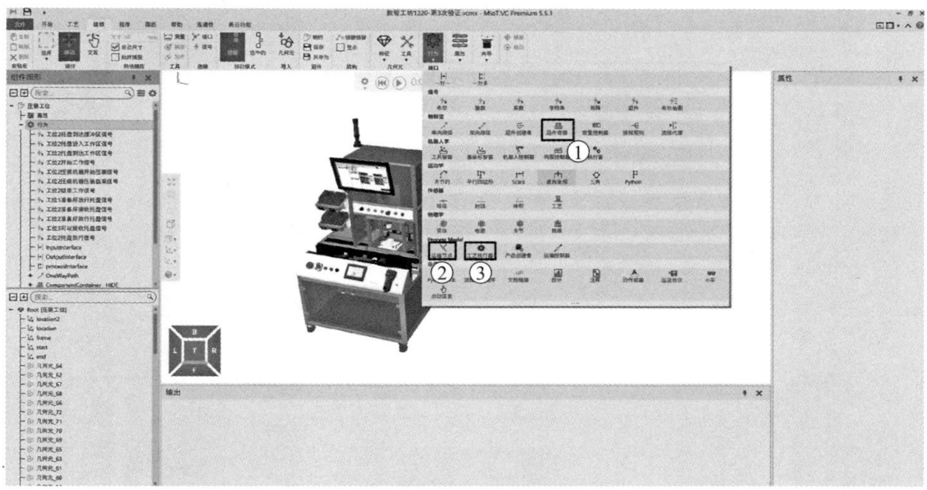

图 5-21　非标工业设备添加工艺节点

添加工艺节点：

① 选择组件根目录。

② 依次添加“组件容器”“运输节点”“工艺执行器”。

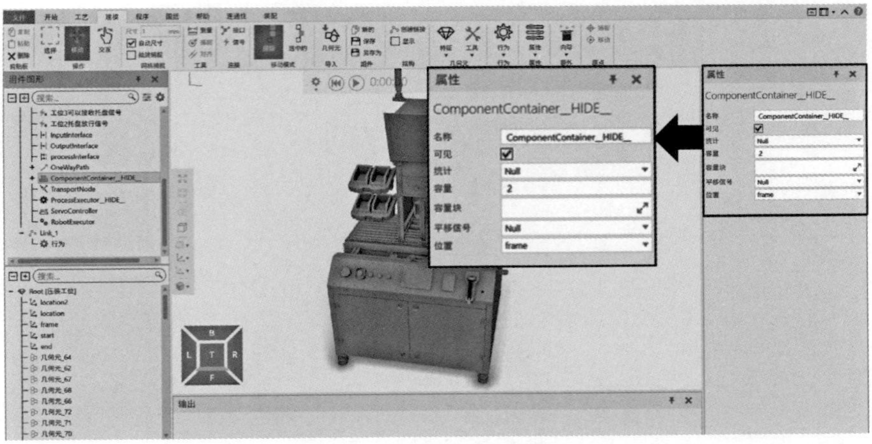

图 5-22　添加组件容器

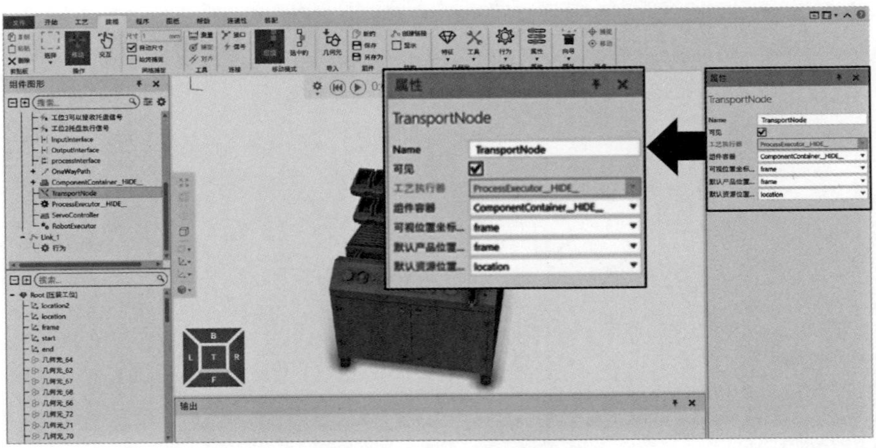

图 5-23　添加运输节点

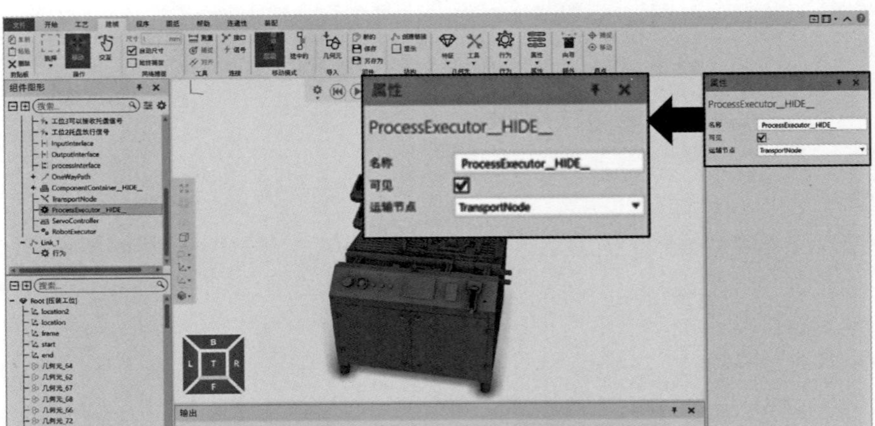

图 5-24　添加工艺执行器

5.4　典型智能设备行为建模实例

5.4.1　智能拧紧设备

智能拧紧设备的行为建模主要分为模型切分、自定义机器人建模、创建自定义工艺节点以及自定义信号连接四部分。

(1) 模型切分

模型切分（图 5-25）是将模型的行为进行分组，防止后续建模时发生模型碰撞等逻辑错误。智能拧紧设备主要包括取料、上料、机器人运动、传送带移动以及拧紧等行为，因此该智能设备的模型切分可分为物料盒、托盘、自定义机器人、传送带以及设备框架五大部分。具体步骤如下。

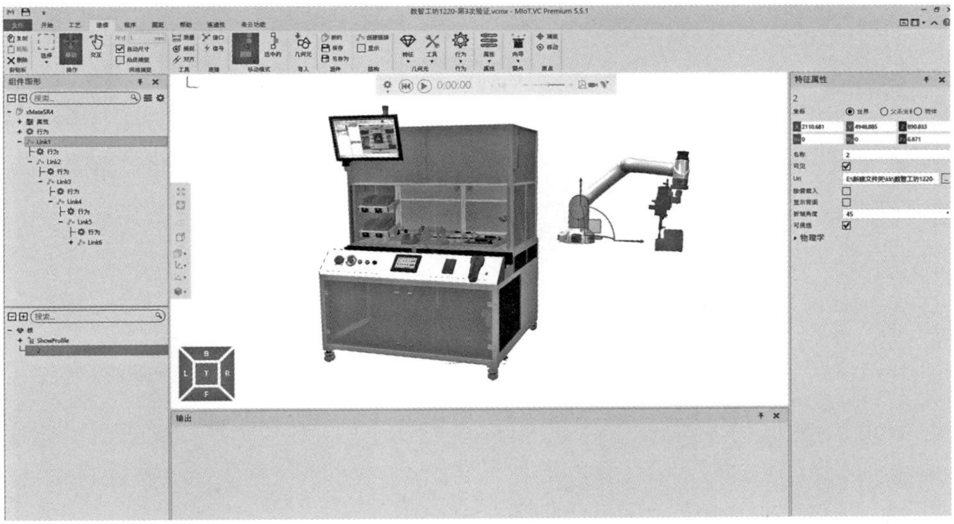

图 5-25　智能拧紧设备模型切分

① 选择“工具”中“分开”功能。

② 选中具有行为运动的模型组件，将其分开。

值得注意的是，在选择模型时，应当防止因多选或少选而导致的模型行为错误。例如，在选择机器人的关节时，应当考虑该关节的运动方向以及运动范围，避免与其他关节共同分组。

(2) 自定义机器人建模

自定义机器人（图 5-26）是在模型切分的基础上，对各个关节进行链接。具体步骤如下。

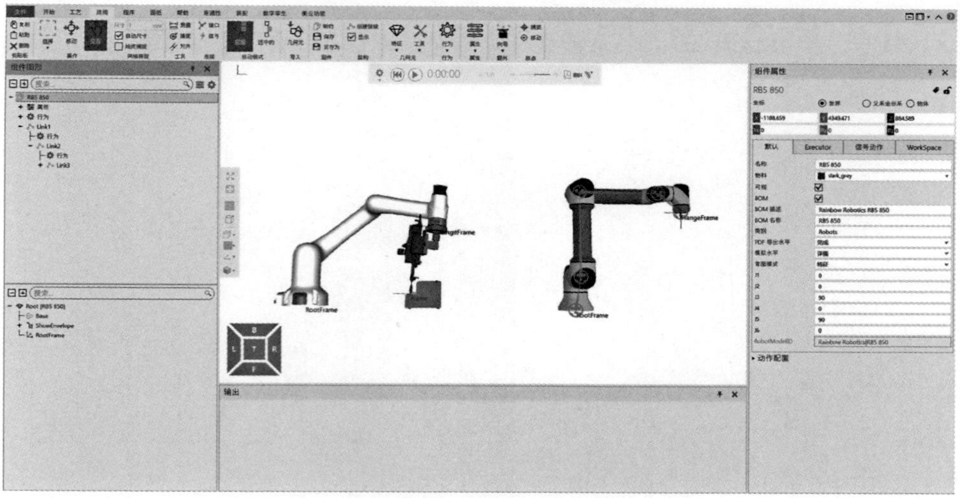

(a) 标准机器人关节结构

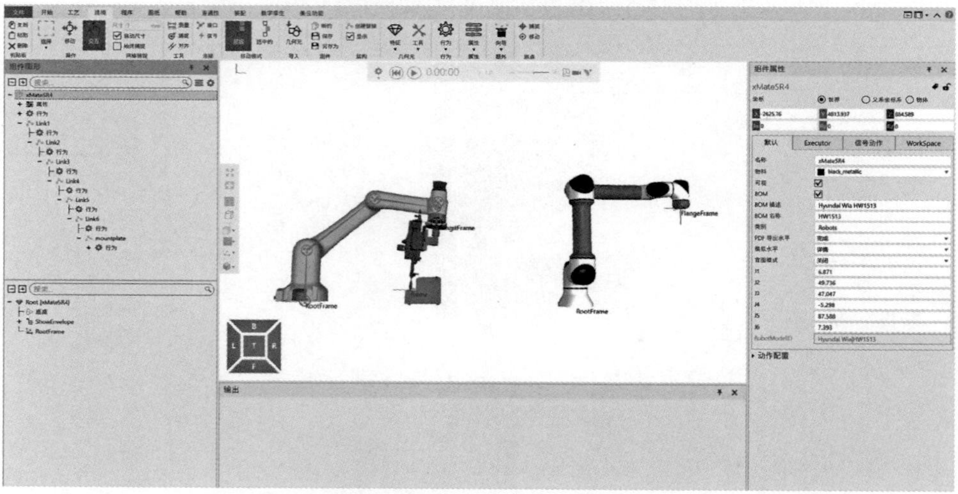

(b) 调整自定义机器人关节结构

图 5-26 智能拧紧设备自定义机器人

① 在资源库中找到与自定义机器人具有相似关节结构的标准机器人模型。

② 将模型切分后的自定义机器人几何元复制到标准机器人根节点。

③ 调整标准机器人关节至与自定义机器人结构相同。

(3) 创建自定义工艺节点

自定义工艺节点（图 5-27）是非标工业设备行为建模的关键，将影响后续的自定义信号是否能够成功连接。自定义工艺节点主要包括建立坐标轴、设置组件容器、设置运输节点、添加工艺执行器四个步骤。以创建物料盒的自定义工艺

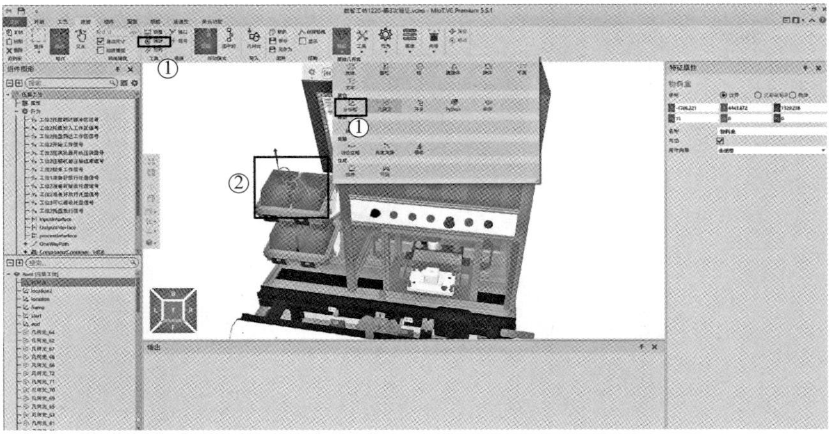

(a)

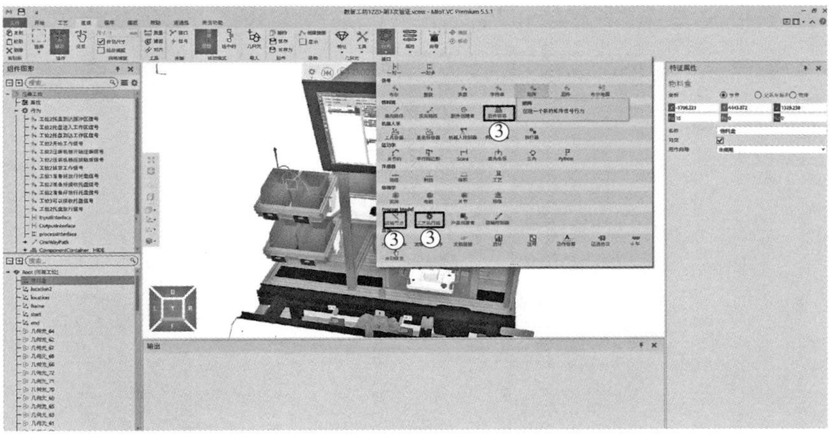

(b)

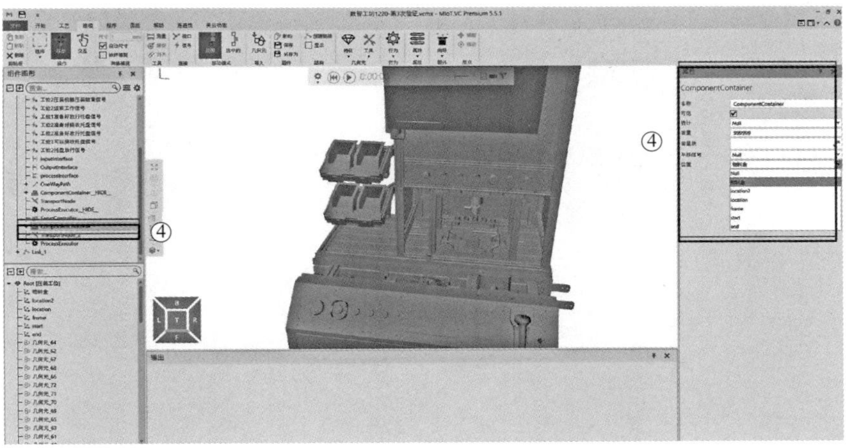

(c)

图 5-27

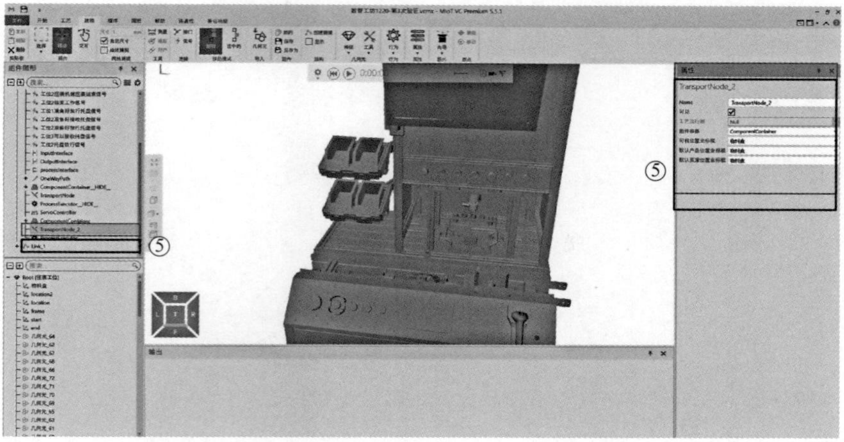

(d)

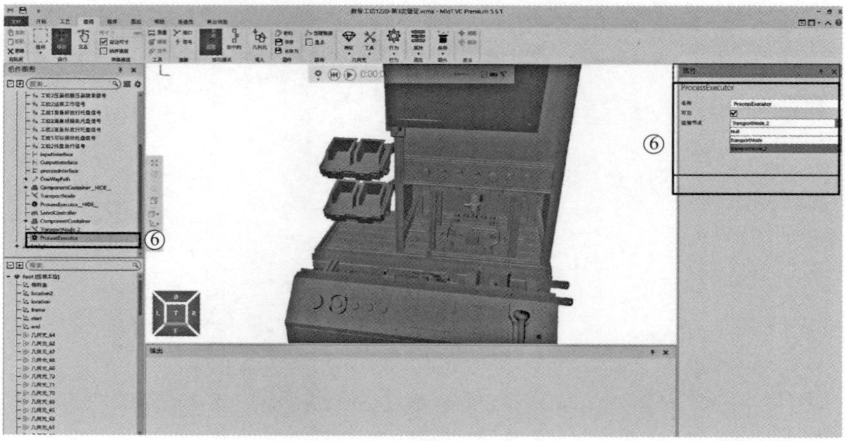

(e)

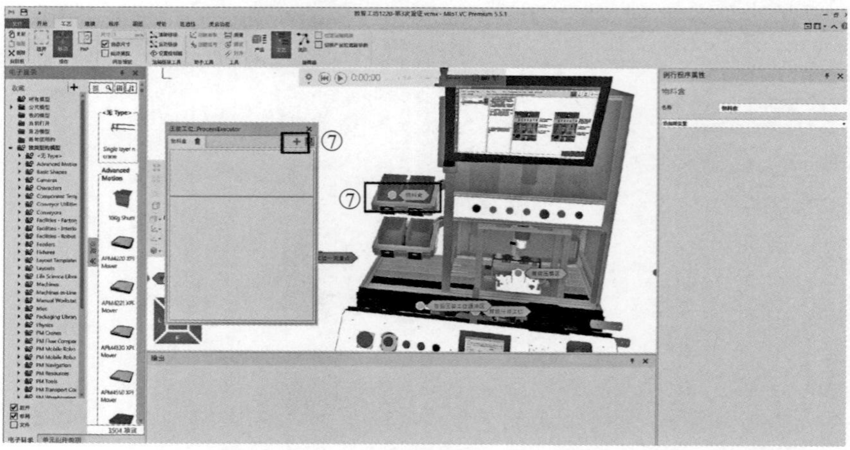

(f)

图 5-27　智能拧紧设备自定义工艺节点创建

节点为例，上料行为和取料行为都需要由物料盒的工艺节点发出并执行，具体步骤如下。

① 选择“特征”，在智能拧紧设备的根节点添加“坐标轴”。

② 将“坐标轴”原点“捕捉”至物料盒底座中心。

③ 在“行为”中依次添加“组件容器”“运输节点”“工艺执行器”。

④ 更改“组件容器”中的坐标位置设为新建物料盒坐标轴。

⑤ 更改“运输节点”中的组件容器、可视位置坐标、默认产品位置坐标。

⑥ 更改“工艺执行器”中的运输节点。

⑦ 在“工艺”界面点击物料盒的自定义工艺节点，新建工艺程序。

(4) 自定义信号连接

自定义工艺节点创建完成后，即可按照智能拧紧设备的行为逻辑，自定义工艺信号及流程，并在流动组中进行连接，完成该设备的行为建模。智能拧紧设备自定义信号的工艺流程如图 5-28 所示。

5.4.2 智能视觉检测设备

智能视觉检测设备的行为建模主要分为模型切分、创建自定义工艺节点以及自定义信号连接三部分。

(1) 模型切分

智能视觉检测设备主要关联取料、上料、传送带移动以及检测器运动等行为，因此该智能设备的模型切分可分为物料盒、托盘、视觉检测器、传送带以及设备框架五大部分，具体步骤如图 5-29 所示。

① 选择“工具”中“分开”功能。

② 选中具有行为运动的模型组件，将其分开。

③ 将干涉的模型组件进行“切片”操作。

值得注意的是，在分开模型时，有时无法避免模型干涉的情况出现，例如，在选择视觉检测器时，其他没有行为的模型被绑定选中，则需要进行“切片”操作，该操作通常适用于结构不完整或结构单一的自定义模型。

(2) 创建自定义工艺节点

自定义工艺节点是非标工业设备行为建模的关键，将影响后续的自定义信号是否能够成功连接。自定义工艺节点主要包括建立坐标轴、设置组件容器、设置运输节点、添加工艺执行器四个步骤。以创建传送带的自定义工艺节点为例，传送带运输托盘的行为需要由传送带的自定义工艺节点发出并执行，创建自定义工艺节点如图 5-30 所示。具体步骤如下。

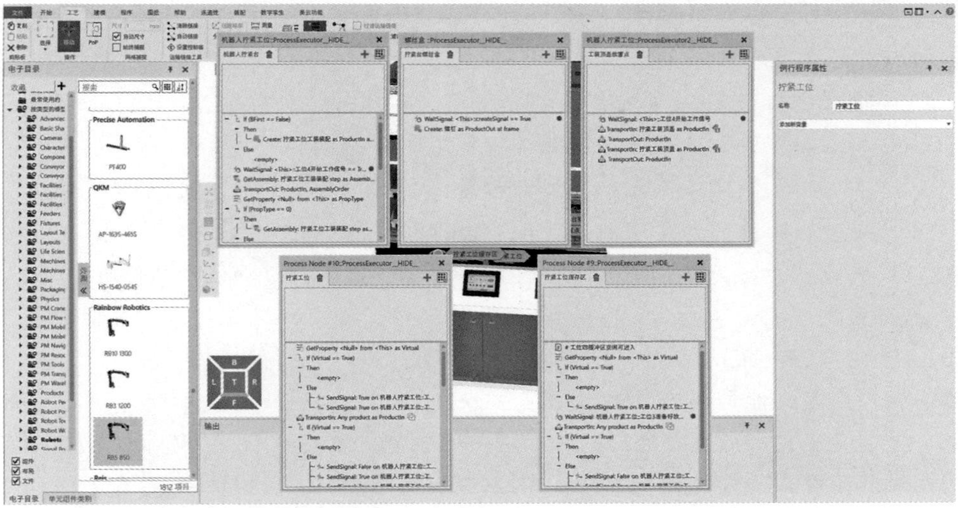

(a)

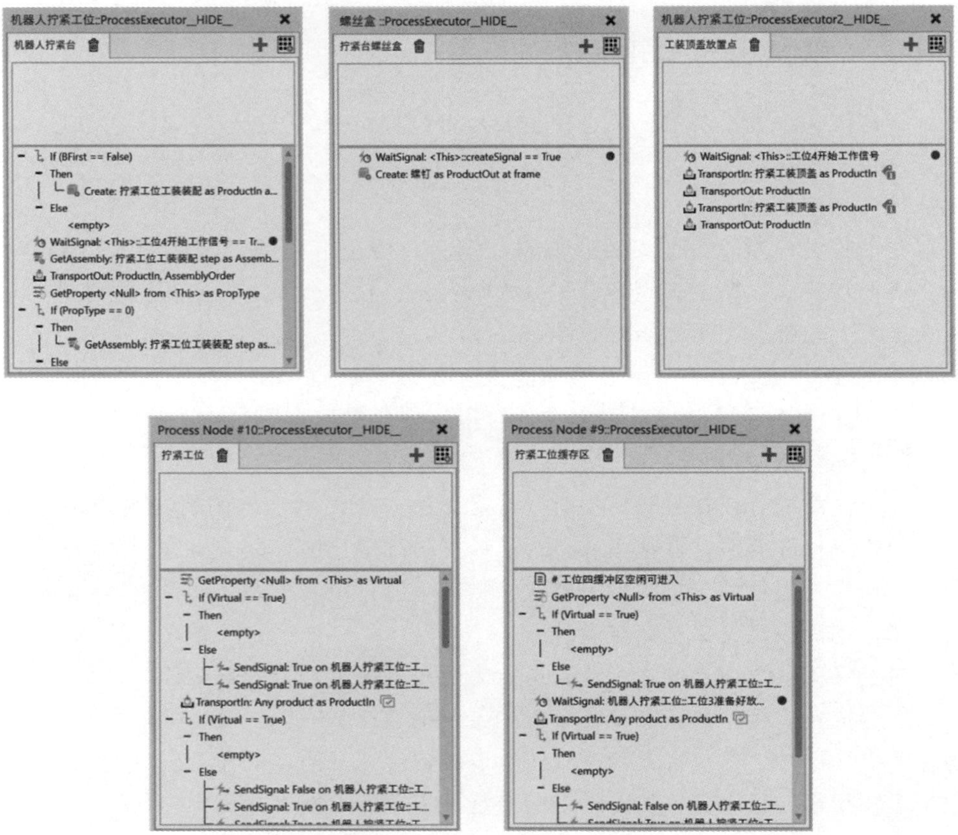

(b)

图 5-28 智能拧紧设备自定义信号连接工艺流程

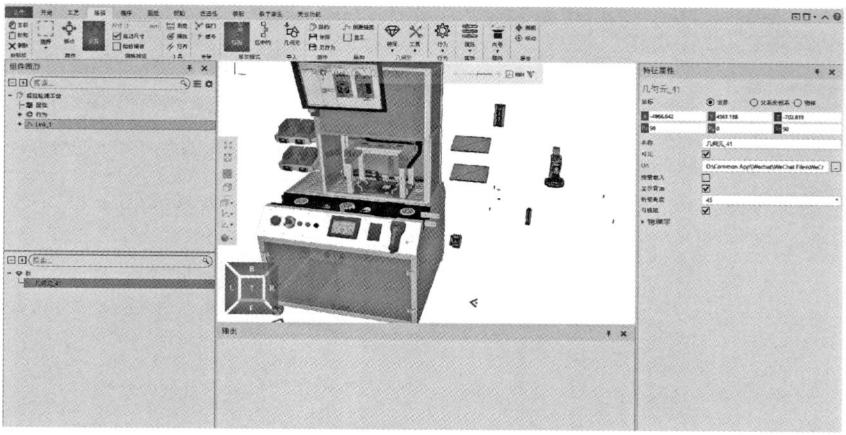

(a) 智能视觉检测设备模型分开

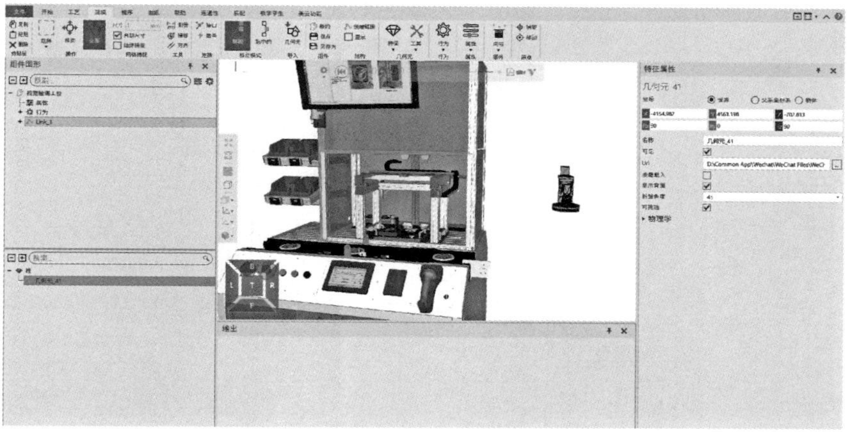

(b) 智能视觉检测设备模型切片

图 5-29 智能视觉检测设备模型切分

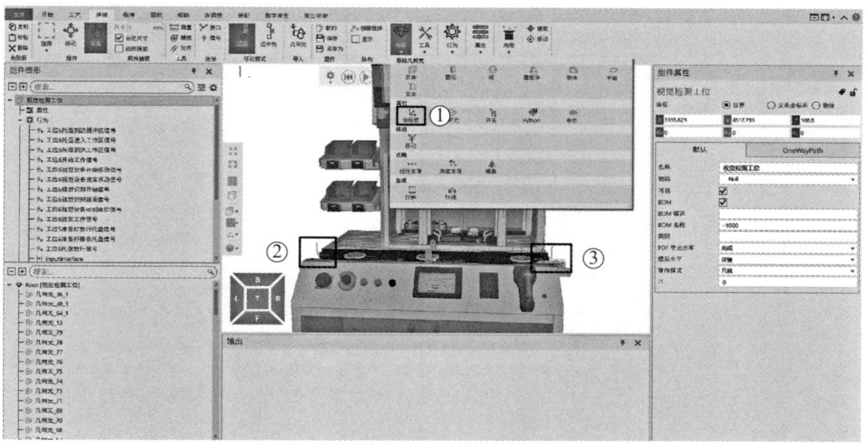

(a) 添加输入及输出坐标框

图 5-30

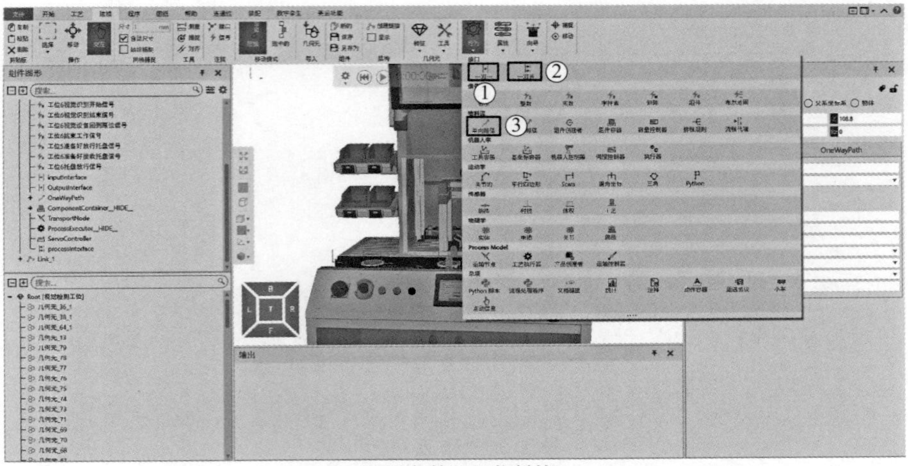

(b) 添加接口及物料流

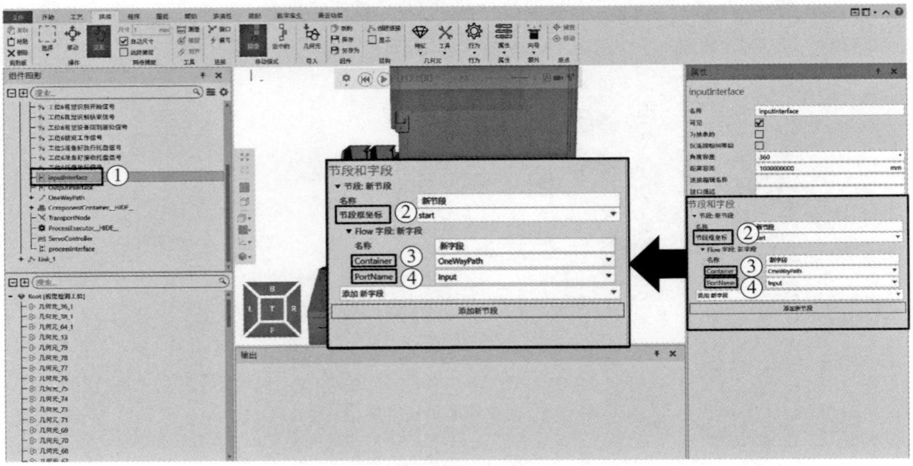

(c) 设置输入口参数

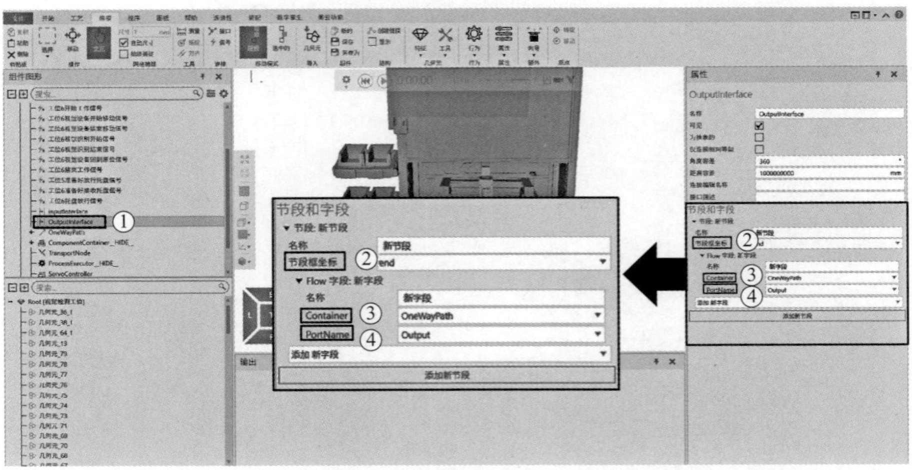

(d) 设置输出口参数

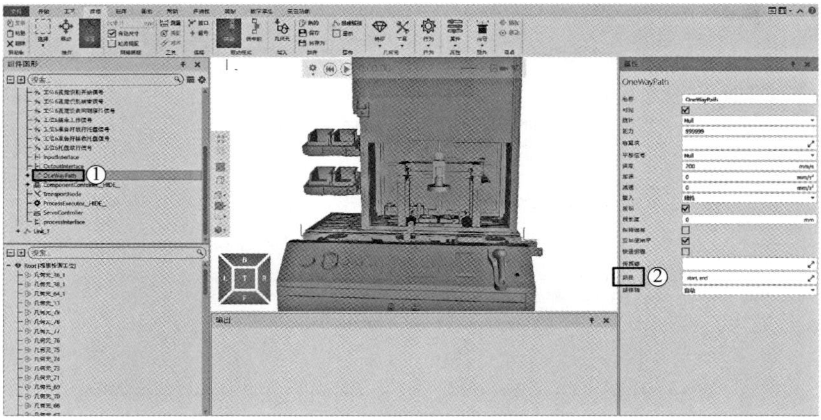

(e) 设置物料流路径

图 5-30 智能视觉检测设备创建自定义工艺节点

① 选择“特征”，在智能视觉检测设备的传送带根节点添加“坐标框”。

② 将“坐标轴”原点分别“捕捉”至传送带输入口及输出口。

③ 在“行为”中添加“一对一”“一对多”接口以及“单向路径”物料流。

④ 更改“一对一输入接口”中的节段坐标框为传送带输入口坐标框，更改“容器”为“OneWayPath”，“端口名称”更改为“Input”。

⑤ 更改“一对一输出接口”中的节段坐标框为传送带输出口坐标框；更改“容器”为“OneWayPath”；“端口名称”更改为“Output”。

⑥ 在“单向路径”的“路径”中添加传送带输入口坐标框及输出口坐标框。

(3) 自定义信号连接

自定义工艺节点创建完成后，即可按照智能视觉检测设备的行为逻辑，自定义工艺信号及流程，并在流动组中进行连接，完成该设备的行为建模。智能视觉检测设备自定义信号连接的工艺流程如图 5-31 所示。

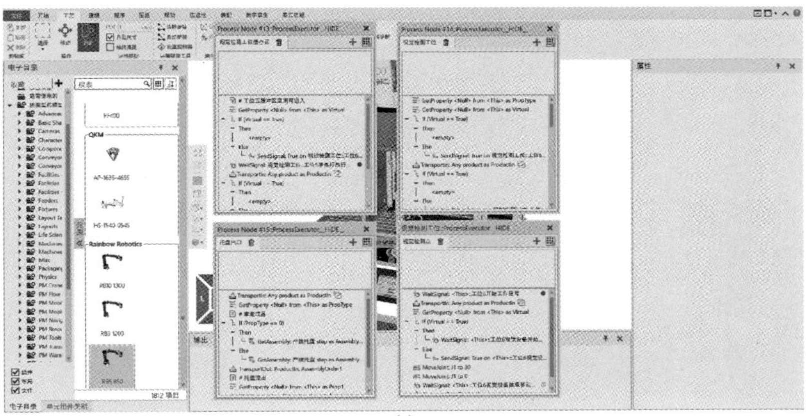

(a)

图 5-31

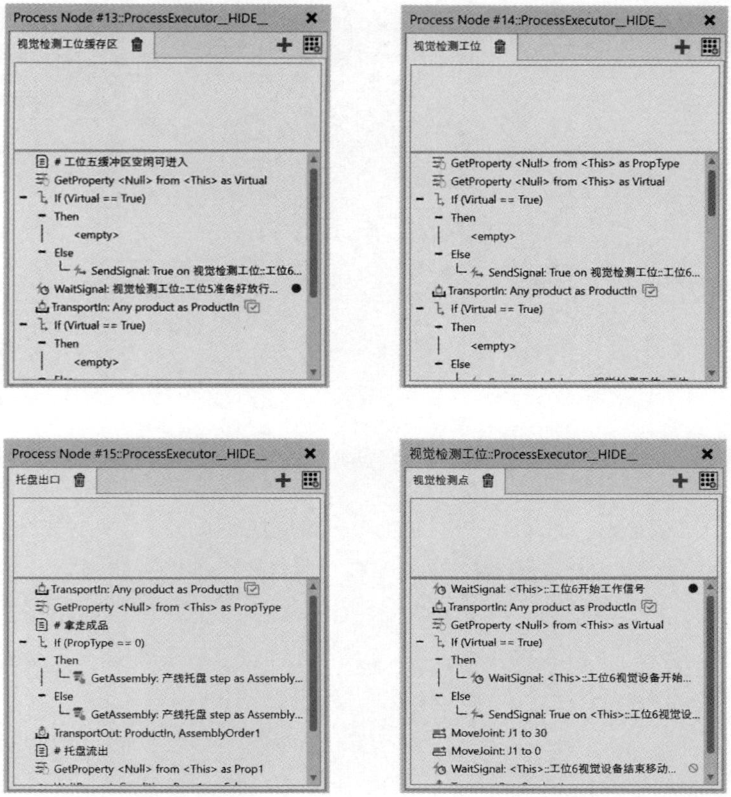

(b)

图 5-31 智能视觉检测设备自定义信号连接工艺流程

参考文献

[1] 吕智涵．数字孪生——超脱现实，构建未来智能图谱 [M]．北京：清华大学出版社，2023.

[2] 丁盈，朱军，王晓征．数字孪生系统设计与实践 [M]．北京：清华大学出版社，2023.

[3] 王寒里，朱秀丽．工业仿真软件 MIoT. VC 培训教程基础篇 [M]．北京：机械工业出版社，2023.

[4] 王进峰，问丛川，花广如，等．基于 Unity3D 的数控机床数字孪生系统设计与实现 [J]．中国工程机械学报，2023，21 (5)：443-448.

[5] 刘亮．复杂系统仿真的 AnyLogic 实践 [M]．北京：清华大学出版社，2019.

[6] 周金平．生产系统仿真：Plant Simulation 应用教程 [M]．北京：电子工

业出版社，2011.
[7] 秦天保，周向阳．实用系统仿真建模与分析——使用 Flexsim [M]. 2 版. 北京：清华大学出版社，2016.
[8] 陆剑峰，张浩，赵荣泳．数字孪生技术与工程实践——模型＋数据驱动的智能系统 [M]. 北京：机械工业出版社，2022.
[9] 陶飞，戚庆林，张萌，等．数字孪生及车间实践 [M]. 北京：清华大学出版社，2021.

6

工业数字孪生系统生产流程建模与仿真

在生产系统仿真领域，我们面临着诸如工艺流程、物流系统、生产调度和产线平衡等多种复杂的分析和优化问题。虽然许多学者已经运用运筹学方法和智能算法来解决这些问题，但随着生产系统复杂性的不断提高，传统的研究方法已经无法完全解决这些复杂工程问题。基于模型的仿真成为分析生产系统的重要手段，特别是在模拟生产流程方面具有独特的优势。本章将从构建生产流程模型开始，应用 Visual Components 的工艺仿真功能，并结合仿真参数设置和仿真数据分析，对生产系统进行全面的仿真分析。

6.1 生产流程仿真概述

仿真技术在数字孪生的发展中扮演着关键角色，它在不同阶段都起到了不可或缺的作用。通过输入相关参数进行仿真，并利用仿真软件的数据统计和优化功能，可以预演车间未来的运行情况。根据仿真优化结果，可以调整和修改方案，并进一步深入研究。

在构建生产系统的仿真模型时，首先需要收集并预处理与生产系统相关的数据。这些数据可能包括作业流程、设备参数、物料信息和工人操作数据等。通过清理、转换和归一化等预处理步骤，数据可以变得准确可用。接下来，基于作业流程和预处理后的数据，使用仿真软件构建生产系统的仿真模型。该模型应该包括生产系统的各个组成部分，如设备、物料、工人和作业流程，并描述它们之间的关系和交互。一旦仿真模型构建完成，就可以设定相关参数，并对模型进行验证。参数设定是根据收集到的数据和实际情况进行的，例如设备的处理时间、工人的操作能力和物料的处理规则等。通过与实际生产数据进行对比，就可以验证仿真模型的准确性和可靠性。在进行仿真运行时，首先输入设定的参数，接着进行仿真实验。仿真软件能够提供数据统计和优化功能，工程师可以收集和分析仿真结果。这些结果可能涉及生产周期、生产量、资源利用率和制约因素等方面。通过分析仿真结果，工程师能够识别潜在问题和优化机会，并为改进方案的制定提供参考。

基于仿真结果，可以制定优化方案并进行评估。利用仿真软件的数据统计和优化功能，可以调整参数和策略，进一步优化生产系统的效率和性能。通过多次仿真运行和优化迭代，逐步改进方案，提高系统的整体表现。同时，将实际生产数据映射到数字孪生模型中，并通过软件仿真引擎进行仿真。这种集成应用，实现了数字孪生模型与物理实体的交互，并通过将仿真的优化结果及时应用于物理实体来推进生产系统的物理空间与信息空间的交互与共融。

6.2 生产流程的模型构建

通过构建准确的生产流程模型，我们能够精确地对生产系统中的各个组成部分进行建模，包括设备、工作站、物料流动以及操作规程等。利用 Visual Components 的工艺仿真功能，以示范场景流水线为例，我们可以根据建立的生产流程模型进行仿真实验。

6.2.1 生产流程描述

使用示范场景生产线装配摩天轮陀螺（图 6-1），摩天轮陀螺装配工艺路线见表 6-1。

图 6-1 摩天轮陀螺

表 6-1　摩天轮陀螺装配工艺路线表

工序编码	工序描述	工时	工步编码	工步名称
10	摩天轮陀螺测量工序	60	01	01 量仪开启与设置
10	摩天轮陀螺测量工序	60	02	02 气泵状态检查
10	摩天轮陀螺测量工序	60	03	03 拿取待测量轴承
10	摩天轮陀螺测量工序	60	04	04 拿取待测量齿轮
10	摩天轮陀螺测量工序	60	05	05 产品出生证扫描
10	摩天轮陀螺测量工序	60	06	06 轴承齿轮测量
10	摩天轮陀螺测量工序	60	07	自检
20	摩天轮陀螺压装工序	60	08	互检
20	摩天轮陀螺压装工序	60	09	02 压机状态检查与复位
20	摩天轮陀螺压装工序	60	10	03 齿轮压装
20	摩天轮陀螺压装工序	60	11	自检
30	摩天轮陀螺预装工序	60	12	互检
30	摩天轮陀螺预装工序	60	13	02 圆柱轴套放置(3)
30	摩天轮陀螺预装工序	60	14	03 小三角支撑板固定
30	摩天轮陀螺预装工序	60	15	04 螺钉拿取与定位
30	摩天轮陀螺预装工序	60	16	05 螺钉拧紧(3)
30	摩天轮陀螺预装工序	60	17	06 轴承安装 1
30	摩天轮陀螺预装工序	60	18	07 内螺纹齿轮安装
30	摩天轮陀螺预装工序	60	19	08 轴承安装 2
30	摩天轮陀螺预装工序	60	20	09 齿轮安装
30	摩天轮陀螺预装工序	60	21	10 小三角支撑板固定 2
30	摩天轮陀螺预装工序	60	22	自检
40	摩天轮陀螺拧紧工序	60	23	互检
40	摩天轮陀螺拧紧工序	60	24	02 螺钉检查
40	摩天轮陀螺拧紧工序	60	25	03 工装确认放置与检查
40	摩天轮陀螺拧紧工序	60	26	04 机器人螺钉拧紧
40	摩天轮陀螺拧紧工序	60	27	05 工件取出
40	摩天轮陀螺拧紧工序	60	28	自检
50	摩天轮陀螺总装工序	60	29	互检
50	摩天轮陀螺总装工序	60	30	02 拿取长螺柱阶梯轴套(3)
50	摩天轮陀螺总装工序	60	31	03 拿取圆支撑板
50	摩天轮陀螺总装工序	60	32	04 拿取阶梯轴套(3)
50	摩天轮陀螺总装工序	60	33	05 固定轴套(3)

续表

工序编码	工序描述	工时	工步编码	工步名称
50	摩天轮陀螺总装工序	60	34	06 圆支撑板固定
50	摩天轮陀螺总装工序	60	35	07 总装齿轮安装
50	摩天轮陀螺总装工序	60	36	08 大三角支撑板安装
50	摩天轮陀螺总装工序	60	37	09 总装螺钉拿取与定位
50	摩天轮陀螺总装工序	60	38	10 总装螺钉拧紧(3)
50	摩天轮陀螺总装工序	60	39	11 装配体位置调整
50	摩天轮陀螺总装工序	60	40	12 总装轴承安装 1
50	摩天轮陀螺总装工序	60	41	13 短螺柱阶梯轴套安装(2)
50	摩天轮陀螺总装工序	60	42	14 小三角陀螺放置
50	摩天轮陀螺总装工序	60	43	15 总装轴承安装 2
50	摩天轮陀螺总装工序	60	44	16 总装齿轮安装 2
50	摩天轮陀螺总装工序	60	45	17 大三角支撑板安装 2
50	摩天轮陀螺总装工序	60	46	18 总装螺钉拿取与定位
50	摩天轮陀螺总装工序	60	47	19 总装螺钉拧紧(3)
50	摩天轮陀螺总装工序	60	48	20 平头螺钉安装 1
50	摩天轮陀螺总装工序	60	49	21 平头螺钉安装 2
50	摩天轮陀螺总装工序	60	50	自检
60	摩天轮陀螺检测工序	60	51	互检
60	摩天轮陀螺检测工序	60	52	02 检测工装匹配与放置
60	摩天轮陀螺检测工序	60	53	03 视觉检测
60	摩天轮陀螺检测工序	60	54	04 工件取出
60	摩天轮陀螺检测工序	60	55	自检

工位信息：

① OP010 测量工位：摩天轮陀螺测量工序。工步：01～07。

② OP020 压装工位：摩天轮陀螺压装工序。工步：08～11。

③ OP030 测量工位：摩天轮陀螺预装工序。工步：12～22。

④ OP040 压装工位：摩天轮陀螺拧紧工序。工步：23～28。

⑤ OP050 测量工位：摩天轮陀螺总装工序。工步：29～50。

⑥ OP060 压装工位：摩天轮陀螺检测工序。工步：51～55。

6.2.2 生产流程建模

应用 Visual Components 的工艺仿真功能，设置工艺节点，构建摩天轮陀螺流动组模型和信号驱动机制。

6.2.2.1 流动组模型构建

流动组模型构建需要考虑物料流动路径、物料特性和属性、工作站的功能和要求、装配顺序和工艺流程、工作站之间的距离和布局，以及物料处理和存储需求等因素。

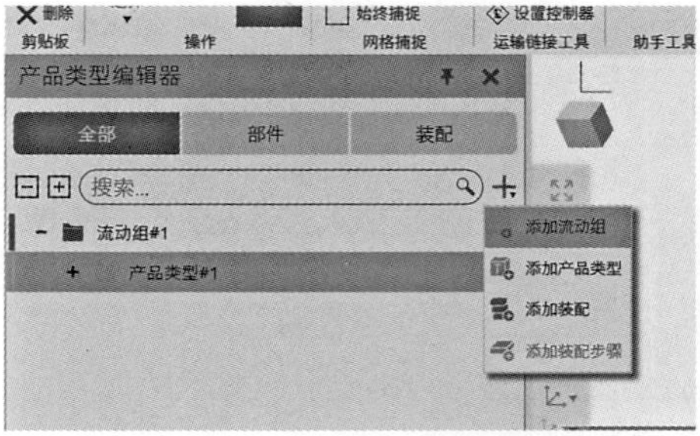

图 6-2　流动组添加

(1) 流动组添加

工艺模块添加流动组，如图 6-2 所示。该流动组中的产品类型或装配只能在该流动组中进行流动连接。

(2) 运输工具

如图 6-3 所示，运输工具通常选 AGV、人、机械臂、传送带等。

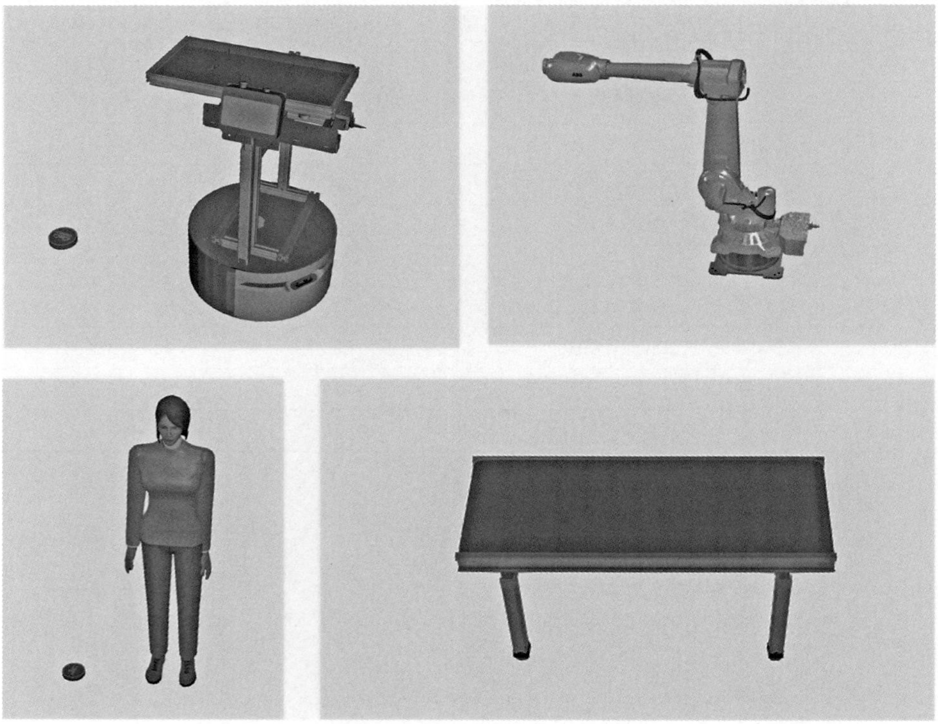

图 6-3　运输工具

AGV、人：需要通过控制器进行手动接口连接。

机器臂：需要将机器臂拖拽至控制器上方，即可建立接口连接。

传送带：传送带起止点有交互点设置，无须建立接口连接。

(3) 流动连接

基于物料流动和装配关系，进行流动连接。

我们将工艺节点 Process＃1 作为起始节点，Process＃2 作为下一节点，进行流动组连接，见图 6-4、图 6-5。

图 6-4 选择节点

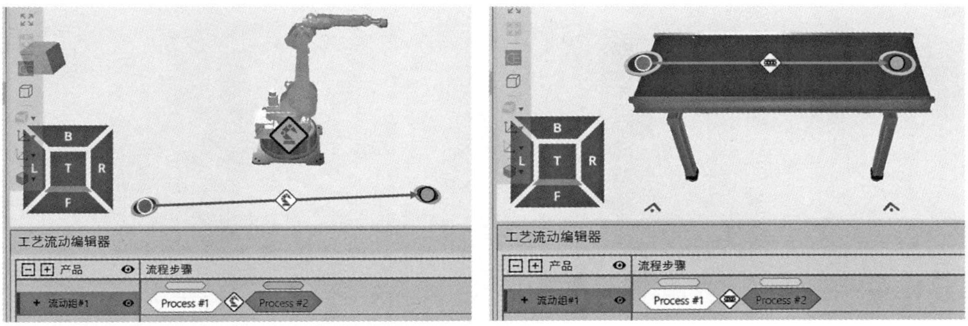

图 6-5 流动连接

步骤如下：

① 选择起始节点。

② 选择运输工具。使用人、AGV、机器臂时，需要点击控制器进行运输工具选择；传送带无控制器，当节点位于传送带交互点时，运输工具为传送带。

③ 选择下一节点。

注意：流动线条和工艺流动编辑器中的流动组要一一对应，两者缺一不可。

(4) 摩天轮陀螺装配流动组构建

根据装配关系和物料流动关系，建立摩天轮陀螺装配流动组，见图 6-6～图 6-8。

6.2.2.2 装配添加

产品装配流程是流程建模的关键。

① 添加装配，如图 6-9 所示。

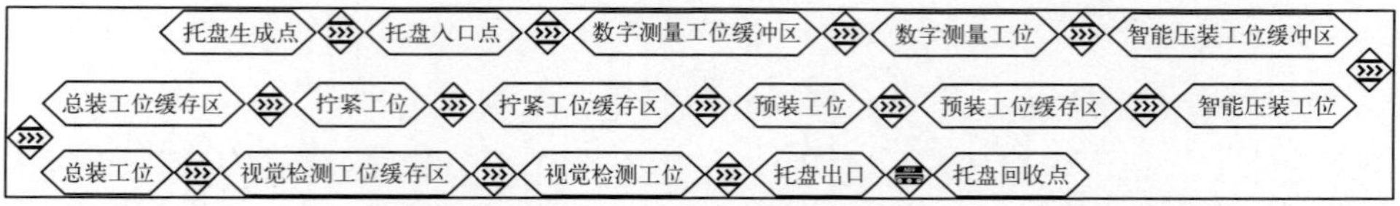

图 6-6　三尺装配体组

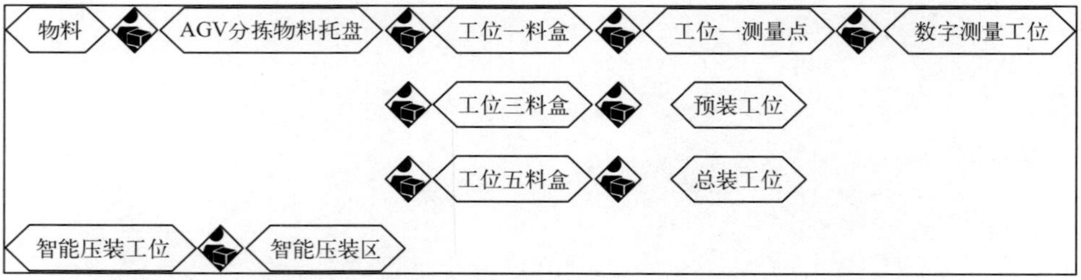

图 6-7　物料流动组

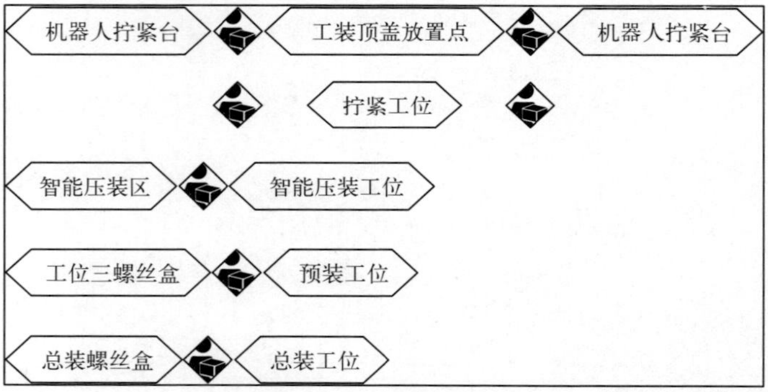

图 6-8　半成品流动组

图 6-9　添加装配

② 添加步骤＃1、步骤＃2、步骤＃3。添加步骤时，需要选择产品类型。

步骤＃1、步骤＃2、步骤＃3 为递进装配关系，同级添加可设置并列装配关系，如图 6-10～图 6-12 所示。

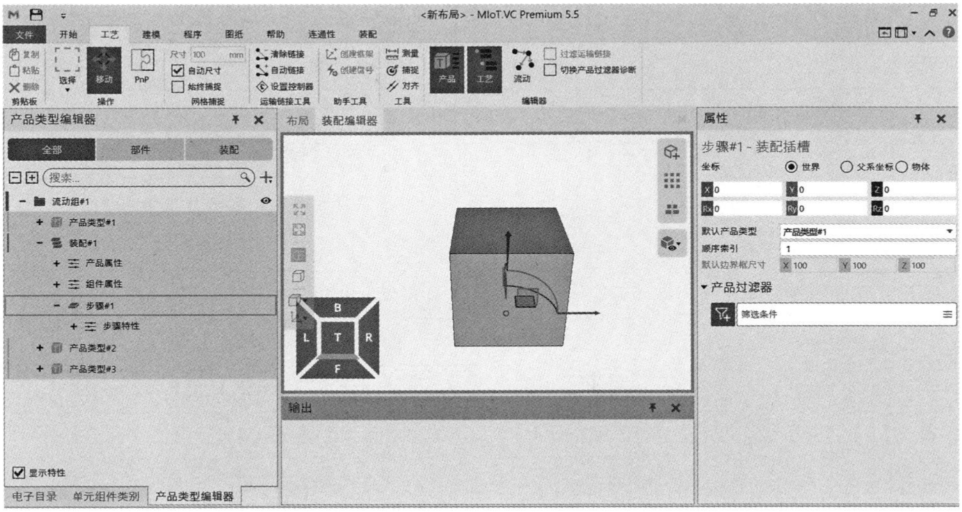

图 6-10 步骤＃1

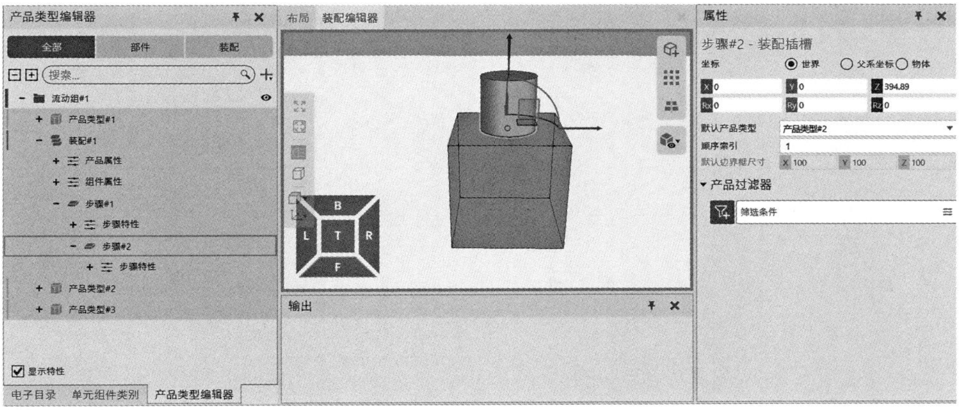

图 6-11 步骤＃2

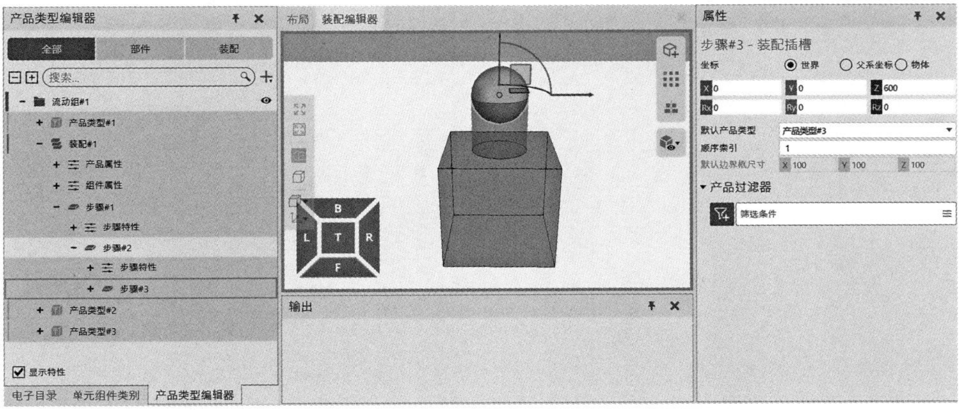

图 6-12 步骤＃3

根据产品装配作业流程，设置摩天轮陀螺一、二级装配，如表 6-2 所示。

表 6-2　摩天轮陀螺一、二级装配

装配	一级步骤	二级步骤
总装前物料装配	齿轮	拧紧成品白
		拧紧成品黑
		总装翻转件白
		齿轮二
		总装翻转件黑
		总装石器翻转件白
		总装石器翻转件黑
拧紧工位工装装配	工装底座	工装顶盖
		预装成品白
		预装成品黑
		螺钉
预装前物料装配	步骤＃1	预装翻转件白
		预装翻转件黑
压装前物料装配	压装前	
物料分拣	AGV 物料托盘	齿轮
		轴承
		轴承三
		轴承五
		小三角支撑板黑
		小三角支撑板白
		内螺纹齿轮
		平头螺钉黑
		平头螺钉白
		圆支撑板黑
		圆支撑板白
		大三角支撑板黑
		大三角支撑板白
		短螺柱阶梯轴套

续表

装配	一级步骤	二级步骤
物料分拣	AGV 物料托盘	圆柱轴套
		长螺柱阶梯轴套
		阶梯轴套
产线托盘	托盘	数字测量工位装配
		智能压装工位装配
		预装工位装配
		拧紧工位装配
		总装工位装配

6.2.2.3 工艺节点设置

在设置工艺节点时，节点程序语句有条件语句、工艺流动语句、流程顺序陈述、装配语句、工艺语句、流动控制语句、其他语句等，如图 6-13 所示。本节将介绍几个关键语句使用方法和注意事项。

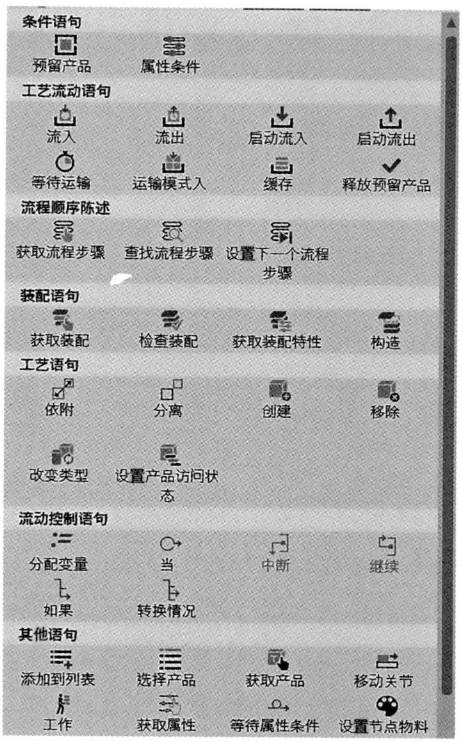

图 6-13 节点程序语句

(1) 条件语句

① 预留产品：为工艺预留产品。

② 属性条件：评估属性的值是否与给定的条件匹配，如果属性的值改变，则触发对需求部分的重新评估。

(2) 工艺流动语句

① 流入、流出：产品流入流出语句，见图 6-14。上一节点流出语句与下一节点流入语句需要设置为同一模式：前往下一流程和来自前一流程。选择使用前往运输节点时，需要额外选择节点目的地。当运输工具为传送带时，可使用前往组件容器和来自组件容器，此模式不依赖有流动组连接便可实现。

图 6-14　流入流出语句

a. 模式：普通流入、流出选择“Transport Products”模式，装配流入、流出选择“Process an Assembly”模式。

b. 产品过滤器：产品过滤器可用于筛选同一流动组中的不同产品。

② 缓存：设置节点缓存个数和排列方式。模式计数可在 X、Y、Z 三个方向设置排列方式，设置缓存模式为先进先出，见图 6-15。

(3) 装配语句

① 获取装配：获取装配信息，建立装配流程，见图 6-16。当装配步骤为递进关系时，由于流入产品类型和流入顺序限制，需要独立添加装配步骤；当装配步骤是并列关系时，可以一次添加多个装配步骤。

② 检查装配：检查装配实体的装配状态是否与给定的装配命令匹配。

③ 构造：创造一个空的装配实体，然后用给定的产品填充它。

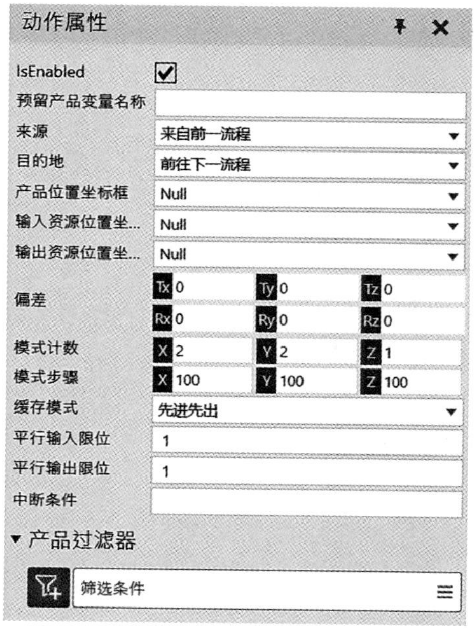

图 6-15 缓存设置

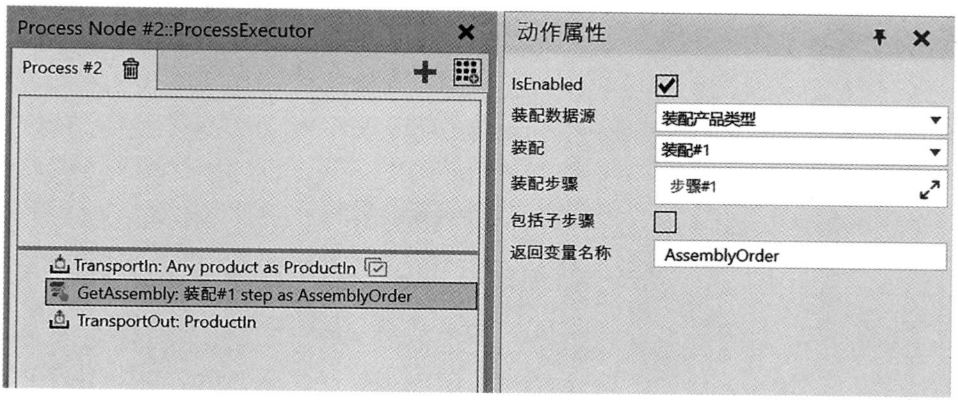

图 6-16 装配设置

(4) 工艺语句

① 依附、分离：将产品依附于一个父系坐标系产品或从父系坐标系产品中分离。

② 创建、移除：创建给定类型的新产品或移除产品。

③ 改变类型：改变产品实例的类型。

④ 设置产品访问状态：覆盖产品访问给定加工程序的次数。

(5) 流动控制语句

① 分配变量：为变量指定一个值。

② 如果：如果语句。

③ 转换情况：转换情况语句。

（6）其他语句

① 延迟：等待具体模拟时间量。

② 停止：停止模拟，也可用于重置一个模拟。

③ 发送信号：发送具有给定值的所选信号。

④ 等候信号：等候符合条件的值触发给定信号，见图 6-17。

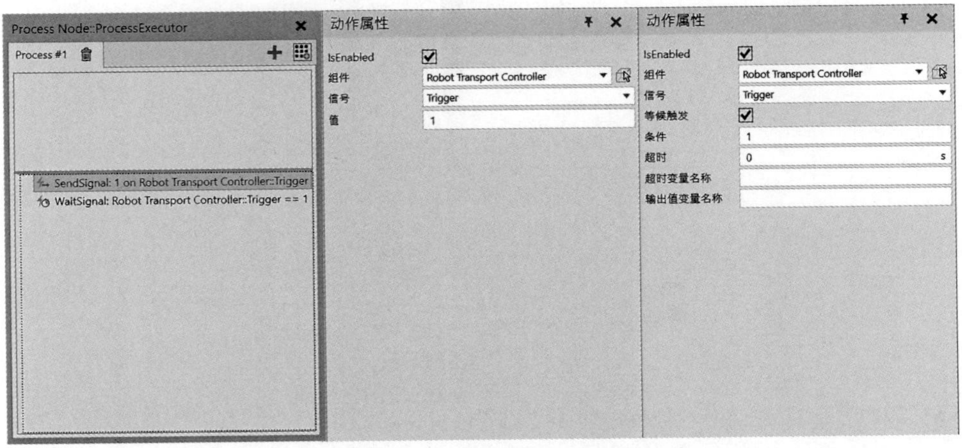

图 6-17　信号语句设置

基于摩天轮陀螺装配作业流程，设置工艺节点语句。图 6-18 是 AGV 分拣物料托盘、预装工位、拧紧工位的工艺语句示例。

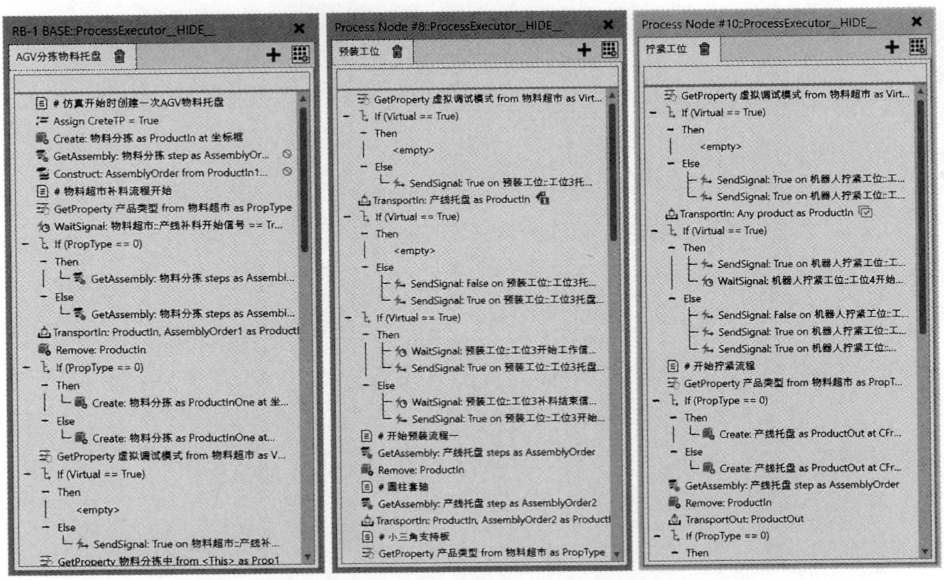

图 6-18　示范场景工艺语句示例

6.2.2.4 基于装配顺序的信号驱动机制构建

美擎仿真支持内外部信号创建，本节将展示模型信号创建方法。步骤如下：

① 选择信号载体，即信号相关组件，见图 6-19。

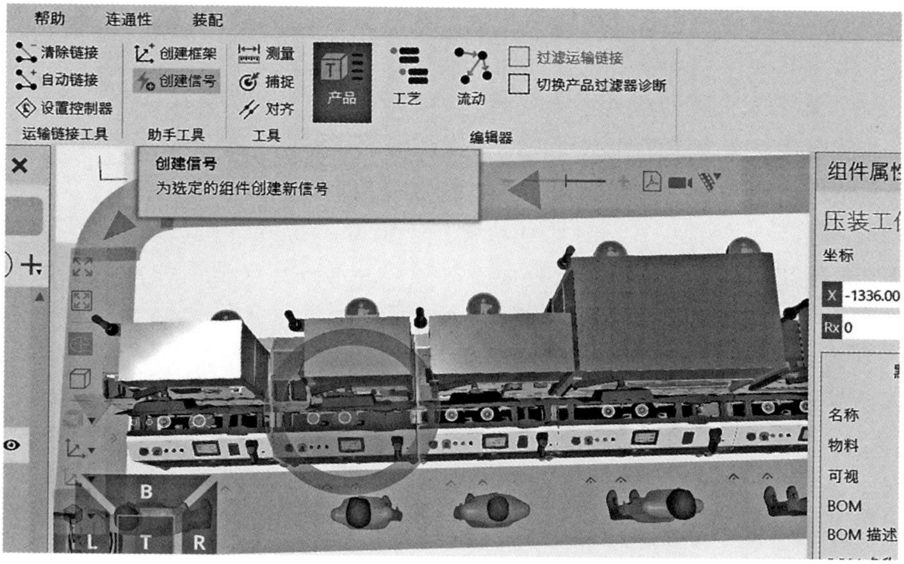

图 6-19 添加信号载体

② 选择信号类型并设置信号名称，见图 6-20。

图 6-20 选择信号类型

仿真模型的正常运行依赖于模型内部的信号驱动，其构建需要分析装配顺序，确定信号触发点、传递方式、类型和内容，考虑并发和同步操作，处理异常情况，并进行验证和调整。

① 分析装配顺序：首先需要仔细分析装配过程的顺序和步骤。确定每个工作站在装配过程中的先后顺序和依赖关系。这是构建信号驱动机制的基础。

② 确定信号触发点：根据装配顺序，确定每个工作站的信号触发点。信号触发点可以是前一工作站完成装配后发送的信号，也可以是装配过程中的特定事件或条件。

③ 确定信号传递方式：确定信号的传递方式，即如何将信号从一个工作站

传递到下一个工作站。传递方式可以是直接发送信号，也可以是通过中间媒介或系统进行传递。根据装配过程的特点和需求，选择合适的信号传递方式。

④ 确定信号类型和内容：确定不同工作站之间传递的信号类型和内容。信号类型可以是指令、状态、数据等。信号内容可以包括装配的物料信息、装配状态、装配指令等。

⑤ 考虑并发和同步操作：在构建信号驱动机制时，需要考虑并发和同步操作。并发操作是指多个工作站可以同时进行装配，而同步操作是指工作站之间需要按照特定的顺序进行装配。

⑥ 考虑异常处理：在信号驱动机制中，需要考虑异常情况的处理。异常情况可能包括装配错误、物料缺失、设备故障等。通过定义适当的异常处理机制，可以及时响应和处理异常情况，确保装配过程的稳定和可靠。

⑦ 进行验证和调整：在构建信号驱动机制之后，需要进行验证和调整。通过模拟或实际装配过程的运行，验证信号驱动机制的准确性和可行性。

结合以上原则，考虑虚实映射需求及装配关系，创建如表 6-3 所示仿真信号。

表 6-3 仿真信号设置

信号作用区域	Visual Components	
	仿真信号名称	仿真信号类型
物料超市	产线补料开始信号	事件信号
	产线补料结束信号	事件信号
工位 1-智能测量	工位 1 补料开始信号	事件信号
	工位 1 补料结束信号	事件信号
	工位 1 生成托盘信号	事件信号
	工位 1 托盘到达缓冲区信号	物理信号
	工位 1 托盘进入工作区信号	物理信号
	工位 1 托盘到达工作区信号	物理信号
	工位 1 开始工作信号	事件信号
	工位 1 结束工作信号	事件信号
	工位 1 准备好放行托盘信号	物理信号
	工位 2 可以接收托盘信号	物理信号
	工位 1 托盘放行信号	物理信号

续表

信号作用区域	Visual Components	
	仿真信号名称	仿真信号类型
工位 2-智能压装	工位 2 托盘到达缓冲区信号	物理信号
	工位 2 托盘进入工作区信号	物理信号
	工位 2 托盘到达工作区信号	物理信号
	工位 2 开始工作信号	事件信号
	工位 2 压装机器开始压装信号	物理信号
	工位 2 压装机器压装结束信号	物理信号
	工位 2 结束工作信号	事件信号
	工位 1 准备好放行托盘信号	物理信号
	工位 2 准备好接收托盘信号	物理信号
	工位 2 准备好放行托盘信号	物理信号
	工位 3 可以接收托盘信号	物理信号
	工位 2 托盘放行信号	物理信号
工位 3-精益预装	工位 3 补料开始信号	事件信号
	工位 3 补料结束信号	事件信号
	工位 3 托盘到达缓冲区信号	物理信号
	工位 3 托盘进入工作区信号	物理信号
	工位 3 托盘到达工作区信号	物理信号
	工位 3 开始工作信号	事件信号
	工位 3 结束工作信号	事件信号
	工位 2 准备好放行托盘信号	物理信号
	工位 3 准备好接收托盘信号	物理信号
	工位 3 准备好放行托盘信号	物理信号
	工位 4 可以接收托盘信号	物理信号
	工位 3 托盘放行信号	物理信号
工位 4-智能拧紧	工位 4 托盘到达缓冲区信号	物理信号
	工位 4 托盘进入工作区信号	物理信号
	工位 4 托盘到达工作区信号	物理信号
	工位 4 开始工作信号	事件信号

续表

信号作用区域	Visual Components	
	仿真信号名称	仿真信号类型
工位 4-智能拧紧	工位 4 拧紧机器臂开始拧紧信号	物理信号
	工位 4 拧紧机器臂拧紧结束信号	物理信号
	工位 4 结束工作信号	事件信号
	工位 3 准备好放行托盘信号	物理信号
	工位 4 准备好接收托盘信号	物理信号
	工位 4 准备好放行托盘信号	物理信号
	工位 5 可以接收托盘信号	物理信号
	工位 4 托盘放行信号	物理信号
工位 5-精益总装	工位 5 补料开始信号	事件信号
	工位 5 补料结束信号	事件信号
	工位 5 托盘到达缓冲区信号	物理信号
	工位 5 托盘进入工作区信号	物理信号
	工位 5 托盘到达工作区信号	物理信号
	工位 5 开始工作信号	事件信号
	工位 5 结束工作信号	事件信号
	工位 4 准备好放行托盘信号	物理信号
	工位 5 准备好接收托盘信号	物理信号
	工位 5 准备好放行托盘信号	物理信号
	工位 6 可以接收托盘信号	物理信号
	工位 5 托盘放行信号	物理信号
工位 6-视觉检测	工位 6 托盘到达缓冲区信号	物理信号
	工位 6 托盘进入工作区信号	物理信号
	工位 6 托盘到达工作区信号	物理信号
	工位 6 开始工作信号	事件信号
	工位 6 视觉设备开始移动信号	物理信号
	工位 6 视觉设备回到原位信号	物理信号
	工位 6 结束工作信号	事件信号
	工位 5 准备好放行托盘信号	物理信号
	工位 6 准备好接收托盘信号	物理信号
	工位 6 托盘放行信号	物理信号

续表

信号作用区域	Visual Components	
	仿真信号名称	仿真信号类型
AGV	AGV 去物料超市点位信号	事件信号
	AGV 到达物料超市点位信号	事件信号
	AGV 去工位 1 补料点位信号	事件信号
	AGV 到达工位 1 补料点位信号	事件信号
	AGV 去工位 3 补料点位信号	事件信号
	AGV 到达工位 3 补料点位信号	事件信号
	AGV 去工位 5 补料点位信号	事件信号
	AGV 到达工位 5 补料点位信号	事件信号
	AGV 去工位 1 托盘入口点位信号	事件信号
	AGV 到达工位 1 托盘入口点位信号	事件信号
	AGV 去工位 6 托盘出口点位信号	事件信号
	AGV 到达工位 6 托盘出口点位信号	事件信号
	托盘到达 AGV 信号	事件信号
	托盘离开 AGV 信号	事件信号

添加信号载体如图 6-21 所示。通过信号驱动关系建立摩天轮陀螺装配仿真流程图，见图 6-22。

各流程单元信号驱动关系见图 6-23～图 6-25。

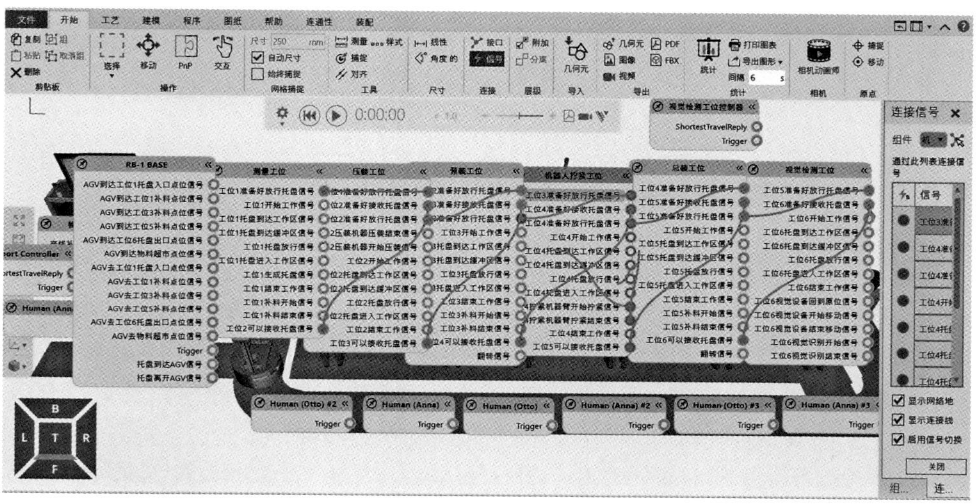

图 6-21 添加信号载体

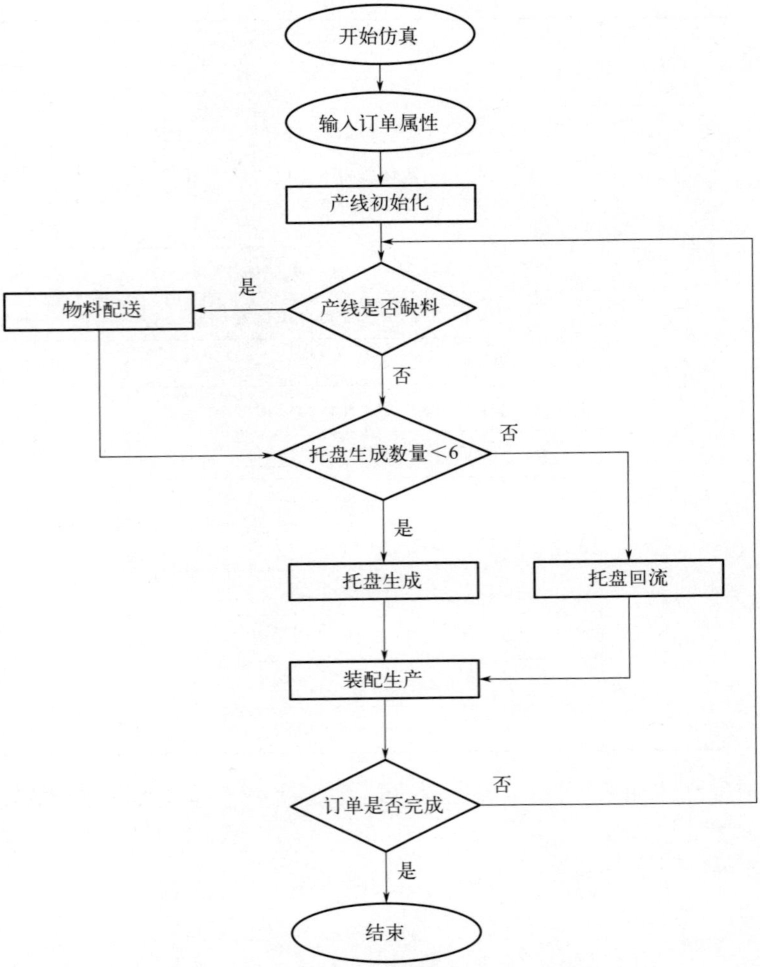

图 6-22　摩天轮陀螺装配仿真流程图

6.3　流程仿真及数据分析

通过设置不同的仿真参数，可以模拟各种操作场景和条件，如设备故障、物料短缺或工人变动等。通过这些仿真实验可以收集和分析仿真数据，包括生产周期、生产效率、资源利用率以及瓶颈和制约因素等方面的信息。通过对这些仿真数据的分析，评估生产系统在不同情况下的性能，识别出潜在的问题和优化的机会，为改进方案的制定提供指导。通过不断调整仿真参数和进行多次仿真运行，可以评估不同方案对生产系统性能的影响，并找到最佳的优化策略。这种基于仿真的分析和优化方法可以帮助我们更好地理解和改进生产系统，提高其效率和灵活性。

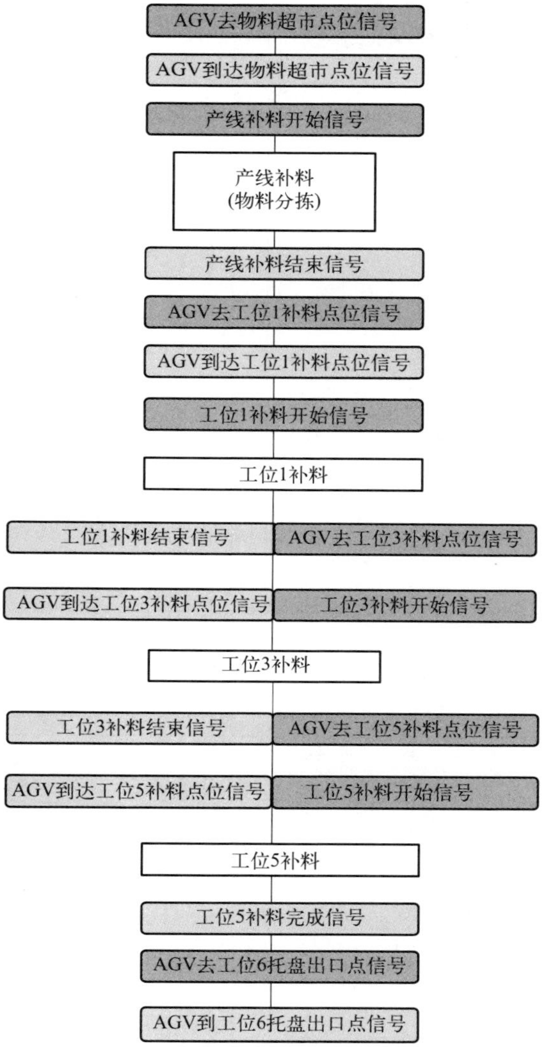

图 6-23　物料配送

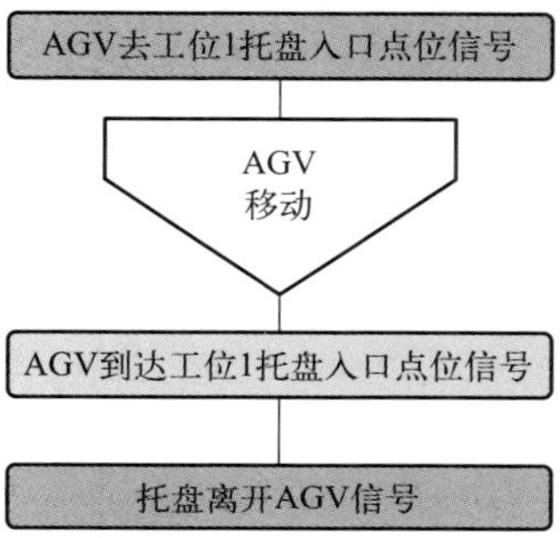

图 6-24　托盘回流

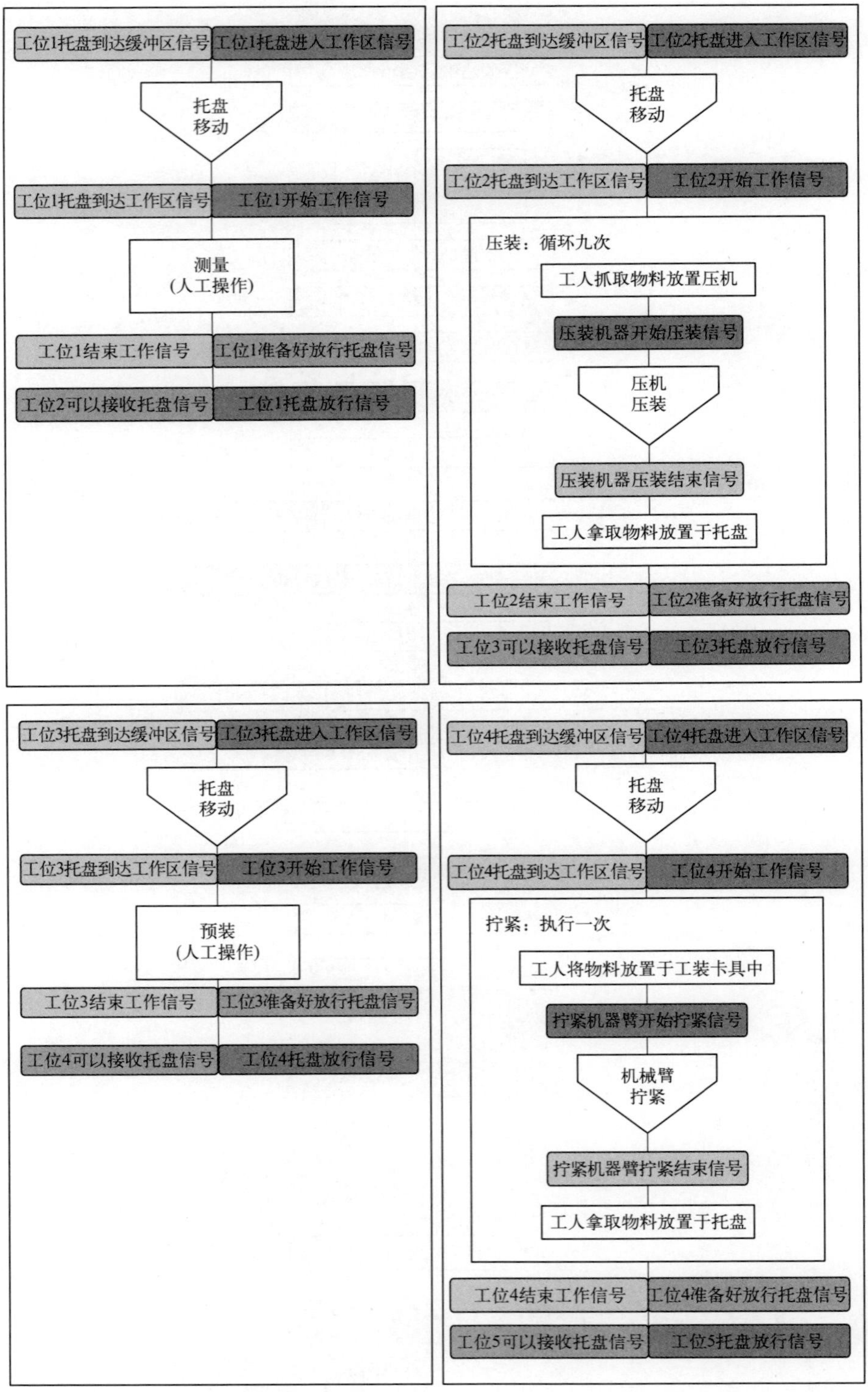
工位1托盘到达缓冲区信号
工位1托盘进入工作区信号
托盘移动
工位1托盘到达工作区信号
工位1开始工作信号
测量(人工操作)
工位1结束工作信号
工位1准备好放行托盘信号
工位2可以接收托盘信号
工位1托盘放行信号
工位2托盘到达缓冲区信号
工位2托盘进入工作区信号
托盘移动
工位2托盘到达工作区信号
工位2开始工作信号
压装：循环九次
工人抓取物料放置压机
压装机器开始压装信号
压机压装
压装机器压装结束信号
工人拿取物料放置于托盘
工位2结束工作信号
工位2准备好放行托盘信号
工位3可以接收托盘信号
工位3托盘放行信号
工位3托盘到达缓冲区信号
工位3托盘进入工作区信号
托盘移动
工位3托盘到达工作区信号
工位3开始工作信号
预装(人工操作)
工位3结束工作信号
工位3准备好放行托盘信号
工位4可以接收托盘信号
工位4托盘放行信号
工位4托盘到达缓冲区信号
工位4托盘进入工作区信号
托盘移动
工位4托盘到达工作区信号
工位4开始工作信号
拧紧：执行一次
工人将物料放置于工装卡具中
拧紧机器臂开始拧紧信号
机械臂拧紧
拧紧机器臂拧紧结束信号
工人拿取物料放置于托盘
工位4结束工作信号
工位4准备好放行托盘信号
工位5可以接收托盘信号
工位5托盘放行信号

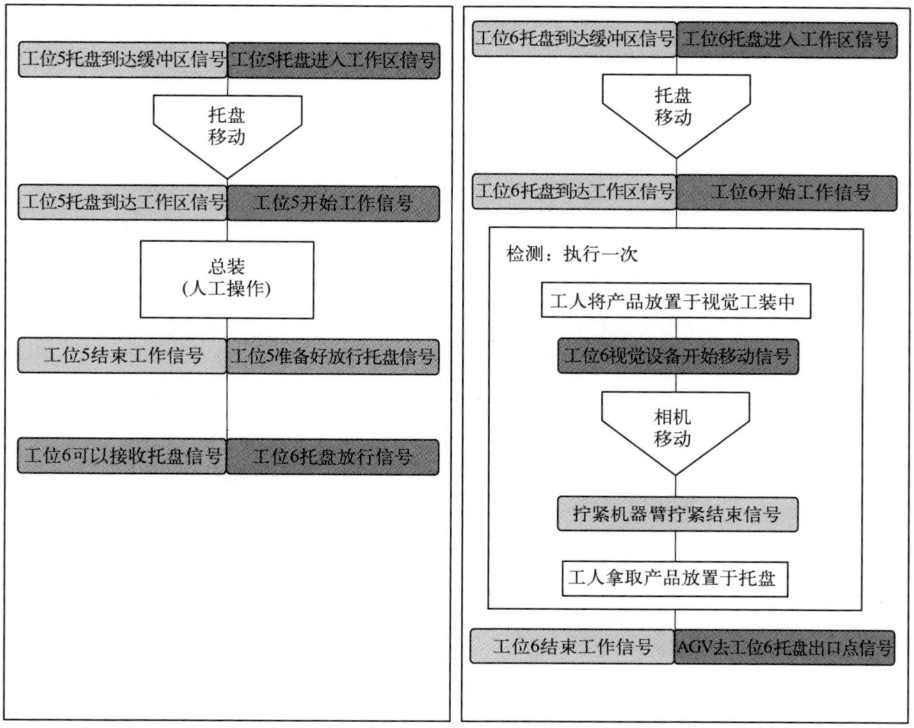

图 6-25　六工作站信号驱动关系

6.3.1　仿真业务场景描述

摩天轮陀螺装配线包含 AGV 1 台、非标设备工位 6 台、小型电子货架一套。

(1) 电子物料超市

① 电子物料超市（图 6-26）主要负责物料存储和物料分拣功能，在离线仿真模式下模型能够设定产品计划数量并根据设定数量完成物料分拣仿真。

② 基于仿真模型，在链接数据库或 OPC UA 服务器的基础上，基于“接口信号：分拣开始信号”驱动模型中仿真人员根据“接口信号：产品计划数量”执行物料分拣作业，“接口信号：分拣结束信号”代表分拣作业执行完毕。

(2) AGV

① AGV（图 6-27）主要承担物料及托盘回收配送功能，AGV 的起始仿真位置在物料超市附近，待物料分拣完成后，AGV 基于固定路线移动到相应工位，由相应工位作业人员进行卸料操作，卸料完成后 AGV 按照既定路线回到产线尾端等待回收托盘。

② 基于仿真模型，在链接数据库或 OPC UA 服务器的基础上，物料超市

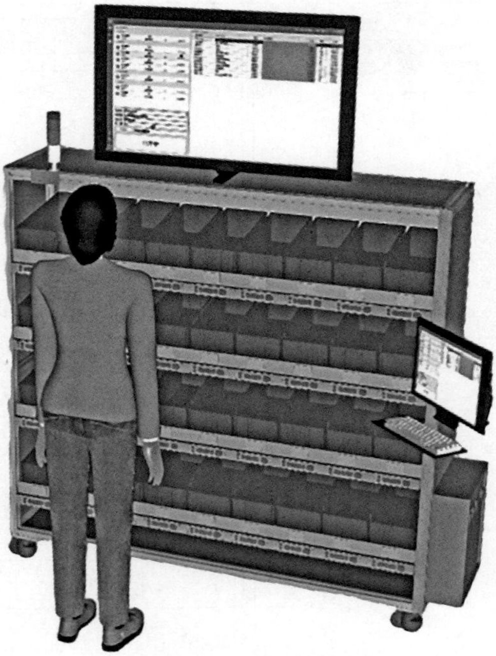

图 6-26　电子物料超市

图 6-27　AGV

“接口信号：分拣结束信号”触发 AGV 开始物料配送作业，按照指定路线进行移动。AGV 到指定工位由工位作业人员完成卸料操作，当前工位“接口信号：卸料完成”触发 AGV 移动到下一卸料工位，最后一个工位的“接口信号：卸料完成”信号触发 AGV 回到产线尾端，“接口信号：AGV 托盘满载”触发 AGV 移动到产线第一个工位进行托盘回流运输及托盘释放，“接口信号：AGV 托盘空载”触发 AGV 返回到产线尾端继续等待接收托盘。

(3) 智能压装工位

① 智能压装工位（图 6-28）主要进行压装作业，当托盘到位后，触发智能压装工位人员开始作业，人员从托盘上成对拿取轴承和齿轮，放置到压装工装上，放置完成后，压装机自动压装，压装完成后人员取回完工品，并将其放置在托盘上，上述作业过程循环重复 9 次。

② 基于仿真模型，在链接数据库或 OPC UA 服务器的基础上，“接口信号：开始作业”与“接口信号：托盘到位”触发人员开始第一次取料，“接口信号：开始压装”触发压机运动并进行压装，“接口信号：压装完成”触发人员拿取完工品并放置到托盘上，完成后随即触发人员从托盘拿取成对轴承和齿轮放置在压机压装工装上开始新的循环作业，直至完成所有 9 对齿轮和轴承的压装作业。最后，“接口信号：完成作业”触发人员停止作业，“接口信号：托盘放行”及“接口信号：预装作业工位输入 buffer 为空载位”触发托盘向下一个工位缓冲 buffer 进行移动。

图 6-28　智能压装工位

(4) 机器人拧紧工位

① 机器人拧紧工位（图 6-29）主要完成螺钉拧紧作业。当托盘到位后，触发作业人员拿取托盘上的在制品，并放入工位工装中，人员在完成物料安装并拧

紧工装固定作业后，随机触发机器人从送钉器拿取螺钉，并移动到工装拧紧位置进行拧紧。重复上述动作 2 次，直至完成 3 颗螺钉的拧紧。完成螺钉拧紧后，人员将完工品从工装中取出，并放回托盘工装。

② 基于仿真模型，在链接数据库或 OPC UA 服务器的基础上，“接口信号：开始作业”与“接口信号：托盘到位”触发人员拿取托盘上在制品并放入工位工装中，人员在完成物料安装并拧紧工装固定作业后，“接口信号：启动拧紧”触发机器人从送钉器拿取螺钉，重复上述动作 2 次，“接口信号：拧紧完成”代表机器人完成作业，并触发人员将完工品从工装中取出，并放回托盘工装。最后，“接口信号：托盘放行”及“接口信号：总装作业工位输入 buffer 为空载位”触发托盘向下一个工位缓冲 buffer 进行移动。

图 6-29 机器人拧紧工位

6.3.2 仿真数据分析与应用

通过生产流程仿真数据分析可以预测生产系统的潜在问题，并进行针对性的改进优化，提高生产系统的性能。在生产流程优化方面，通过模拟工厂的布局、生产线的运作以及工人的配备等，企业可以找出生产过程中的瓶颈和低效环节，从而进行优化改进。例如，企业可以利用仿真数据分析来优化生产线的平衡，减少生产过程中的等待时间和浪费，提高生产效率。此外，仿真数据分析还广泛应用于生产系统的调试流程。生产系统的调试可能涉及多个复杂的生产环节和机器运作的精确配合。通过建立仿真模型来模拟并测试各个机器的运作情况和各种变量之间的影响，从而可以快速定位问题。仿真数据分析依赖于大量的基础数据来支持模型的建立和验证。这些数据包括车间布局图、工艺数据、生产调度信息等。基础数据的质量直接影响到仿真结果的准确性和可靠性。具体来说，仿真经常被用来验证和优化以下生产系统的性能指标：

① 产线平衡率。产线平衡率，亦称为工艺平衡率，是衡量生产线各工序作业时间均衡程度以及整体生产效率的关键指标。提升产线平衡率的基本原则在于：调整和优化各工序的作业内容，使各工序的作业时间更为接近，减少时间偏差。具体而言，可以对瓶颈工序进行作业流程的优化和改进，或者将作业时间较短的工序进行拆分，并合理分配到其他工序中，以实现生产线的平衡和高效运行。这样的调整有助于提升生产线的整体效率。

② 生产节拍。生产节拍，实质上是连续完成两个相同产品之间所耗费的时间间隔。简而言之，它代表了生产一个产品所需的平均时间。这一概念通常被特定地应用于衡量流程中某一具体工序或生产环节的单位产出效率。当产品采取批量生产方式时，节拍则指两批产品之间所经过的时间。在进行流程设计时，如果预先设定了每天（或其他特定时间段）必须达成的产出目标，那么首要考虑的因素便是流程的节拍。这是因为节拍作为衡量生产效率的关键指标，能够直接反映流程运行的速度和效率，对于优化生产流程、提高产出效率具有重要意义。

③ 设备利用率。设备利用率是指在一定时间内设备实际使用时间占计划用时的百分比，反映设备工作状态及生产效率的技术经济指标。在一般的企业中，设备投资常常占总投资相当大的比例，因此设备的利用率直接关系到投资效益。提高设备利用率意味着相对降低了产品成本。

④ 设备空闲率。设备空闲率是指闲置不用的设备数量与全部设备数量的比值，它是反映设备利用程度的指标，同时也从侧面反映了设备资产投资的回报和利用程度。在实际生产过程中，设备空闲率可能受到多种因素的影响，如生产计划的变动、设备维护和保养的需求、生产线的平衡问题以及设备本身的故障等。为了降低设备空闲率，企业可以采取一系列措施，如优化生产计划、加强设备维护和管理、提高生产线平衡率以及推进设备的技术改造和升级等。

利用美擎仿真统计功能，设置 Statistics 统计组件，即可实现实时仿真数据可视化功能，步骤如下：

① 点击“统计”。

② 设置数据。该组件已设置工位使用率、空闲率等相关统计参数；用户可根据需求设置参数和图表类型，建议使用已置入组件的 Statistics 统计参数，如

图 6-30 所示。

③ 启动模拟，效果见图 6-31，数据图表时间轴对应模拟时钟。

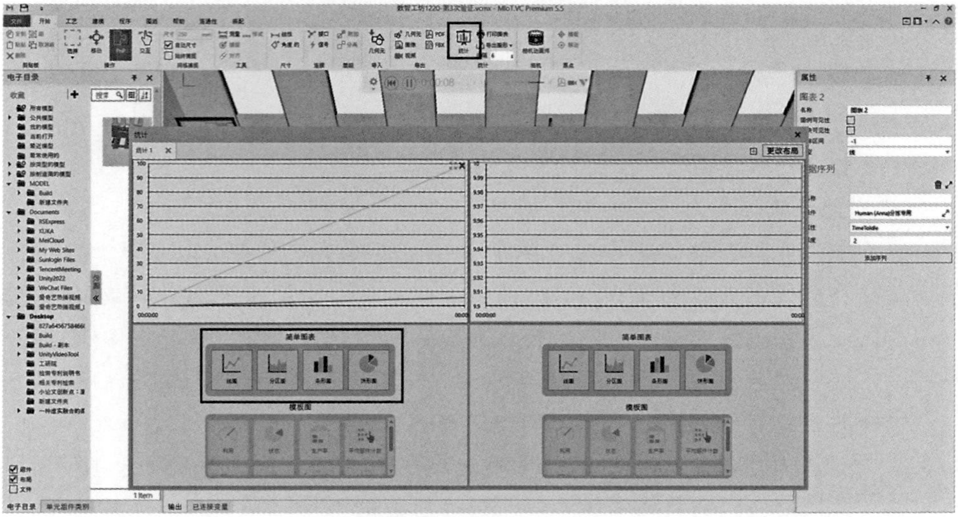

图 6-30　设置统计参数

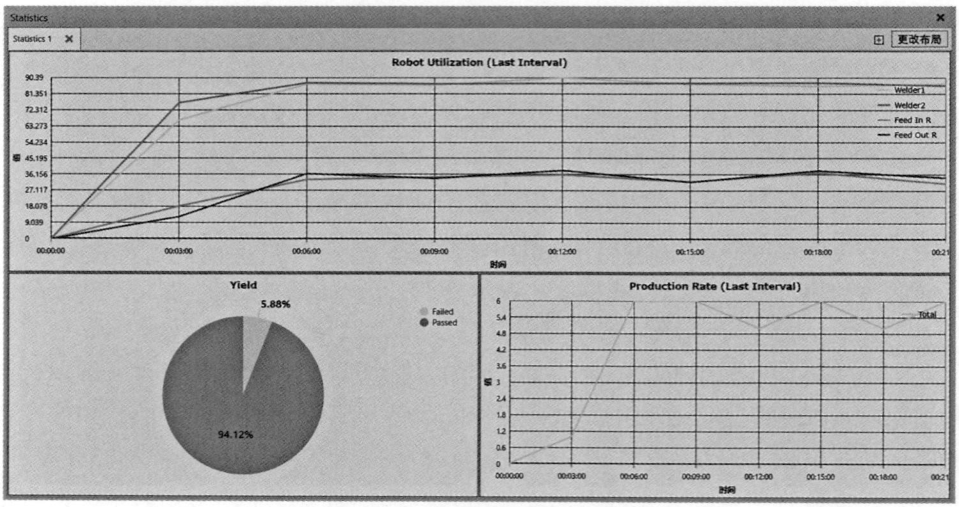

图 6-31　实时仿真数据可视化效果

参 考 文 献

[1]　罗瑞平，盛步云，黄宇哲，等．基于数字孪生的生产系统仿真软件关键技术与发展趋势［J］．计算机集成制造系统，2023，29（6）：1965-1982.

[2] 本刊编辑部．美欧军工领域发力数字孪生技术应用 [J]. 国防科技工业，2019 (02)：36-37.
[3] 李锐，胥军，胡剑，等．超级电容电芯装配线生产节拍优化设计 [J]. 数字制造科学，2022 (3)：234-240.
[4] 周来，叶琳浩，杨雄平，等．有源配电网设备利用率影响因子体系及其价值计算方法 [J]. 电力自动化设备，2019，39 (03)：155-162.

7

工业数字孪生系统的人机交互建模

数字孪生技术在制造系统中的应用日益成熟，为实现智能化、高效化的生产流程提供了重要支持。本章将深入研究制造系统数字孪生的交互界面设计，重点关注交互界面的关键设计原则、需求分析、操作形式分析、原型设计、工具对比以及具体的实例分析等方面，旨在探讨如何通过精心设计的用户界面，使制造人员能够更直观、高效地与数字孪生系统互动。

在数字化转型的浪潮中，设计良好的交互界面是实现制造过程智能化的关键一环。通过本章的学习，读者将获得更深层次的理解，为数字孪生技术在制造业的广泛应用提供坚实的设计基础。

7.1 人机交互建模概述

随着网络的迅速发展和信息化技术的广泛应用，人机交互界面规划逐渐引起广泛关注。在软件或系统开发的关键阶段，用户界面规划涉及对软件的人机交互、操作逻辑和界面美观的全面设计。一个精心设计的用户界面能够极大地改善用户体验，使得用户的操作变得更加直观、舒适和高效。通过协调设计用户与界面之间的互动，优秀的用户界面规划不仅提升了系统的易用性，还为用户提供了更愉悦的使用体验，从而促进了软件产品的广泛接受和成功应用。

数字孪生系统中，用户界面规划是用户与系统之间的桥梁。数字孪生系统的主要目的是通过模拟、监测和优化制造系统的运行，使这个系统能够有效地与用户互动，以便用户可以轻松地监控、分析和管理制造过程，因此设计一个良好的用户交互界面是实现这一目标的关键因素之一。

数字孪生系统的用户通常包括工程师、运营人员、管理人员等。他们的需求涵盖了实时数据监测、历史数据分析、故障检测和决策支持等各个方面。因此，用户界面必须能够满足不同用户群体的需求，使他们能够快速获得所需的信息，作出明智的决策，并在需要时与系统互动。

7.2 人机交互建模目标与原则

7.2.1 建模目标

用户界面设计的目标是通过设计用户与系统之间的互动方式，使用户能够轻松、高效、愉快地完成任务，同时提供良好的用户体验。以下是一些交互界面设计的常见目标。

① 可用性。界面设计的关键目标在于使用户能够轻松理解和操作系统，通过直观的界面元素和清晰的信息架构，包括逻辑的信息分类、清晰的菜单结构和有效的搜索功能，降低用户学习和使用的难度，提高用户的满意度和效率。

② 用户友好性。界面设计应减少用户完成任务所需的步骤，提供直观清晰的导航和快捷操作，以最小化用户的时间和努力，确保设计兼顾不同能力水平和需求的用户，包括合适的文本标签、键盘快捷键和屏幕阅读器支持，以确保用户能够方便地使用系统，提高系统的使用效率。

③ 一致性。一致性是用户界面设计的基本目标之一，它确保不同部分的界面在视觉和交互方面保持一致。这不仅使用户更容易适应系统的不同模块，还有助于用户建立对系统的稳定认知模型，减少混淆，提高用户学习效率。一致性不仅有助于提升用户体验的稳定性，同时也为用户提供了一种可靠的使用环境，从而增强了他们对系统的信任感。

④ 可持续性。随着技术的发展革新，用户需求也呈现出多样化和细分化的趋势。因此在设计时必须考虑到系统的长期使用和不断演变的现实，设计应具有扩展性和灵活性，以适应不断变化的需求和技术环境，确保系统的更新是平滑而连贯的。这种设计目标不仅有助于满足用户的不断变化的期望，同时也能够使系统在技术更新和功能扩展方面保持前瞻性，为用户提供更为持久且具有竞争力的使用体验。

⑤ 可定制性。数字孪生系统面向的用户群体多样，每个用户想要实现的目标不同，侧重的功能不同。因此，允许用户根据其特定需求自定义用户界面，以便他们可以将关键信息放置在他们认为最重要的位置，也是设计需要完成的目

标，以此确保系统在满足大多数用户期望的同时保持灵活性和易用性。

⑥ 视觉吸引力。虽然系统的功能性至关重要，但界面也应该具有吸引力。具有吸引力的界面设计不仅能够提升用户的审美体验，还能够在用户心中留下深刻的印象，从而提高用户的满意度。与此同时也有助于建立用户对系统的信任感，使其更愿意深度探索系统的各项功能。因此，在系统开发过程中，不仅要注重功能的完善，也要重视界面设计的吸引力，以实现功能性与美观性的有机结合。

在本章后续内容中将详细探讨这些目标，并讨论如何在数字孪生系统的用户界面设计中应用这些关键原则，确保用户体验并实现系统的核心功能。

7.2.2 建模原则

用户界面设计原则是指在设计过程中要遵循的一系列指导性准则，以创建出直观、易用且吸引人的界面，确保用户体验的质量和效果。以下是一些常见的用户界面设计原则以及它们的详细说明。

① 图像元素布局合理。视觉美观是用户界面设计最基本的原则。在进行界面设计时应该灵活运用对比与调和、对称与平衡、节奏与韵律及留白等技巧，通过空间、文字、图形之间的相互联系建立整体的均衡状态，确保整个界面效果协调统一。

② 一致化与标准化。界面设计主要包括内容和形式两方面。其中内容主要是指 LOGO、文字、图片和动画等要素，形式主要是指整体版式和不同内容的布局方式。一个合格的界面设计应该实现内容和形式的高度统一。当设计类似的功能和操作时，可以利用熟悉的图标、颜色、菜单的层次结构、行为召唤、用户流程图等来实现一致性。规范信息表现的方法可以减少用户认知负担，使用户体验更加流畅。遵循一致性与标准化原则可以帮助用户快速熟悉产品的数字化环境，从而更轻松地实现其目标。

③ 记忆负担最小化。人的记忆是有限的，过多要素的堆砌会导致用户无法高效完成自己的目标，因此界面在设计时应当尽可能简洁，保持适当的信息层次结构，让用户去再认信息而不是费力回忆信息，使用户记忆负担最小化。

7.3 人机交互建模方法

7.3.1 人机交互可视化需求分析

制造系统数字孪生交互界面的设计需要完整、准确、清晰、具体的需求，本节在 ISO22400 等国际标准化文件的基础上，采用公理化设计理论对生产单元重点关注的质量和效率类综合运行指标进行层次化分解，逐步构建出适用于生产单元的运行指标体系，并提炼出计算运行指标所需要采集的实时数据，深入剖析交互界面中的信息可视化需求，将指标主要分为质量、交期、成本与效率、绿色与安全四类，确保用户能够准确、全面地了解生产系统的状态和性能。

本节基于 DTPC 运行指标体系对人机交互可视化需求进行分析，其中，FR (Function Requirements) 表示功能要求，DP (Design Parameter) 表示设计参数，PV (Process Variables) 表示工艺变量。

7.3.1.1　质量指标体系

质量指标是用于衡量和评估制造过程和最终产品质量的标准和度量。在人机交互建模中，这些指标提供对生产环境中各方面性能的实时监测，确保生产过程的稳定性和产品的一致性。相关质量指标如图 7-1 所示，对具体指标的释义如表 7-1 所示。

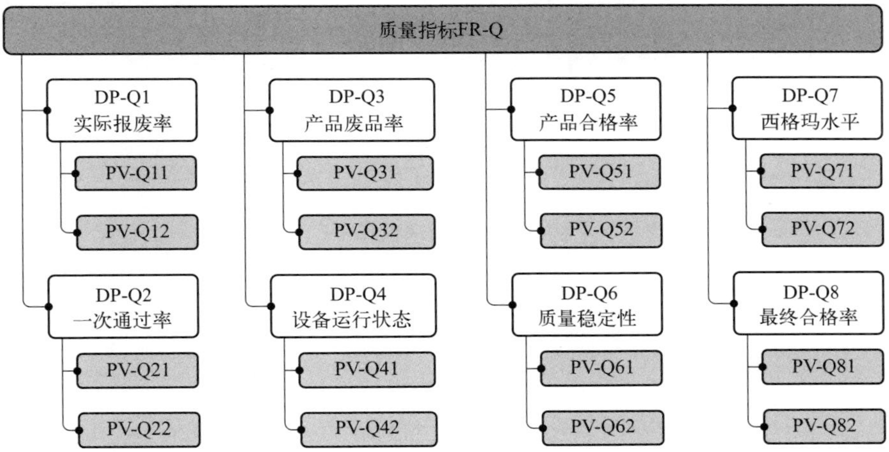

图 7-1　质量指标

表 7-1　质量指标释义

序号	名称	编号	序号	名称	编号
1	实际报废数量	PV-Q11	9	合格品数量	PV-Q51
2	计划报废数量	PV-Q12	10	生产总数量	PV-Q52
3	合格品产出量	PV-Q21	11	单工位合格品率	PV-Q61
4	被检品数量	PV-Q22	12	工位数量	PV-Q62
5	实际报废数量	PV-Q31	13	质量分布平均值	PV-Q71
6	生产总数量	PV-Q32	14	产品总数量	PV-Q72
7	设备状态指标	PV-Q41	15	过检产品数量	PV-Q81
8	虚拟实体姿态	PV-Q42	16	过程投产数量	PV-Q82

7.3.1.2 交期指标体系

交期指标是用于衡量制造系统生产周期和交货时间的关键标准和度量。在人机交互建模中，交期指标直接影响着生产计划的执行效率以及产品满意度。通过构建数字孪生系统的用户界面，可以实现对交期指标的实时监测和有效管理。相关交期指标如图 7-2 所示，对具体指标的释义如表 7-2 所示。

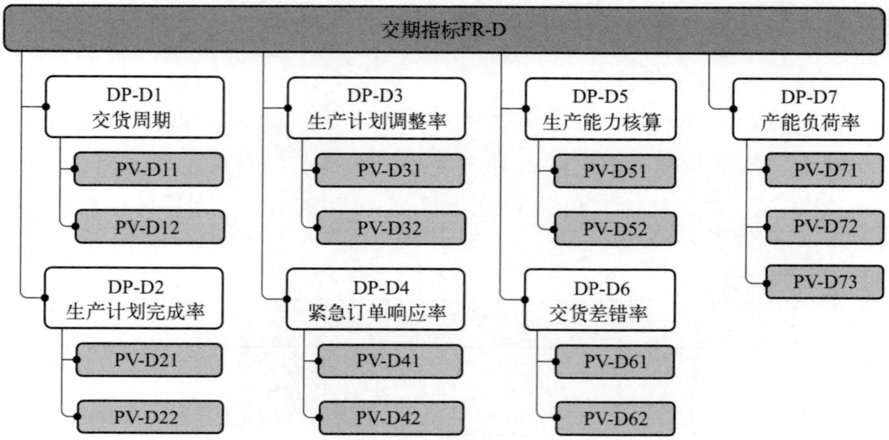

图 7-2 交期指标

表 7-2 交期指标释义

序号	名称	编号	序号	名称	编号
1	订单完成时间	PV-D11	9	操作标准工时	PV-D51
2	订单持续时间	PV-D12	10	账单产品数	PV-D52
3	完成计划数	PV-D21	11	交货差错数	PV-D61
4	生产计划数	PV-D22	12	产品交货总数	PV-D62
5	计划调整次数	PV-D31	13	实际生产总量	PV-D71
6	生产计划总量	PV-D32	14	计划工作时间	PV-D72
7	有效响应订单数	PV-D41	15	生产节拍	PV-D73
8	紧急需求订单数	PV-D42			

7.3.1.3 成本与效率指标体系

成本与效率指标是在制造过程中评估资源利用、生产成本和效率水平的关键标准和度量，这些指标直接关系到制造系统的经济性和竞争力。在人机交互建模中，成本与效率指标用于全面监测和分析生产流程、制造成本以及生产效率。相关成本与效率指标如图 7-3 所示，对具体指标的释义如表 7-3 所示。

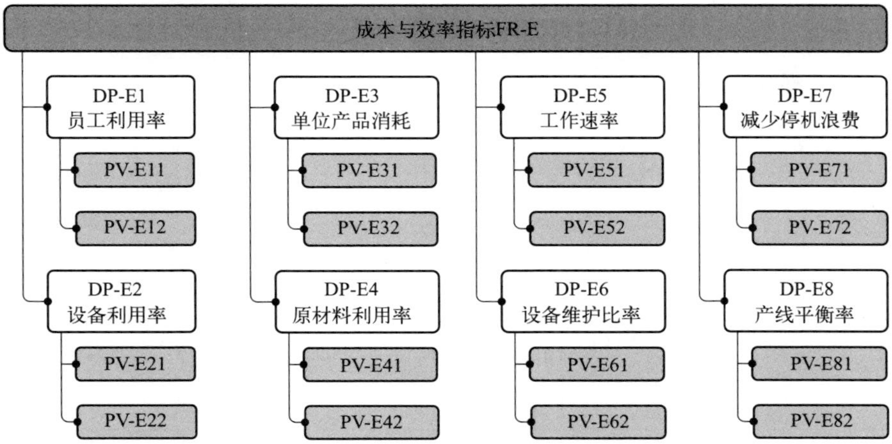

图 7-3 成本与效率指标

表 7-3 成本与效率指标释义

序号	名称	编号	序号	名称	编号
1	实际工作时间	PV-E11	9	标准作业时长	PV-E51
2	实际出勤时间	PV-E12	10	实际作业时长	PV-E52
3	实际生产时间	PV-E21	11	修正维护时间	PV-E61
4	实际繁忙时间	PV-E22	12	预计维护时间	PV-E62
5	能源消耗成本	PV-E31	13	平均故障时间	PV-E71
6	产品实际产量	PV-E32	14	设备维护成本	PV-E72
7	消耗原材料总量	PV-E41	15	各工序时间总和	PV-E81
8	原材料总量	PV-E42	16	工序总量	PV-E82

7.3.1.4 绿色与安全指标体系

绿色与安全指标是用于评估制造过程中环境友好性和安全性的关键标准和度量。在人机交互建模中，绿色与安全指标关乎企业的社会责任，并直接影响员工的健康与安全。详细分析绿色与安全指标，能够促进可持续发展并最大程度降低安全风险。相关绿色与安全指标如图 7-4 所示，对具体指标的释义如表 7-4 所示。

表 7-4 绿色与安全指标释义

序号	名称	编号	序号	名称	编号
1	污染物产生量	PV-G11	2	合格产品产生量	PV-G12

续表

序号	名称	编号	序号	名称	编号
3	消耗能源实物量	PV-G21	10	员工工作总时间	PV-G52
4	设备实时功率	PV-G22	11	日历工作台时间	PV-G61
5	事故发生次数	PV-G31	12	故障总时数	PV-G62
6	员工总作业数	PV-G32	13	接受教育总人数	PV-G71
7	CO_2 当量排放量	PV-G41	14	工厂总员工人数	PV-G72
8	环境数据	PV-G42	15	实际安全检测数	PV-G81
9	员工休息时间	PV-G51	16	计划安全检测数	PV-G82

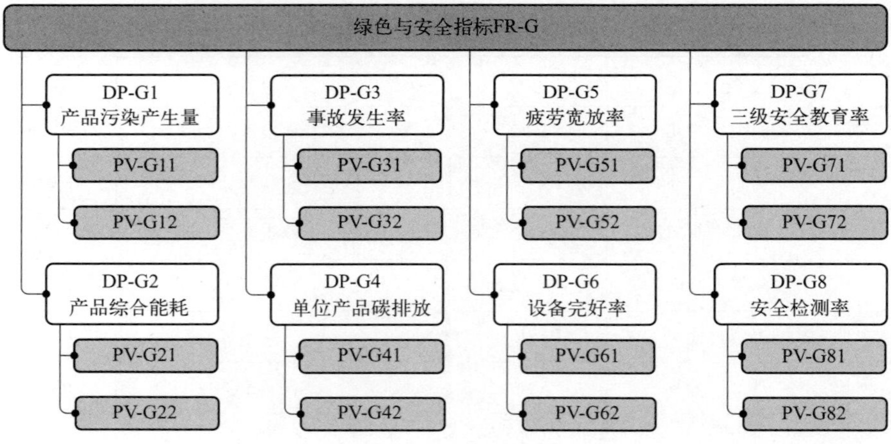

图 7-4 绿色与安全指标

7.3.2 人机交互可视化参考形式

在工业数字孪生系统人机交互建模中，有效的可视化设计能够使复杂的数据变得清晰易懂，并提供直观的用户体验，帮助用户更好地理解制造系统的运行状况和关键性能指标。

本节将举例说明不同指标所采用的人机交互可视化参考形式，包括折线图、柱状图、饼图、雷达图、环形图等，如表 7-5 所示。通过对这些形式的灵活运用，数字孪生系统的用户界面将能够为用户提供直观且高效的数据呈现，帮助其更好地监测、分析和决策。

表 7-5 可视化参考形式

可视化形式	示例	介绍及说明	适用指标举例
折线图	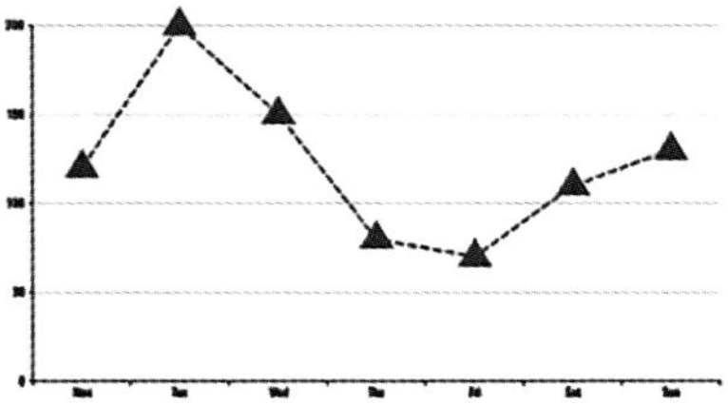	适用于展示数据随时间或其他连续变量的变化趋势	环境数据、 生产节拍、 员工工作总时间
柱状图	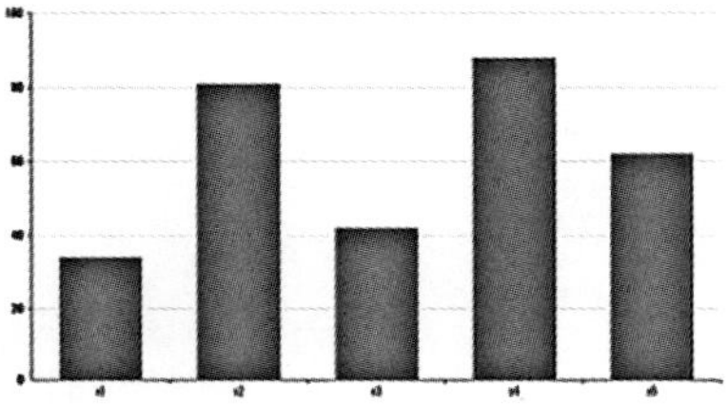	适用于比较不同类别之间的数量或显示单一类别的多个数据	单位产品碳排放量、 产品综合能耗、 产品实际产量
饼图	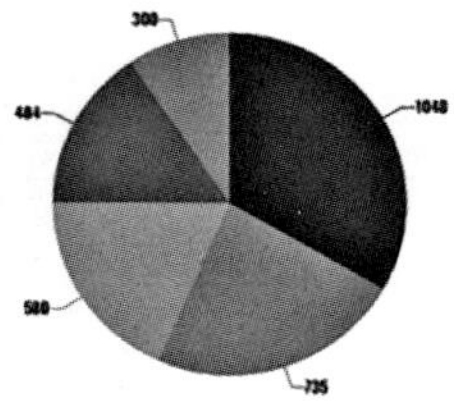	用于展示整体中各部分的占比关系，特别适用于呈现数据的相对比例	事故发生率、 设备维护比率
雷达图	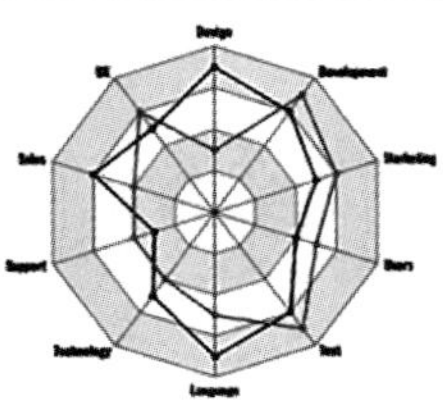	通过多个轴上的点连接而成，用于比较多个维度的数据	三级安全教育率
环形图		类饼图，但其中间存在空心，用于展示整体占比和部分之间的相对比例	原材料利用率、 设备利用率
仪表盘		以仪表的形式展示数据，适用于呈现关键性能指标，并提供直观的状态反馈	设备实时功率

续表

可视化形式	示例	介绍及说明	适用指标举例
甘特图	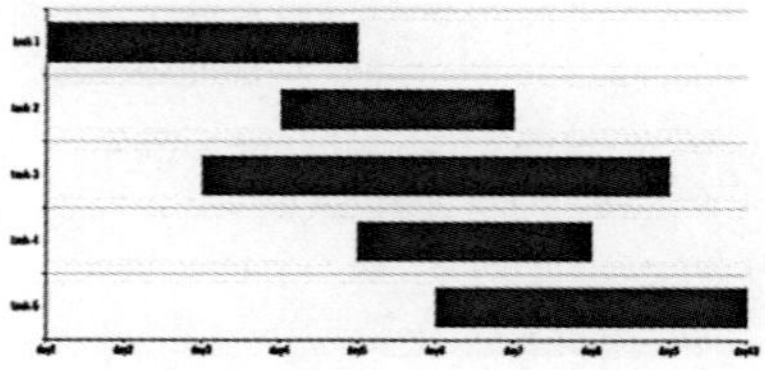	用于展示任务在时间轴上的安排，特别适用于项目进度的可视化	交货周期、订单完成时间、订单持续时间
表格	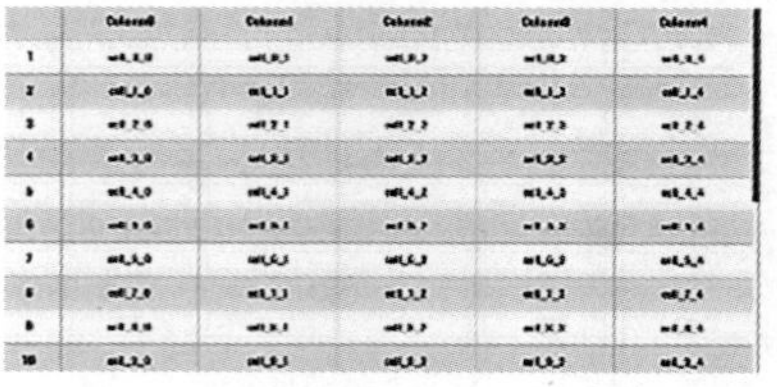	一种简单直观的数据呈现方式，用于展示详细数据和具体数值	故障日志、事件日志
虚拟实体	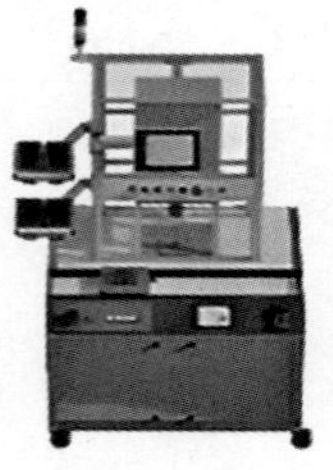	通过三维模型等方式呈现数字孪生系统的实体，使用户能直观地观察系统运行	设备运行状态、以虚控实交互

7.3.3 基于Unity3D引擎的交互界面设计

7.3.3.1 “屏幕-世界-相机”交互空间

（1）Unity中常见坐标系

Unity中存在许多不同的坐标系，它们用于描述不同物体之间的关系。下面介绍世界坐标系、屏幕坐标系、视口坐标系以及uGUI坐标系。

① 世界坐标系。

世界坐标系（World Space）是全局的坐标系统，在Unity中采用左手坐标系，即 X 为左右，Y 为上下，Z 为前后，是用于描述整个游戏场景中物体的位置和方向的坐标系。

对于一个物体的世界坐标，可以通过Transform.position来存储，它是一个Vector3变量，是一个三维向量，存储了 X、Y、Z 的信息，如图7-5所示。对于无父对象的物体，Position表示物体的世界坐标位置；对于有父对象的物体，Position表示物体的相对坐标。

② 屏幕坐标系。

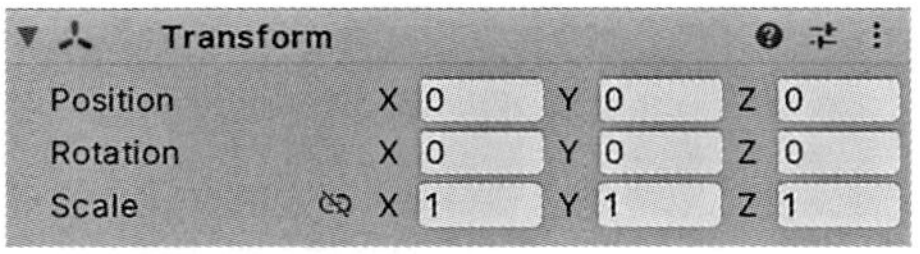

图 7-5 Transform 组件

用户界面或模型渲染后出现在屏幕中的位置信息构成屏幕坐标系（Screen Space），它是对屏幕上位置的描述，并把屏幕视为一个坐标系，原点（0,0）位于左下角，右上角坐标为（Screen. width，Screen. height），故屏幕坐标系也称为像素坐标系，屏幕坐标系的 Z 值是相对于相机的深度。

鼠标位置坐标属于屏幕坐标系，通过 Input. mousePosition 可获得该位置坐标，手指触摸屏幕也为屏幕坐标，Input. GetTouch(0). position 可以获得单个手指触摸屏幕坐标。

③ 视口坐标系。

视口坐标系（ViewPort Space）是相对于相机的坐标系，用于描述相机的视野范围。最小值（0,0）位于相机视野的左下角，最大值（1,1）位于相机视野的右上角，适用于比例计算，视口坐标系的 Z 值是相对于相机的深度，与屏幕坐标系相同。

④ uGUI 坐标系。

uGUI 坐标系是 Unity 中用户界面系统使用的坐标系，与屏幕坐标系不同，uGUI 坐标系原点（0,0）可以通过 Rect Transform 锚点进行设置，如图 7-6 所示，X 轴向右，Y 轴向上。uGUI 中通常使用 Normalized 或像素为单位，其中 Normalized 是相对于 Canvas 的宽度和高度的百分比。

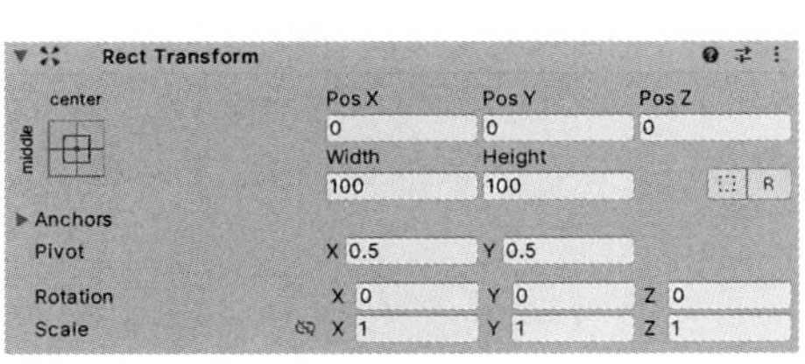

图 7-6 Rect Transform 组件

在 Rect Transform 选项卡中，PosX、PosY、PosZ 表示的坐标是物体的轴心点（Pivot）相对于其父物体的锚点（Anchors）的局部坐标。Pivot 是 UI 物体轴心点的坐标，(0,0) 表示轴心点位于 UI 物体的左下角，(1,1) 表示轴心点位于 UI 物体的右上角，X、Y 值可以超过 1 或小于 0。

在 Anchor Presets 面板中，点击只改变锚点位置。按住 Alt 键，改变锚点在父物体的位置，同时改变 UI 物体的位置。按住 Shift 键改变物体锚点位置，同时改变轴心点位置。Anchor Presets 面板如图 7-7 所示。

（2）坐标系的相互转换

Unity 中不同坐标系适用于不同的场景，故不同坐标系之间的转换是十分重要的，其中最关键的是世界坐标系与屏幕坐标系之间的转换，具体转换方式如下：

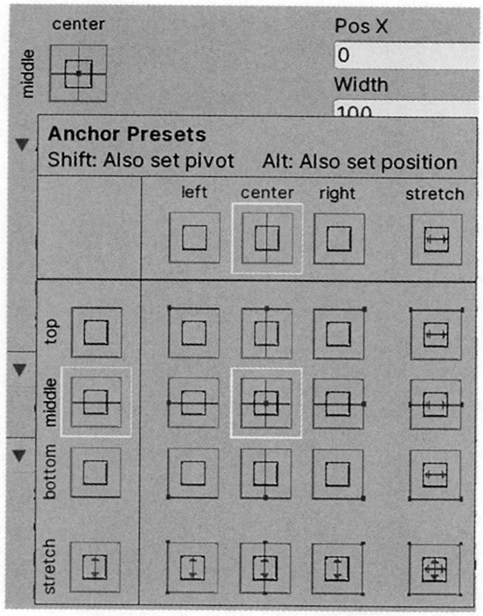

图 7-7 Anchor Presets 面板

① 世界坐标系与屏幕坐标系的转换。

使用 WorldToScreenPoint 函数将世界坐标转换为屏幕坐标，转换之后的 X、Y 表示位置信息，Z 表示物体相对于相机的深度信息，该深度信息是由世界坐标下相机和输入位置的 Z 值来决定的。

使用 ScreenToWorldPoint 函数将屏幕坐标转换为世界坐标，与前者不同，该函数除需要输入转换前的屏幕坐标之外，还需要物体的深度信息。通常在 Unity 中使用的 Input. mousePosition 函数是没有深度信息的，默认其 Z 值为 0。

② 视口坐标系与世界坐标系的转换。

使用 WorldToViewportPoint 函数将世界坐标转换为视口坐标，输入世界坐标以及物体相对于相机的深度信息（与同一相机下的屏幕坐标系深度信息相同），可以得到转换后的视口坐标。

使用 ViewportToWorldPoint 函数将视口坐标转换为世界坐标，输入视口坐标及对应深度信息，可以得到转换后的世界坐标。

③ 视口坐标系与屏幕坐标系的转换。

使用 ViewportToScreenPoint 函数将视口坐标转换为屏幕坐标，在已知屏幕分辨率的情况下，将视口坐标与宽高分辨率相乘可以得到屏幕坐标。

使用 ScreenToViewportPoint 函数将屏幕坐标转换为视口坐标，将屏幕坐标除以宽高分辨率可以得到视口坐标。

④ uGUI 坐标系与屏幕坐标系的转换。

使用 ScreenPointToLocalPointInRectangle 函数将屏幕坐标转换为 uGUI 坐标，该函数的输入为父物体 RectTransform、屏幕坐标以及指定相机。

将 uGUI 坐标转换为屏幕坐标时，由于 uGUI 的 Transform. position 即世界坐标，屏幕坐标可以通过世界坐标的转换得到。

（3）Unity 中画布（Canvas）及渲染模式（Render Mode）

所有的 UI 组件都存于画布的子集中，可以将画布视为所有 UI 组件的容器。每次创建一个 UI 对象时，画布都会被自动创建，如图 7-8 所示。

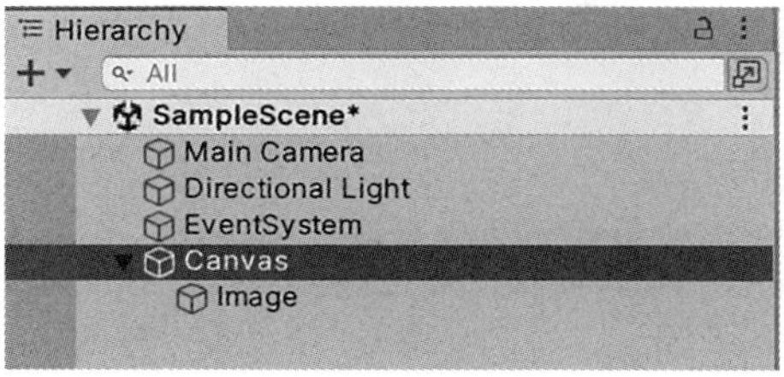

图 7-8　Canvas 示例

在 Inspector 视图的 Canvas 组件中，渲染模式主要有三种，如图 7-9 所示。

① Screen Space-Overlay 模式。

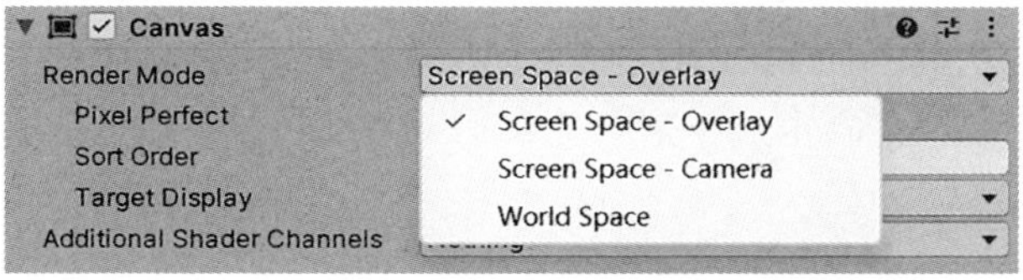

图 7-9　渲染模式

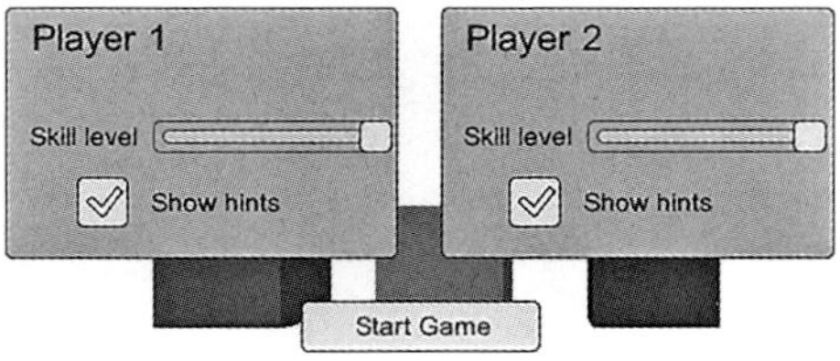

图 7-10　Overlay 模式示例

在 Overlay 模式下，画布会进行缩放来适应屏幕，即使场景中根本没有相机，也会渲染 UI。Canvas 会覆盖屏幕，UI 总是渲染在 3D 元素之上，如图 7-10 所示。

Screen Space-Overlay 模式主要参数包括 Pixel Perfect 及 Sort Order，如图 7-11 所示。其中，Pixel Perfect 表示是否需要无锯齿精确渲染 UI；Sort Order 表示 Canvas 深度，即存在多个 Canvas 时，Sort Order 值较大的 Canvas 会覆盖 Sort Order 值较小的 Canvas。

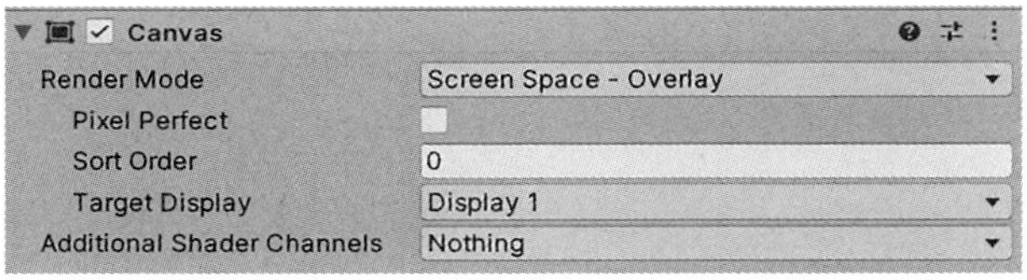

图 7-11　Screen Space-Overlay 模式参数

② Screen Space-Camera 模式。

在 Screen Space-Camera 模式下，画布的渲染效果就好像是在相机前面一定距离的平面对象上绘制的效果。与 Overlay 模式不同之处在于，场景中比 UI 平面更靠近相机的所有 3D 对象都将在 UI 前面渲染，而平面后的对象将被遮挡。当 UI 前存在场景对象时，示例如图 7-12 所示。

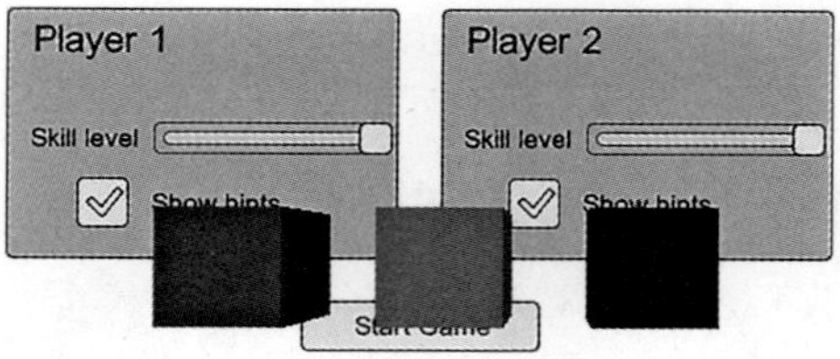

图 7-12 Camera 模式示例

Screen Space-Camera 模式主要参数包括 Pixel Perfect、Render Camera、Plane Distance、Sorting Layer 以及 Order in Layer，如图 7-13 所示。其中，Pixel Perfect 表示是否需要无锯齿精确渲染 UI；Render Camera 表示将 UI 渲染到的相机；Plane Distance 表示 UI 平面在相机前方的距离；Sorting Layer 表示 Canvas 深度，可手动添加，当场景中存在多个模式为 Screen Space 的 Canvas 时，其优先级由 Sorting Layer 决定；Order in Layer 表示当 Sorting Layer 相同时，由 Order in Layer 确定显示的优先级。

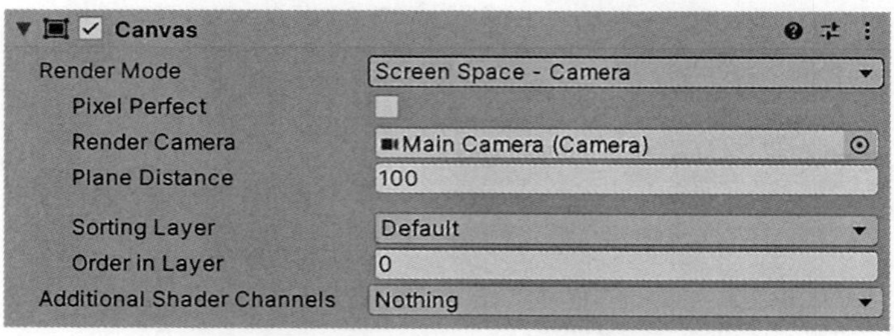

图 7-13 Screen Space-Camera 模式参数

③ World Space 模式。

World Space 模式将 UI 视为场景中的平面对象进行渲染。与 Screen Space-Camera 模式不同，该平面不需要面对相机，可以任意定向。其他场景对象可以位于画布后面、穿透画布或位于画布前面，如图 7-14 所示。

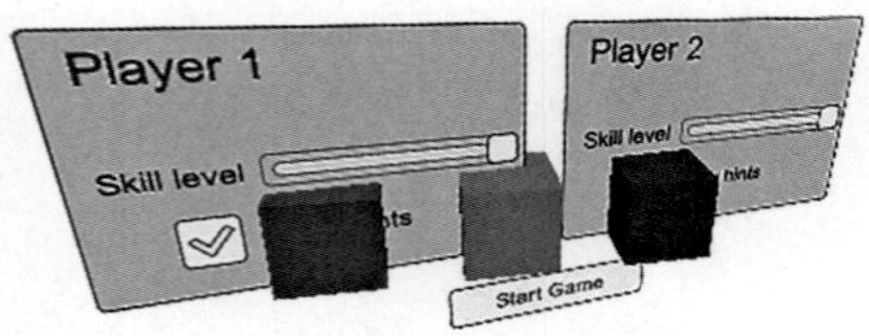

图 7-14 World Space 模式示例

该模式主要参数为 Event Camera，见图 7-15，用于处理 UI 事件的相机，其他参数不作过多赘述。

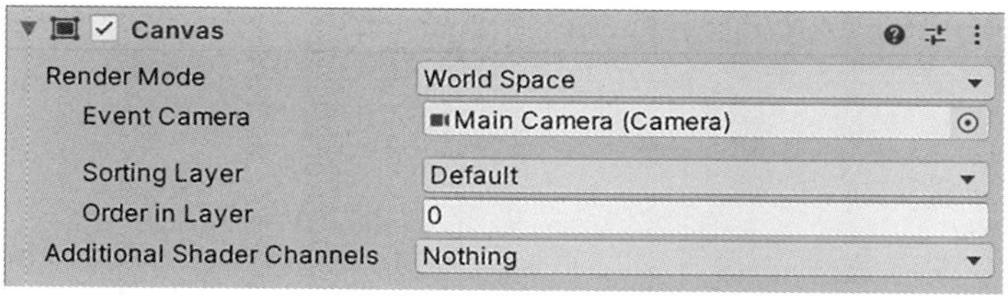

图 7-15　World Space 模式参数

7.3.3.2　UGUI 系统概述与基础组件学习

Unity 的 UGUI（Unity Graphical User Interface）系统是用于构建用户界面的工具，是一个基于游戏对象的 UI 系统，它使用组件和游戏视图来排列、定位和设置用户界面的样式，为开发者提供了丰富而直观的 UI 设计和交互功能，使得创建复杂、交互性强的用户界面变得相对容易。

UGUI 系统组件主要包括可视组件与交互组件两类，本节将对各组件的主要参数进行介绍。

(1) 文本（Text)

Text 组件用于显示非交互式文本，是用户界面中展示信息的基础组件，并为其他组件提供标题、标签及说明，主要包括字体样式、字号、颜色等参数，可根据设计需要进行调整，如图 7-16 所示。

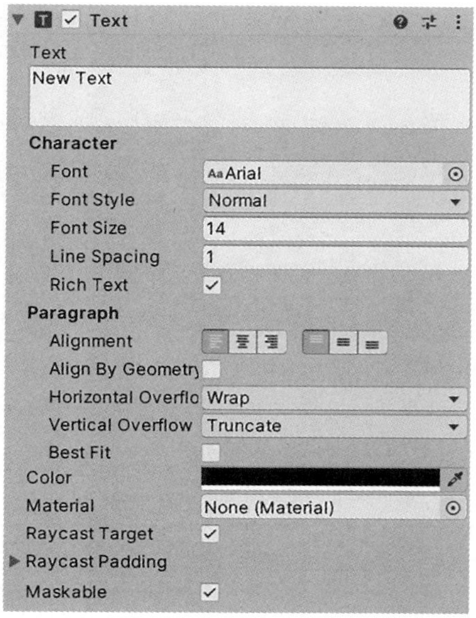

图 7-16　Text 组件

Text 组件的主要参数介绍如表 7-6 所示。

表 7-6　Text 组件主要参数说明

主要参数	说明
Text	组件需要显示的文本
Font	文本字体
Font Style	文本样式，包括 Normal、Bold、Italic、Bold 和 Italic
Font Size	文本字号
Line Spacing	文本行之间的垂直间距
Alignment	文本水平及垂直的对齐方式
Horizontal Overflow	适用文本太宽无法放入矩形的情况，包括 Wrap、Overflow
Vertical Overflow	适用文本太高无法放入矩形的情况，包括 Truncate、Overflow
Color	文本颜色

（2）图像（Image）

Image 组件用于显示非交互式图像，是构建界面视觉元素的核心组件，包括图片资源、颜色、透明度等参数，如图 7-17 所示。

Image 组件要求图片的类型为精灵（Sprite），将图片素材拖入 Assets 栏之后，点击图片，将 Texture Type 改为 Sprite（2D and UI），点击 Apply 即可，如图 7-18 所示。

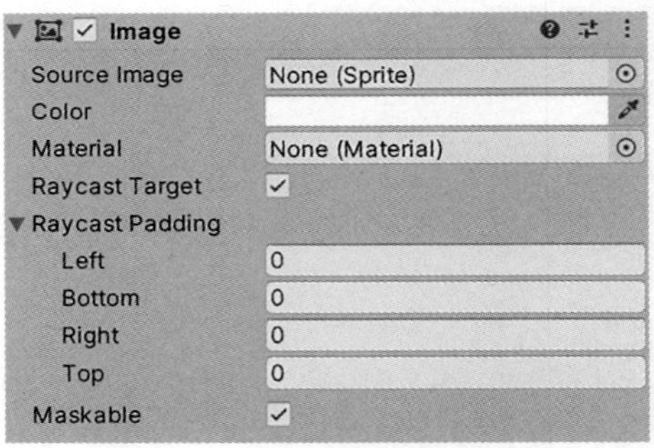

图 7-17　Image 组件

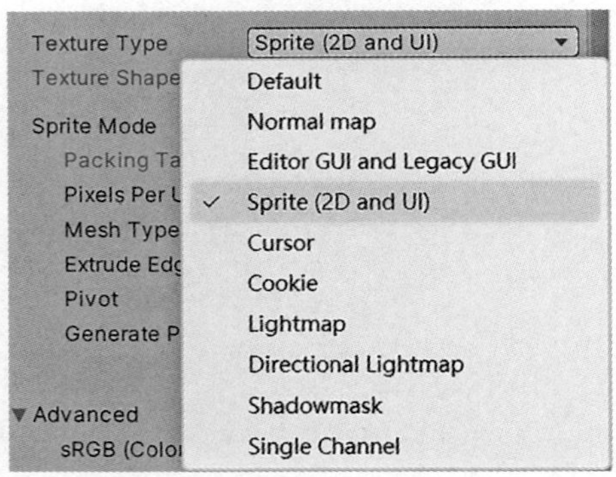

图 7-18　设置图片 Texture Type

Image 组件的主要参数介绍如表 7-7 所示。

表 7-7　Image 组件主要参数说明

主要参数	说明
Source Image	需要显示的图像（必须作为精灵拖入）
Color	图像的颜色
Material	渲染图像的材质
Raycast Target	是否希望 Unity 将图像视为射线投射的目标

(3) 原始图像 (Raw Image)

与 Image 相似，但不进行任何缩放或变形，保留图像的原始尺寸。与 Image 组件不同之处在于 Image 要求其纹理为精灵，而 Raw Image 可以接受任何纹理。Raw Image 组件如图 7-19 所示。

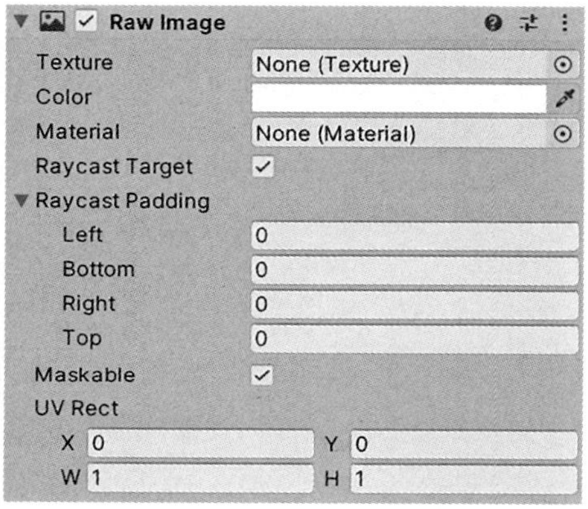

图 7-19 Raw Image 组件

Raw Image 组件主要参数与 Image 类似，如表 7-8 所示。

表 7-8 Raw Image 组件主要参数说明

主要参数	说明
Texture	需要显示的图像(拖入即可)
Color	图像的颜色
Material	渲染图像的材质
Raycast Target	是否希望 Unity 将图像视为射线投射的目标
UV Rectangle	图像在组件矩形内的偏移和大小，以标准化坐标(范围 0.0～1.0)表示，像边缘将进行拉伸来填充 UV 矩形周围的空间

(4) 按钮 (Button)

Button 组件可响应用户的点击并用于启动或确认操作，允许用户触发特定操作或功能，是用户与应用程序交互的主要入口。该组件在创建时会自动生成文本、图像组件。Button 组件如图 7-20 所示。

Button 组件的主要参数介绍如表 7-9 所示。

表 7-9 Button 组件主要参数说明

主要参数	说明
Interactable	是否想要此按钮接收输入
Transition	按钮响应过渡效果，包括 Color Tint、Sprite Swap、Animation

续表

主要参数	说明
Navigation	按钮导航，可以通过键盘更改被选中的按钮
On Click	设置事件或函数，按钮单击和松开时会响应

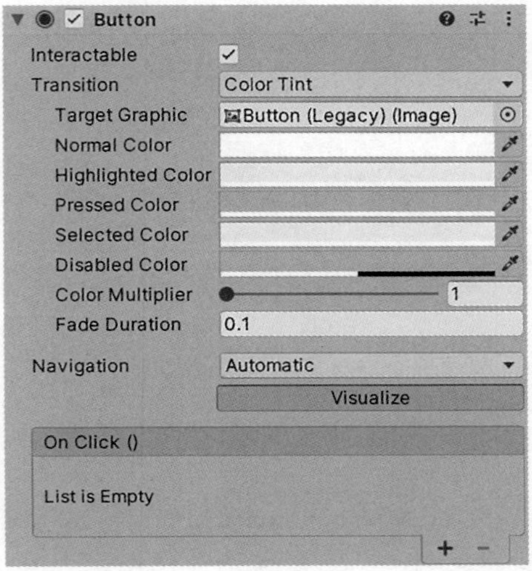

图 7-20　Button 组件

(5) 开关 (Toggle)

Toggle 组件允许用户在两个状态之间切换，常用于表示开关、复选框等，该组件默认为多选框，如果想要制作单选框，需要配合 ToggleGroup 组件使用。Toggle 组件如图 7-21 所示。

Toggle 组件的主要参数介绍如表 7-10 所示。

表 7-10　Toggle 组件主要参数说明

主要参数	说明
Interactable	是否想要此按钮接收输入
Transition	按钮响应过渡效果，包括 Color Tint、Sprite Swap、Animation
Navigation	按钮导航，可以通过键盘更改被选中的按钮
Is On	开关在开始时是否为勾选状态
Group	开关所属的开关组
On Value Changed	设置事件或函数，可将当前状态作为 bool 类型动态参数发送

(6) 开关组 (Toggle Group)

Toggle Group 不是可见的 UI 组件，可以通过先创建空对象（GameObject），然

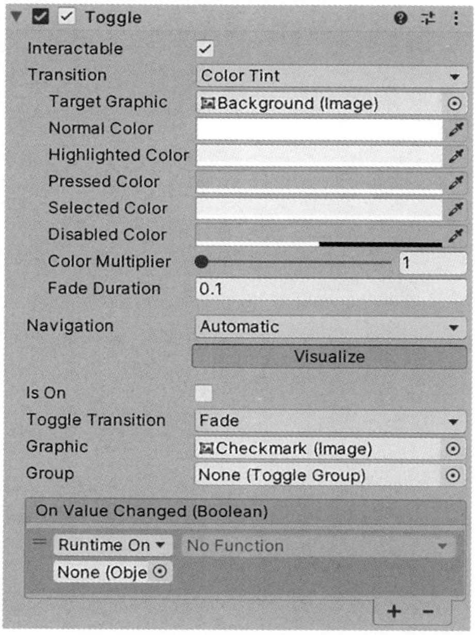

图 7-21　Toggle 组件

后在 GameObject 上挂载组件的方式添加，如图 7-22 所示。Toggle Group 可以将一组 Toggle 组合在一起，一次只能打开其中一个开关，打开其中一个开关便会自动关闭其他开关，确保在同一时间只有一个 Toggle 可以被选中，用于管理相关联的开关。

将挂载 Toggle Group 的 GameObject 拖入到多个 Toggle 组件的 Group 栏里，即可完成开关组的搭建。

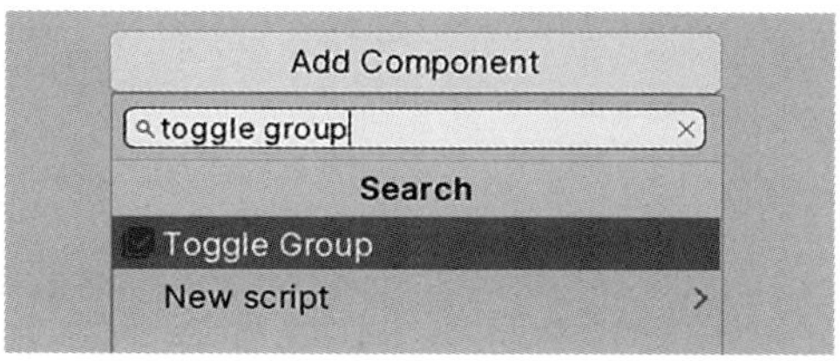

图 7-22　Toggle Group 挂载

(7) 滑动条 (Slider)

Slider 组件允许用户通过拖动鼠标从预定范围中选择数值，一般用来制作进度条等。Slider 组件如图 7-23 所示。

Slider 组件的主要参数介绍如表 7-11 所示。

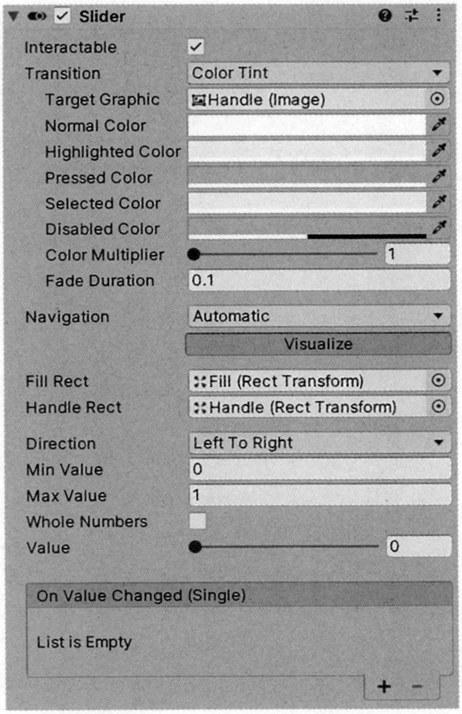

图 7-23　Slider 组件

表 7-11　Slider 组件主要参数说明

主要参数	说明
Interactable	是否想要此按钮接收输入
Transition	按钮响应过渡效果，包括 Color Tint、Sprite Swap、Animation
Navigation	按钮导航，可以通过键盘更改被选中的按钮
Direction	用于选择滑动条值增加的方向
Min Value	滑动条最小值
Max Value	滑动条最大
Whole Numbers	滑动条值是否为整数值
Value	滑动条的当前值或初始值
On Value Changed	float 参数无返回值，当 Slider 组件的 Value 改变时调用一次

(8) 滚动条（Scrollbar）

Scrollbar 组件用于滚动由于太大而无法完全看到的图像或其他视图，为用户提供在有限空间内查看大量信息的方式。与 Slider 组件用于选择数值不同，Scrollbar 组件仅用于滚动。Scrollbar 组件如图 7-24 所示。

Scrollbar 组件的主要参数介绍如表 7-12 所示。

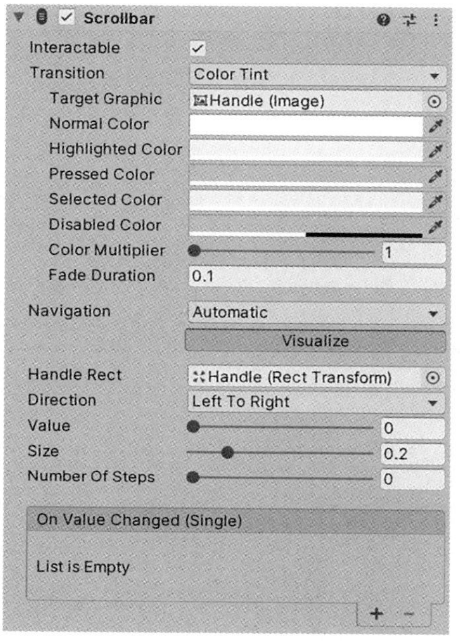

图 7-24　Scrollbar 组件

表 7-12　Scrollbar 组件主要参数说明

主要参数	说明
Interactable	是否想要此按钮接收输入
Transition	按钮响应过渡效果，包括 Color Tint、Sprite Swap、Animation
Navigation	按钮导航，可以通过键盘更改被选中的按钮
Direction	用于选择滚动条值增加的方向
Value	滚动条的初始位置值，范围为 0.0～1.0
Size	控制柄在滚动条内的比例大小，范围为 0.0～1.0
Number Of Steps	滚动条允许的不同滚动位置的数量
On Value Changed	float 参数无返回值，当 Scrollbar 组件的 Value 改变时调用一次

(9) 下拉菜单 (Dropdown)

Dropdown 组件允许用户从预定义的选项列表中进行选择，用于节省空间且提供清晰的选项。Dropdown 组件如图 7-25 所示。

Dropdown 组件的主要参数介绍如表 7-13 所示。

表 7-13　Dropdown 组件主要参数说明

主要参数	说明
Interactable	是否想要此按钮接收输入
Transition	按钮响应过渡效果，包括 Color Tint、Sprite Swap、Animation
Navigation	按钮导航，可以通过键盘更改被选中的按钮

续表

主要参数	说明
Caption Text	用于保存当前所选选项的文本的文本(Text)组件
Caption Image	用于保存当前所选选项的图像的图像(Image)组件
Item Text	用于保存列表项的文本的文本组件
Item Image	用于保存列表项的图像的图像组件
Value	当前选项的索引,0 代表第一个选项,1 代表第二个选项,以此类推
Options	可选选项的列表,可为每个选项指定一个文本字符串和一个图像
On Value Changed	int32 参数无返回值,当用户重新选择选项导致索引值发生变化时调用一次

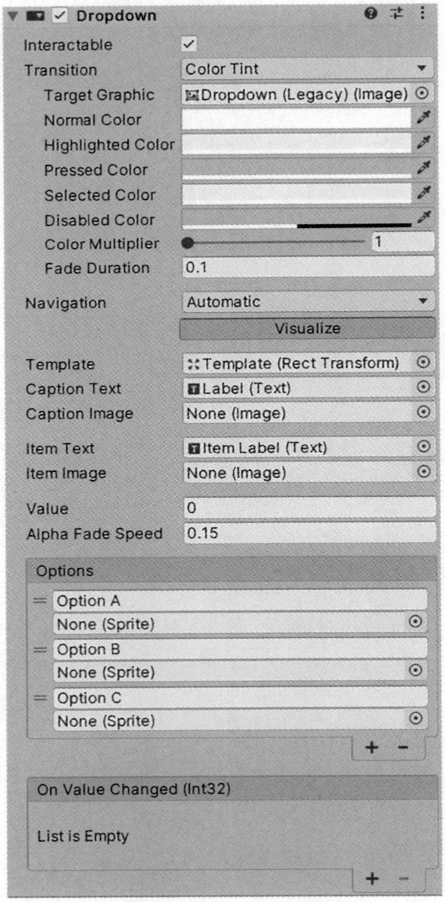

图 7-25　Dropdown 组件

(10) 输入字段 (Input Field)

Input Field 组件允许用户输入文本，是用户与应用程序进行交互输入的关键组件，提供了灵活的文本输入和编辑功能。Input Field 组件如图 7-26 所示。

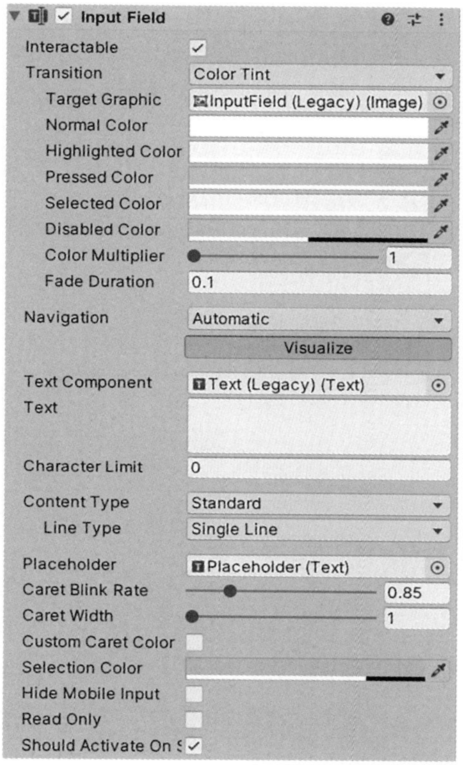

图 7-26 Input Field 组件

Input Field 组件的主要参数介绍如表 7-14 所示。

表 7-14 Input Field 组件主要参数说明

主要参数	说明
Interactable	是否想要此按钮接收输入
Transition	按钮响应过渡效果，包括 Color Tint、Sprite Swap、Animation
Navigation	按钮导航，可以通过键盘更改被选中的按钮
Text Component	用于关联显示输入内容的文本组件
Text	输入框内容
Character Limit	允许输入的字符长度的最大值，0 代表没有最大值限制
Content Type	输入字符类型限制
Placeholder	用于关联显示初始内容的文本控件
Read Only	只读，不可修改
OnValueChanged	string 参数无返回值，当 InputField 框的 Text 内容改变时调用一次
OnEndEdit	string 参数无返回值，当 InputField 失焦时调用一次

7.3.3.3 TMP 系统概述与基础组件学习

TMP（TextMeshPro）是 Unity 的最终文本解决方案以及 Unity UI Text 和旧版 Text Mesh 的完美替代方案。TMP 系统使用的 SDF 渲染技术可以使文本更加清晰，并提供了比标准 Text 组件更多的功能和控制选项。

（1）启动 TMP 系统

目前 TMP 系统包已预装在 Unity 编辑器中，可以在“Window→Package Manager→Unity Registry”中找到。

在安装完成后，TMP 系统还需为项目添加资源后才能使用，若要导入“TMP Essential Resources”，在“Window → TextMeshPro”菜单中点击“Import TMP Essential Resources”以及“Import TMP Examples and Extras”，然后导入即可，如图 7-27 所示。

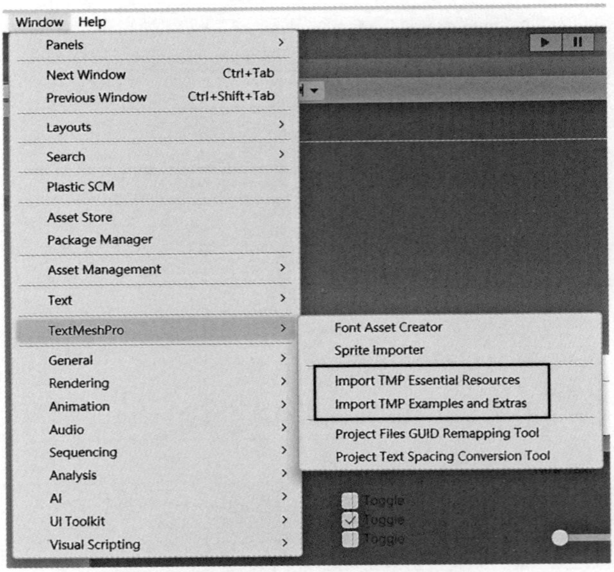

图 7-27　导入 TMP 系统资源

安装 TMP 系统后，有两个 TMP 组件可用，若要添加“TextMeshPro”文本对象，在 Hierarchy 栏中右键，选择“3D Object→Text-TextMeshPro”即可，此组件与 MeshRenderer 一起使用，是旧版 TextMesh 的替代品；若要添加“TextMeshProUGUI”文本对象，同样在 Hierarchy 栏中右键，选择“UI→Text-TextMeshPro”即可，此组件与 CanvasRenderer 和 Canvas 系统配合使用，是 UI 文本组件的理想替代。

（2）导入中文字体

原生 TMP 系统是不包括中文数据库的，若输入中文只会显示为方块，如

图 7-28 所示。

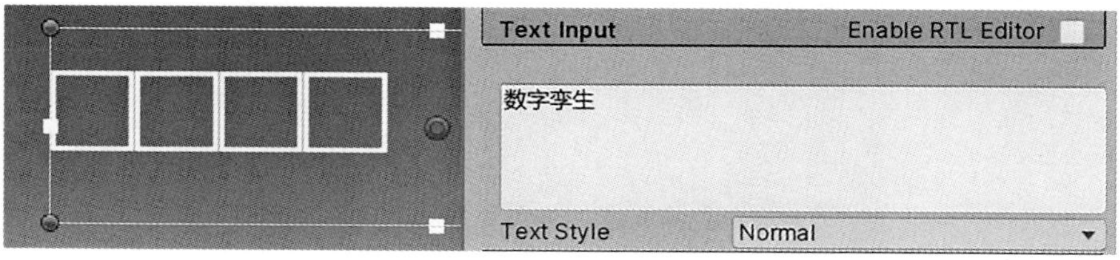

图 7-28　TMP 格式中文示例

在此情况下导入中文字体即可解决，首先需从网络下载中文字体的 Asset 格式文件，并将其导入到 Assets 栏中，然后在“Edit→Project Settings→TextMeshPro Settings→Default Font Asset”中，将默认字体改为下载的中文字体即可，如图 7-29 所示。

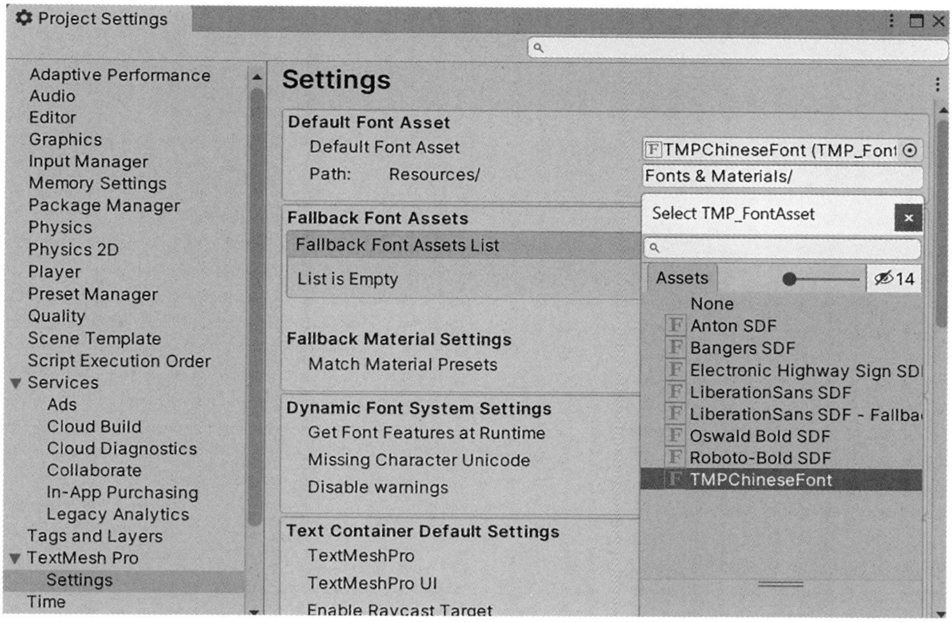

图 7-29　导入中文字体

(3) TMP 系统组件概述

TMP 组件主要分为两个部分：文本输入（Text Input）与主要设置（Main Settings），如图 7-30 所示。

TextMeshPro-Text 组件主要参数介绍如表 7-15 所示。

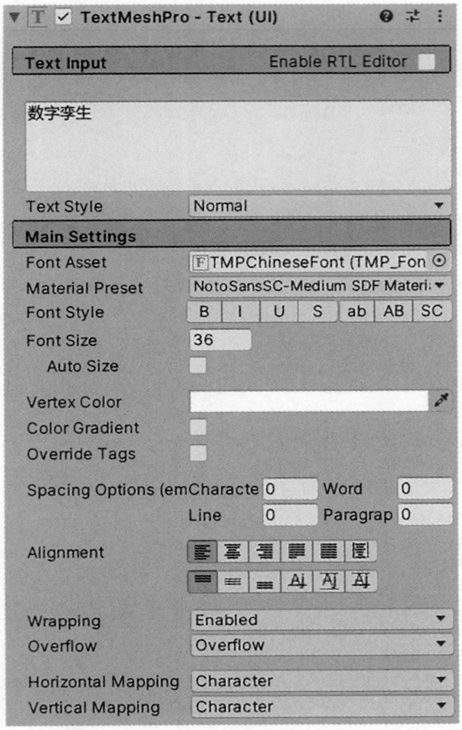

图 7-30 TextMeshPro-Text 组件示例

表 7-15 TextMeshPro-Text 组件主要参数说明

主要参数	说明
Text Input	需要键入的文本
Font Asset	TextMeshPro 字体资源
Font Style	文本样式，包括加粗、斜体、下划线、删除线等
Font Size	文本字体
Vertex Color	文本颜色
Color Gradient	设置文本渐变色
Spacing Options	调节字符、行、段落间距
Alignment	文本对齐方式，包括居中、左、右对齐等
Wrapping	当字数超过文本框容纳范围时，是否允许自动换行

7.3.3.4 图表插件概述与基础组件学习

在制造系统数字孪生交互界面设计中，数据可视化是极为重要的一环，为实现清晰、直观的数据展示，本节引入 XCharts 图表插件，这是一款基于 uGUI 设计的功能强大、简便易用的数据可视化图表插件。

(1) 安装 XCharts 插件

在 XCharts 官方网站下载 XCharts 的 unitypackage 包后，在编辑器“Assets→Import Package→Custom Package”中选择 XCharts unitypackage 文件并打开，点击 Import 即可安装。

XCharts 同样支持 TMP 系统，但需手动启动，点击“XCharts → TextMeshPro Enable”即可，如图 7-31 所示。

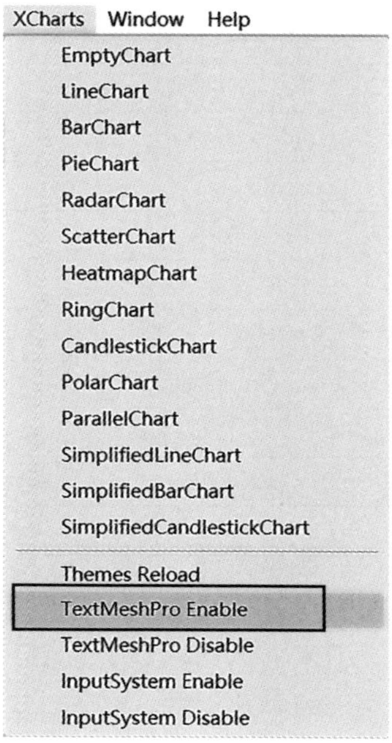

图 7-31 XCharts 插件启动 TMP 系统

(2) XCharts 图表组件概述

在 XCharts 插件中，图表主要包括折线图、柱状图、饼图、雷达图、散点图、热力图、环形图、极坐标、平行坐标等十多种内置图表。本节以折线图为例，介绍 XCharts 主要参数及其设置。

在 Hierarchy 栏右键，点击“XCharts→LineChart”即可创建折线图，LineChart 主要参数及设置如图 7-32 所示。

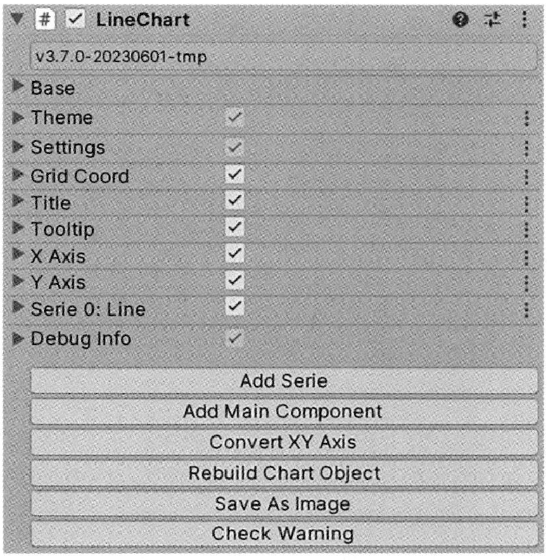

图 7-32 LineChart 组件主要参数及设置

在该组件中，一些参数默认即可，本节选择需要调整的主要参数进行介绍，如表 7-16 所示。

表 7-16 LineChart 组件主要参数说明

主要参数	说明
Theme	表格主题,可以设置默认或黑暗模式
Grid Coord	调整折线图在背景中所占比例
Title	设置图表标题、副标题、标题间隙、标题背景等参数
X/Y Axis	设置坐标轴相关参数,包括轴粗细、名称、刻度、间隙等
Serie 0:Line	设置折线相关参数,包括种类、颜色、节点标志、数据量等
Add Serie	添加系列,可添加额外的折线、柱状图等
Add Main Component	添加组件,包括额外坐标轴、标记线等组件
Convert XY Axis	转换 *XY* 轴
Rebuild Chart Object	刷新图表,遇到图表显示错误等 bug 可进行刷新解决

(3) 注意事项

在制作数据可视化图表时会遇到各种问题，本部分介绍常见问题及其解决方案。对于未列出的问题，读者可以通过阅读 XCharts 官方文档，对 XCharts 进行更加深入的学习。

① 当存在多个 *X*/*Y* 轴时，且不同折线需对应不同 *X*/*Y* 轴时。例如折线图存在两个 *Y* 轴，分别对应不同的折线。

解决方案：将折线的轴索引（Axis Index）改为对应 *X*/*Y* 轴的标号即可，如图 7-33 所示。

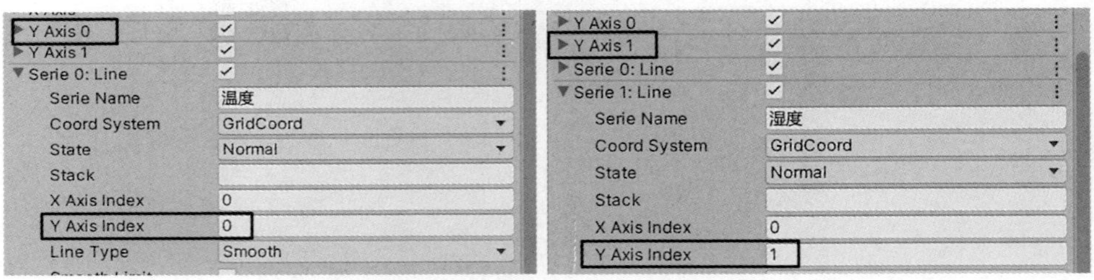

图 7-33 设置折线 Y 轴索引示例

② 图表中新增数据过多，影响运行性能。

解决方案：通过“X Axis→Max Cache”设置 *X* 轴数据最大缓存量，同时通过“Serie：Line→More→Max Cache”设置每条折线的数据最大缓存量，必须与 *X* 轴最大缓存量对应，如图 7-34 所示。

③ X 轴坐标标签显示过多。

解决方案：在“X Axis→Split Number”中设置标签最大值即可，如图 7-35 所示。

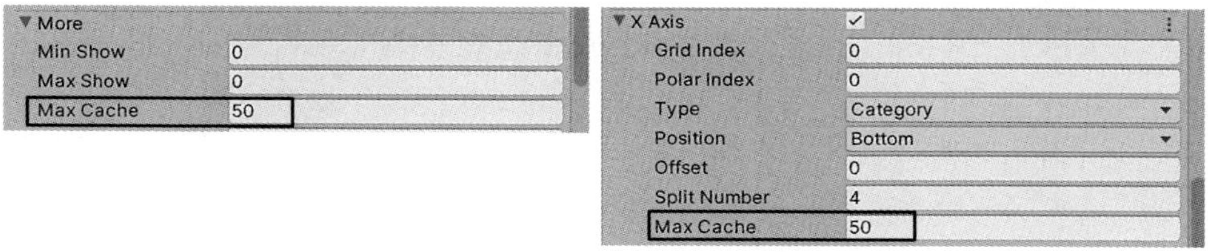

图 7-34 设置图表数据最大缓存量

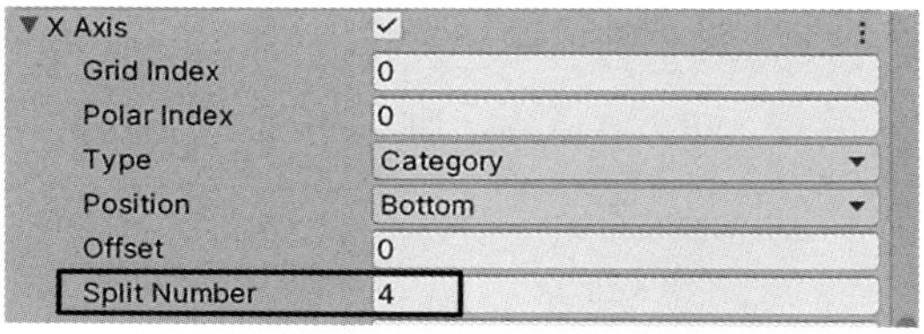

图 7-35 设置 X 轴标签最大值

7.3.3.5 交互界面控制行为实现

在数字孪生系统的交互界面设计中，交互行为的实现是关键的一环。本节以“设置面板”为例，介绍通过 UGUI 系统实现的控制行为示例，主要涵盖按钮、下拉菜单、文本、文本框等多种 UI 组件。

(1) 按钮实现面板显示/隐藏

在 Button 组件的 OnClick 事件中调用相应的脚本方法，可以实现按钮点击时面板的显示和隐藏。以数字孪生交互界面的“设置”模块为例，具体步骤如下所示：

① 创建面板（Panel）、按钮及挂载脚本的空对象。

在 Hierarchy 栏中右击，分别选择“UI→Panel”“UI→Button”“Create Empty”以创建 Panel、Button、GameObject。其中，GameObject 用来挂载控制面板显示/隐藏的脚本文件，可通过规范化命名来增加辨识度。

② 脚本编写。

首先在 Assets 栏中创建文件夹来统一存放脚本文件，然后在文件夹中右击，选择“Create→C# Script”创建脚本文件，并将其重命名为“PanelController.cs”，确保脚本名称与类名相匹配。具体代码如下：

```
using UnityEngine;
using UnityEngine.UI;

public class PanelController : MonoBehaviour
{
    public GameObject panel; //需要显示和隐藏的面板
```

```
        public void TogglePanel() //在按钮的 OnClick 事件中调用该方法
        {
            if (panel !=null)
            {
                panel.SetActive(!panel.activeSelf); //切换面板的状态:若为激活状态,则隐藏;若为非激活状态,则显示
            }
        }
    }
```

③ 脚本配置。

首先需将编写好的 PanelController 脚本挂载（拖入）在步骤①中创建的 GameObject 上，然后将需要控制的 Panel 组件拖入到 PanelController 脚本组件上，如图 7-36 所示。

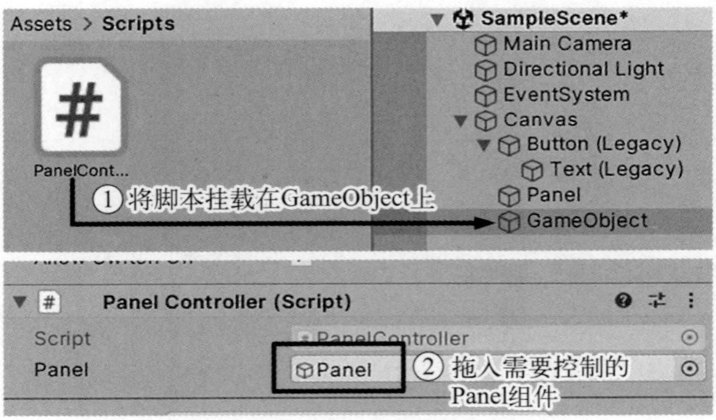

图 7-36　脚本配置

④ 设置 Button 组件的 OnClick 事件。

首先在 Button 的 Inspector 栏中找到 OnClick 事件，点击“+”号，然后将挂载脚本的 GameObject 拖入到 OnClick 事件的相关区域，并在 Function 中通过“PanelController→TogglePanel”调用该功能，如图 7-37 所示。

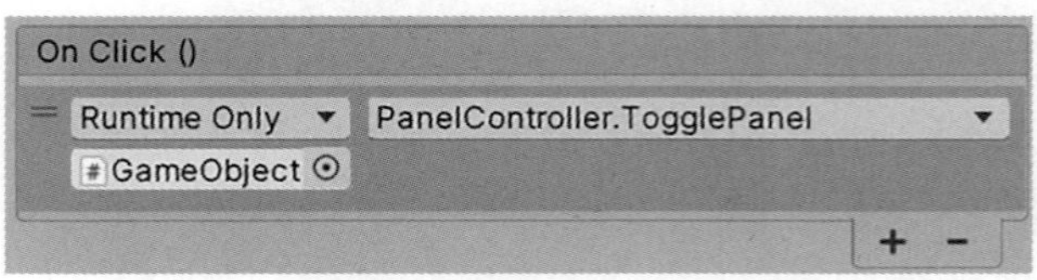

图 7-37　设置 Button 组件的 OnClick 事件

配置完毕后，当点击“设置”按钮时，将调用 TogglePanel 方法，从而切换“设置面板”的显示和隐藏状态，该脚本通过按钮点击来切换关联面板的可见性。

(2) 输入字段更新文本

在 Unity 中，通过 uGUI 系统，可以实现输入字段（Input Field）组件与文本变化的交互。同样以数字孪生交互界面“设置面板”为例，该方法可以实现对 IP 地址的更新，如图 7-38 所示。具体步骤如下：

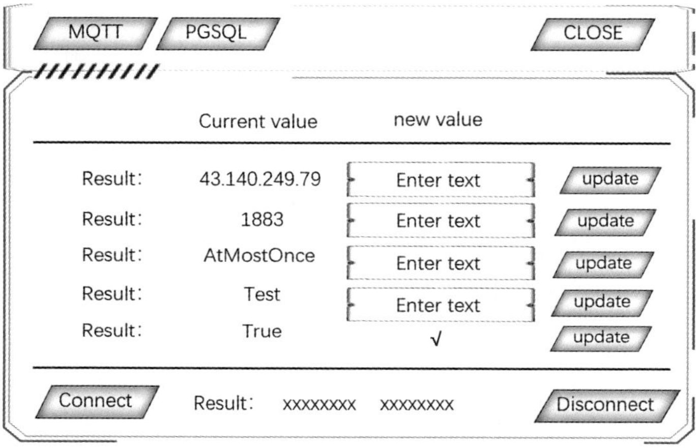

图 7-38 设置面板-IP 更新示例

① 创建 Input Field、Text、Button 组件。

在 Hierarchy 栏中右击，分别选择“UI→Input Field”“UI→Text”“UI→Button”以创建 Input Field、Text、Button 组件。

② 脚本编写。

首先在 Assets 栏中右击，选择“Create→C# Script”创建脚本文件，并将其重命名为“InputFieldController. cs”，确保脚本名称与类名相匹配。具体代码如下：

```
using UnityEngine;
using UnityEngine.UI;

public class InputFieldController : MonoBehaviour
{
    public TMP_InputField inputField; //需要输入的字段
    public TMP_Text displayText;     //用于显示文本的 TMP Text 组件

    //在按钮的 OnClick 事件中调用该方法,将输入字段中的文本显示在 Text 组
    件上
    public void UpdateDisplayText()
    {
        if (inputField !=null && displayText !=null)
        {
```

```
            //获取输入字段中的文本
            string newText = inputField.text;

            //将文本显示在 Text 组件上
            displayText.text = newText;
        }
    }
}
```

该代码使用的是 TMP 系统下的 Input Field 与 Text 组件，若要用回原生系统的 Input Field、Text 组件，删除 public 后“TMP _”即可。

③ 脚本配置。

与前面一致，首先需将编写好的 InputFieldController 脚本挂载（拖入）在已创建的 GameObject 上，然后将文本输入的 Input Field 组件与需要更新的 Text 组件拖入到 InputFieldController 脚本组件上，如图 7-39 所示。

图 7-39　输入字段脚本配置

④ 设置 Button 组件的 OnClick 事件。

首先在 Button 的 Inspector 栏中找到 OnClick 事件，点击“+”号，然后将挂载脚本的 GameObject 拖入到 OnClick 事件的相关区域，并在 Function 中通过“InputFieldController→UpdateDisplayText”调用该功能，如图 7-40 所示。

图 7-40　Button 组件配置

配置完毕后，在“设置面板”中，在 InputField 框中输入最新 IP 地址，点击按钮时，IP 地址将被更新。这个示例展示了如何使用 Unity 的 uGUI 系统来处理输入字段和文本之间的简单交互。

(3) 下拉菜单更新文本

在“设置面板”中，除去自定义的文本更新，部分选项文本固定，不支持自定义更新，需要用到下拉菜单组件（Dropdown），在有限的选项中更新文本。具体步骤如下：

① 创建 DropDown、Text 组件。

在 Hierarchy 栏中右击，分别选择“UI→Input Field”“UI→Text”“UI→Button”以创建 Input Field、Text、Button 组件。

② 脚本编写。

首先在 Assets 栏中右击，选择“Create→C# Script”创建脚本文件，并将其重命名为“DropdownTextUpdater.cs”，确保脚本名称与类名相匹配。具体代码如下：

```
using UnityEngine;
using UnityEngine.UI;

public class DropdownTextUpdater : MonoBehaviour
{
    public Dropdown dropdown;     //下拉菜单
    public Text displayText;     //显示文本的 Text 组件

    //在下拉菜单的 OnValueChanged 事件中调用该方法
    public void OnDropdownValueChanged()
    {
        if (dropdown !=null && displayText !=null)
        {
            //获取选中的下拉选项的文本
            string selectedOption = dropdown.options[dropdown.value].
            text;

            //更新显示文本
            displayText.text = selectedOption;
        }
    }
}
```

③ 脚本配置。

与前面一致，首先需将编写好的 DropdownTextUpdater 脚本挂载（拖入）在已创建的 GameObject 上，然后将设置好的 Dropdown 组件与需要更新的 Text 组件拖入到 DropdownTextUpdater 脚本组件上，如图 7-41 所示。

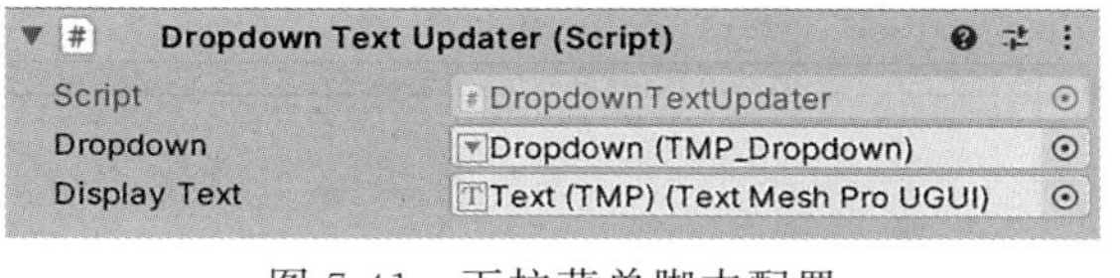

图 7-41　下拉菜单脚本配置

④ 设置 Dropdown 的 OnValueChanged 事件。

首先在 Dropdown 的 Inspector 栏中找到 OnValueChanged 事件，点击“+”

号，然后将挂载脚本的 GameObject 拖入到 OnClick 事件的相关区域，并在 Function 中通过“DropdownTextUpdater→OnDropdownValueChanged”调用该功能，如图 7-42 所示。

图 7-42　Dropdown 组件配置

设置完毕后，当下拉菜单的选项发生变化时，OnDropdownValueChanged 方法会被调用，从而更新显示文本。读者可以根据具体需求修改脚本中的文本更新逻辑。

7.4　人机交互建模实例

用户交互界面不仅是操作者与设备进行沟通的桥梁，更是实现高效、精准生产的重要支撑。本节将从需求分析与可视化形式分析、人机交互两个方面介绍智能压装设备的交互界面设计实例，来展示如何利用数字孪生技术提升用户体验和生产效率。

7.4.1　智能压装设备需求与可视化形式分析

智能压装设备交互界面设计的核心目标是将复杂的生产数据通过视觉化设计呈现给用户，确保生产的连续性和质量的可靠性。此外，还需要考虑操作的便捷性和安全性，以及系统故障时的快速诊断能力。

在对智能压装设备交互界面进行设计之前，首先要进行需求分析，需要深入探究操作人员在生产过程中的具体需求，确保所设计的界面能够满足生产环境中的各项要求。

7.4.1.1　质量指标

在智能压装设备数字孪生系统运行时，操作人员需要实时获取生产质量参数。从智能压装设备实际情况出发，在质量指标体系中选取设备运行状态指标进行可视化，主要包括设备实时压力图、压装设备虚拟实体姿态两方面。

(1) 实时压力

实时压力是指在某一时刻系统或设备所承受的物理或工作压力，该指标主要用于监测压机的负荷和性能，以及是否达到产品的质量需求。压机的实时压力值可以通过折线阶梯图来表示，如图 7-43 所示。

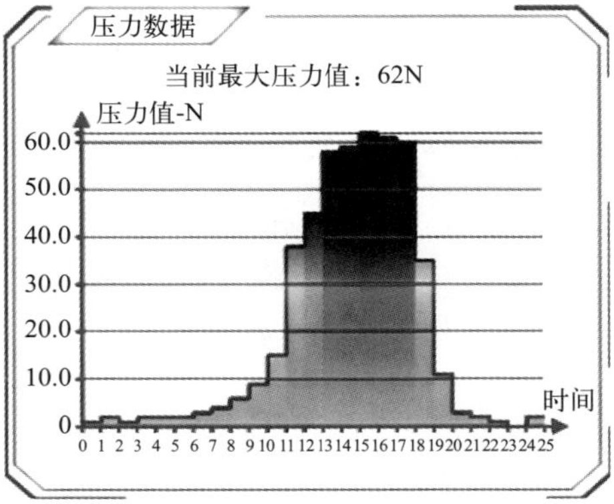

图 7-43 实时压力

(2) 虚拟实体姿态

虚拟实体姿态表示数字孪生系统中虚拟实体的方向和位置。该指标通过三维模型展示，用于直观地呈现实体在空间中的状态并进行实时交互。压机的虚拟实体姿态可以通过虚拟实体模型和动画来表示，如图 7-44 所示。

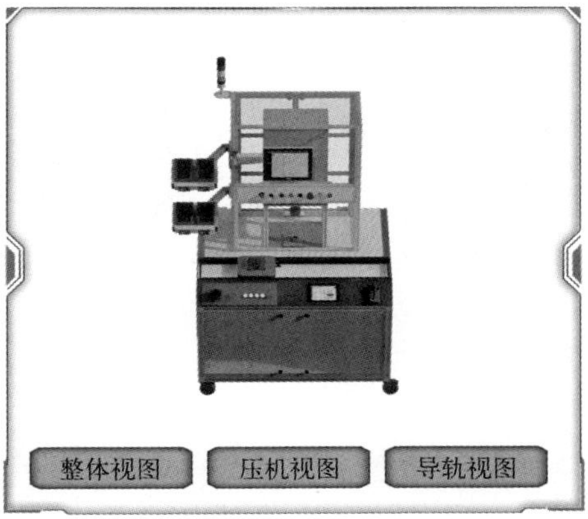

图 7-44 虚拟实体姿态

7.4.1.2 交期指标

交期指标用于评估产品或项目的交付时间。在智能压装设备人机交互模型的交期指标体系中，主要选取生产节拍进行可视化。

节拍是指流水线上连续生产相邻两件同种制品的时间间隔。实时节拍直接影响生产能力和效率，主要利用折线图来直观地展示实时节拍及其变化，如图 7-45 所示。

7.4.1.3 成本与效率指标

成本与效率指标涵盖了生产过程中的资源使用和效率，包括生产成本、劳动

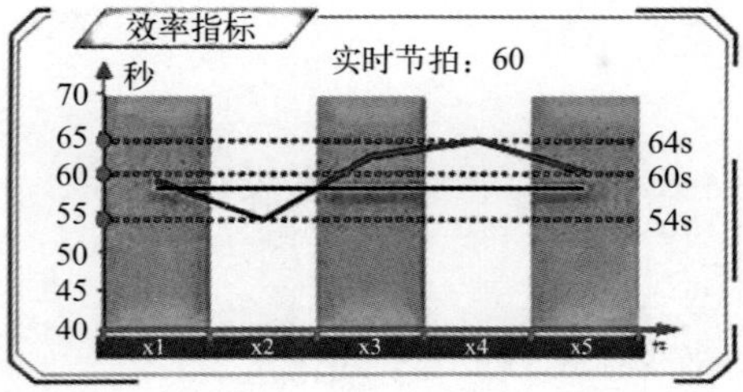

图 7-45　实时节拍

力成本、设备利用率、生产效率等。在智能压装设备人机交互建模中，主要使用安灯状态统计来表示平均故障时间、设备故障次数等参数。

安灯状态模块用于监测生产中的异常情况，如设备故障、生产停滞等。及时响应安灯信号有助于快速解决问题，提高生产效率。使用状态图标展示安灯监控信息，突出显示异常事件，便于操作人员迅速寻找和处理问题，示例如图 7-46 所示。

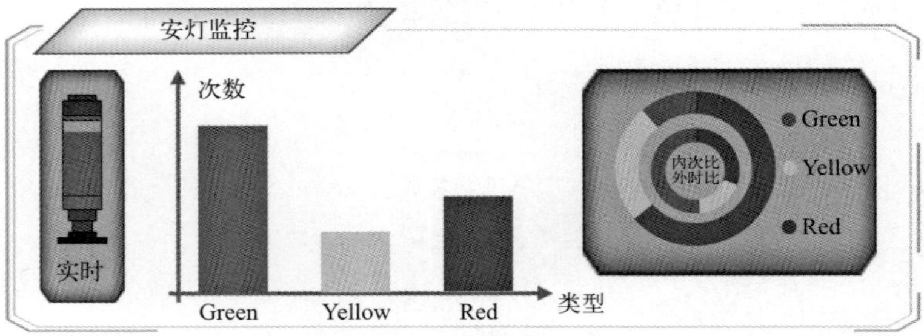

图 7-46　安灯状态统计

7.4.1.4　绿色与安全指标

绿色与安全指标关注环境可持续性和工作场所安全，包括能源使用效率、废物处理、二氧化碳排放等。在智能压装设备人机交互建模中，该项指标主要使用单位产品碳排放量来表示，包括 CO_2 排放当量、环境湿度等参数。

（1）CO_2 排放当量

CO_2 排放当量是指将生产工位在特定时间内消耗的能源（如电力、燃气）及相关非 CO_2 温室气体，按其全球变暖潜能统一折算为等效 CO_2 排放的总量。监测工位能耗有助于识别能源浪费。通过柱状图可直观对比不同工位或产品的单位 CO_2 排放当量，示例如图 7-47 所示。

（2）环境湿度

环境湿度表示生产场地或车间空气水汽的含量，主要通过传感器来收集。该指标对某些生产过程和设备性能具有重要影响。利用折线图可以直观展示实时湿

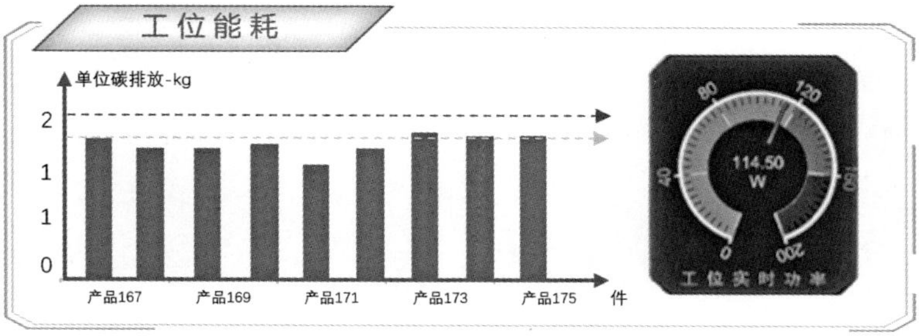

图 7-47　CO_2 排放当量

度以及历史数据，如图 7-48 所示。

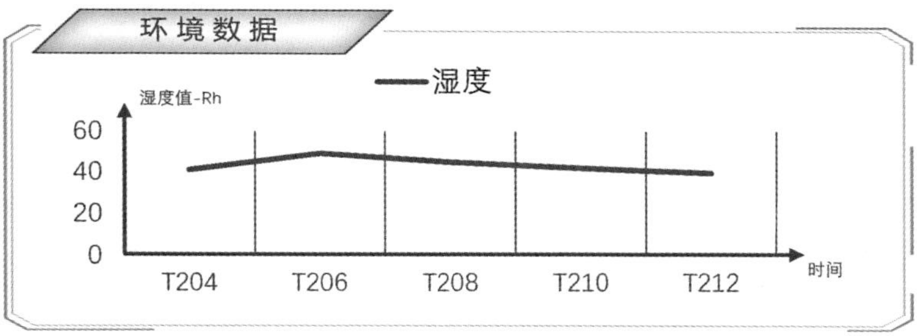

图 7-48　环境湿度数据

7.4.1.5　通用化需求

除上述指标体系外，智能压装设备人机交互建模还存在通用化需求，主要包括产品信息模块、事件日志以及配置界面设计。

(1) 产品信息模块

产品信息模块包含关于当前生产的产品的详细信息，如型号、图片、编号等。采用表格或卡片式布局展示产品信息，以便清晰呈现各项参数，示例如图 7-49 所示。

图 7-49　产品信息模块

(2) 事件日志

事件日志记录生产过程中的关键事件和操作，为生产过程提供完整的历史记录。这对于事后分析、故障排查和质量管理至关重要。利用时间轴或表格展示事件日志，按时间顺序排列，使用户能够追溯事件发生的时间和顺序，示例如图 7-50 所示。

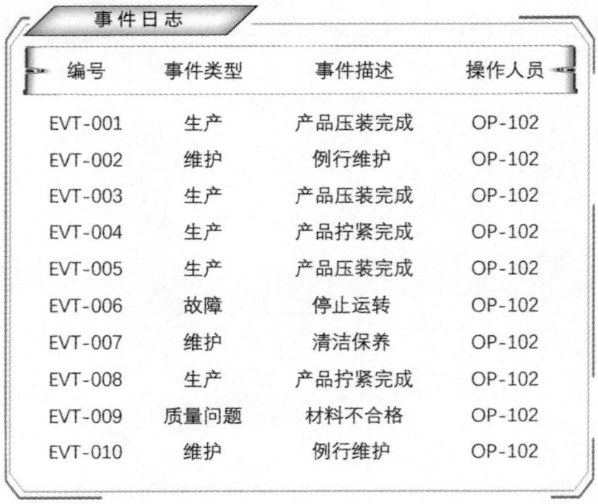
事件日志

编号	事件类型	事件描述	操作人员
EVT-001	生产	产品压装完成	OP-102
EVT-002	维护	例行维护	OP-102
EVT-003	生产	产品压装完成	OP-102
EVT-004	生产	产品拧紧完成	OP-102
EVT-005	生产	产品压装完成	OP-102
EVT-006	故障	停止运转	OP-102
EVT-007	维护	清洁保养	OP-102
EVT-008	生产	产品拧紧完成	OP-102
EVT-009	质量问题	材料不合格	OP-102
EVT-010	维护	例行维护	OP-102

图 7-50 事件日志

(3) 配置界面设计

系统配置主要包括服务器连接与数据交互，使用图标或颜色指示服务器连接状态，如绿色表示连接正常，红色表示连接断开。在启动智能压装设备数字孪生系统前，需要对系统进行基础配置，主要包括 MQTT 协议通信，包括 IP、端口配置等，以文本、输入框、按钮、下拉框的形式呈现；数据库连接，包括 IP、端口、密码等配置，以文本、输入框、按钮的形式呈现；产品信息，以图片、文字形式呈现。配置界面设计如图 7-51 所示。

7.4.2 智能压装设备人机交互建模

交互界面设计要考虑操作的直观性和效率，一个良好设计的界面能够将复杂的生产数据和操作流程简化，使操作人员能够迅速、准确地做出反应。

智能压装设备的交互界面采用模块化设计，每个模块针对不同的功能需求，整体界面采用了醒目的蓝色调背景，以科技感为主题，界面元素之间通过明显的边框进行分割，以保证信息的清晰性和易读性。

通过本书前文对图表插件的介绍，将各模块参数进行设置，并进行布局后，智能压装设备交互界面和配置界面如图 7-52、图 7-53 所示。

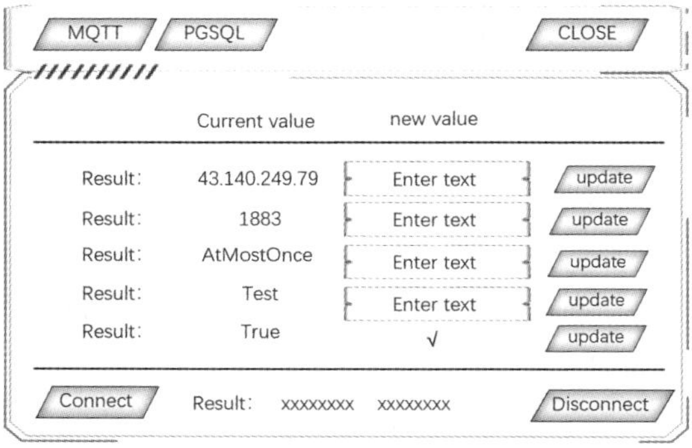

图 7-51 配置界面设计

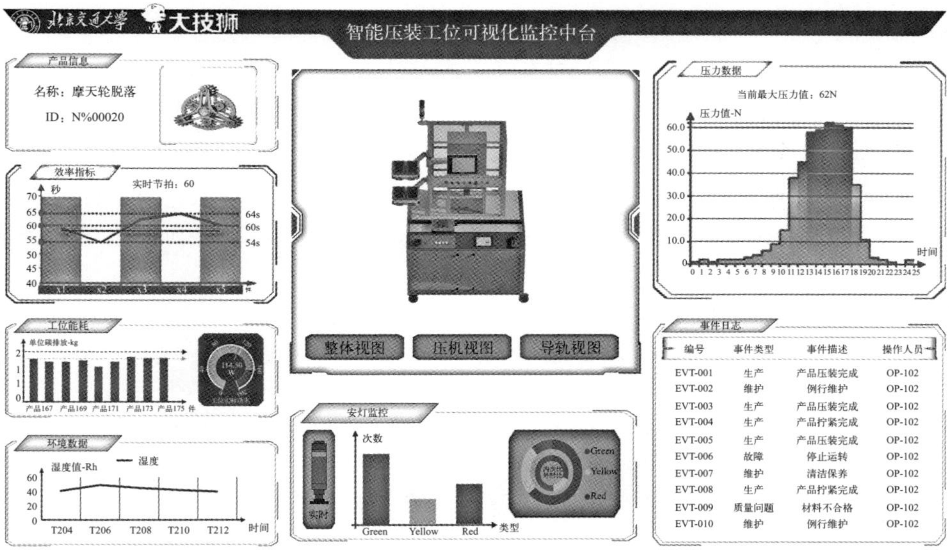

图 7-52 智能压装设备交互界面

（1）中心区域——设备 3D 模型与状态指示

界面中心是设备的虚拟实体，虚拟实体为操作人员提供直观的设备物理状态参考，并能以动画的形式实时同步设备状态，有三种视图可供选择。

（2）左侧区域——实时监控与数据分析

最上方为产品信息，主要显示当前加工产品的 ID、名称等信息；中间为产品实时节拍；紧邻其下方的是能耗监控区，通过柱状图和仪表盘展示能耗数据和实时功率读数；最下方展示当前的环境数据。

（3）底部区域——故障预警

此区域主要显示安灯的可视化模型以及状态指示灯。为操作人员提供了一个

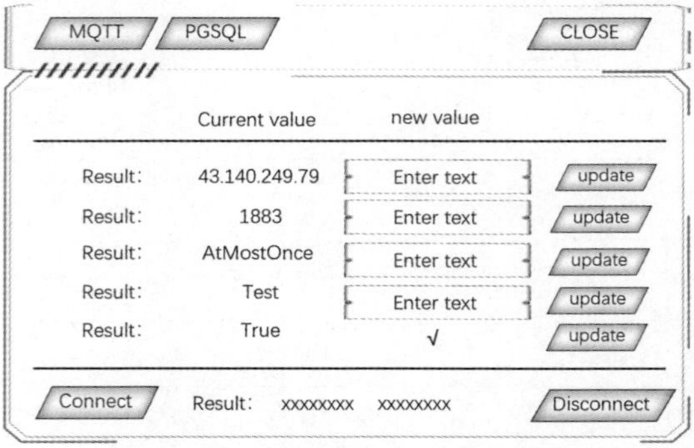

图 7-53　智能压装设备配置界面

直观的设备物理状态参考，指示灯（绿色、黄色、红色）反映了设备运行状态的良好、警告或错误信息。

(4) 右侧区域——性能分析与事件日志

上方是压力分布矩形图，提供关于设备压力的变化情况；下方为事件日志区，详细记录了设备运行中的关键事件，如故障、警告和操作错误等信息。

(5) 设置弹窗——配置界面

主要包括 MQTT 客户端 IP 地址、端口等以及数据库 IP 地址、端口、密码等设置，起到数据连接的作用。

参考文献

[1] 马靖，王译晨，赵明，等．基于数字孪生的生产单元可视化管控 [J]. 计算机集成制造系统，2021，27 (05)：1256-1268.

[2] 杰克逊．Unity UI 设计 [M]. 张骞，译．北京：清华大学出版社，2017.

[3] Issa T, Isaias P. Usability and human-computer interaction (hci) [M]. Sustainable Design: HCI, Usability and Environmental Concerns. London: Springer London, 2022: 23-40.

[4] 吕云翔，宋任飞，白甲兴．UI 设计与应用 [M]. 北京：清华大学出版社，2017.

8

数据驱动的工业数字孪生系统虚实映射

随着信息技术和工业自动化的不断发展，制造业正经历着一场数字化转型的浪潮。数字孪生作为这一变革的关键驱动力，为制造业带来了前所未有的机遇。通过数字孪生，制造企业可以在虚拟环境中对实际设备、生产流程进行精准建模，实现对整个制造过程的可视化、实时监控与优化。

实现工业制造系统数字孪生虚实联动并非轻松的任务。其中一个重要而又复杂的问题是如何将工业现场的多样化数据无缝地引入数字孪生平台。这涉及实时数据的传输、数据库的集成、设备间的通信等多个方面，需要深入研究和实践。

为了解决这些问题，本书将以 Unity 引擎为基础，充分发挥其强大的图形渲染和物理引擎的能力，再依托美擎的快速建模能力，实现工业制造系统数字孪生的系统集成和虚实联动。Unity 不仅仅是一款用于游戏开发的引擎，更是一个多用途的开发平台，为数字孪生的实现提供了理想的工具。

8.1 工业数字孪生系统虚实映射概述

数字孪生是一项前沿技术，利用 Unity 引擎可实现虚拟与实际制造环境的无缝联动。Unity 引擎作为关键的实现平台，通过其先进的图形渲染和物理引擎，为数字孪生的建模、监控和优化提供了可靠支持。在实现虚实联动的过程中，关键技术包括多种数据接入方式，如 MQTT 通信、ODBC 通信、OPC UA 通信和 IP 相机视频流的处理，确保实际生产数据准确传递到虚拟环境中。数字孪生实现虚实联动的框架如图 8-1 所示。

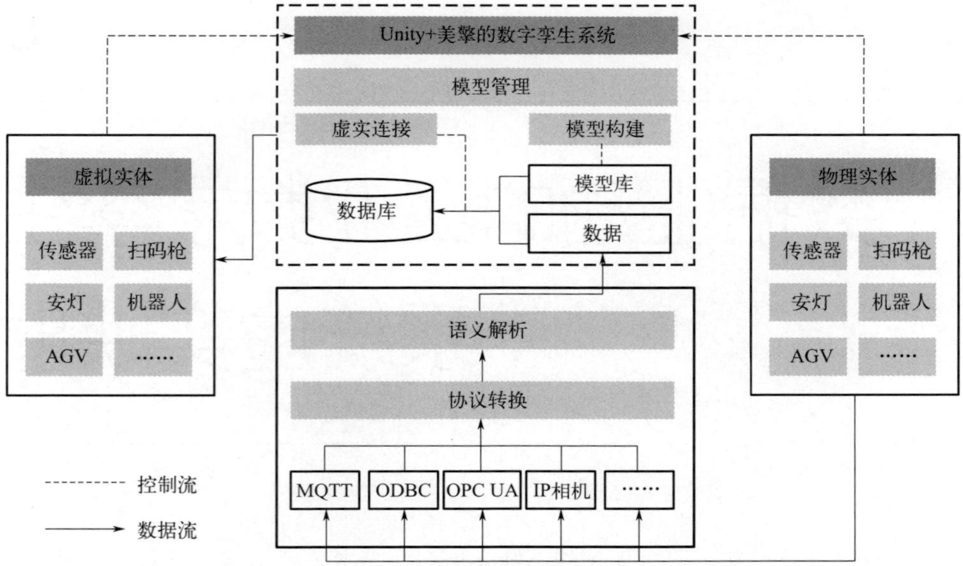

图 8-1 虚实联动框架

通过 Unity 引擎的实时模拟、监控和用户交互功能，操作人员能够在虚拟环境中对实际生产过程进行实时调整与优化，提高生产效率。本章将全面介绍在 Unity 平台上实现工业现场数据接入的关键技术方案，包括：

① MQTT 通信。MQTT 是一种轻量级的、开放的物联网通信协议，广泛应用于设备之间的实时通信。本章将深入研究如何在 Unity 中开发 MQTT 通信，以实现设备间以及设备和数字孪生平台间数据的高效传输。

② ODBC 通信。ODBC 是一种用于数据库访问的标准接口，通过它可以将工业制造系统中的数据库数据与 Unity 平台进行无缝集成。这将为数字孪生平台提供更加丰富的数据支持。

③ OPC UA 通信。讨论如何在 Unity 中应用 OPC UA 通信，以实现工业设备与数字孪生平台的无缝连接。

④ IP 相机视频流通信。指导读者如何在 Unity 中接入 IP 相机的视频流，实现对生产过程的实时监控与分析。

美擎可以构建数字孪生模型，对物理世界进行数字化建模，实现现实世界与数字虚拟世界的融合。也通过数据接口实现数字孪生模型与现实世界的交互，收集并处理数据，实时监控物理世界的状态和变化。美擎提供了丰富的接口和大量的几何模型，可实现高效快速的模型构建和数字孪生模型的集成。通过深入学习本章内容，读者将更好地理解数字孪生的本质，掌握在 Unity 引擎和美擎中构建虚实联动的关键技能，为数字化制造的未来做好准备。

8.2　实时数据驱动的虚实映射技术

本节针对实现数字孪生所需的各种数据来源，包括 MQTT、OPC UA、数据库和 IP 相机等，介绍其基本原理以及如何在 Unity 中开发相应客户端、实现数据接入。

8.2.1　MQTT 通信

8.2.1.1　协议概述

消息队列遥测传输协议（Message Queuing Telemetry Transport，MQTT）是一种基于发布/订阅（Publish/Subscribe）模式的轻量级协议，该协议构建于 TCP/IP 协议之上。MQTT 的最大优点在于，用极少的代码和有限的带宽，为连接远程设备提供实时可靠的消息服务。作为一种低开销、低带宽占用的即时通信协议，其在物联网、小型设备、移动应用等方面有较广泛的应用。

在 MQTT 协议中有发布者（Publisher）、消息代理服务器（Broker）、订阅者（Subscriber）3 种通信身份。MQTT 消息的发布者和订阅者都是客户端，消息代理服务器作为中转服务器，负责接收发布者发布的消息，并将消息传递给该主题的订阅者。消息的发布者也可以同时是该主题的订阅者。MQTT 的通信结构如图 8-2 所示。

图 8-2　MQTT 通信结构

MQTT 协议的数据通信以消息发布-订阅的形式进行，MQTT 传输的消息包含主题（Topic）和负载（Payload）两部分。其中，主题可以理解为消息的类型，订阅者订阅后，就会收到该主题的内容；负载可以理解为消息的内容，是订阅者具体关注的部分。

一个系统中有些信息非常重要，我们需要确保这类重要信息可以准确无误地发送和接收。如果有些信息在传输中丢失但是不会影响系统的运行，则相对不那么重要。MQTT 服务质量（Quality of Service，QoS）正是用于表示哪些信息是重要信息，需要准确无误地传输；哪些信息不那么重要，即使丢失也没有问题。在消息稳定传输的需求下，MQTT 提供了三种不同层次的 QoS。

QoS0：表示发送方发送一条消息，接收方最多收到一次，发送失败则不再发送。对于发送方，只需要发送一次消息，不关心对方是否收到。

QoS1：表示发送方发送消息，需要保证接收方至少接收到一次消息。如果一开始发送失败，发送方会继续发送直到接收方成功接收消息为止，容易导致接收方收到重复的消息。

QoS2：表示发送方发送一条消息，确保接收方能收到且只收到一次消息。发送方发送失败后会继续发送，在接收方接收到消息后停止发送，同时保证接收方没有重复消息，但是性能开销相较于 QoS0 和 QoS1 较大。

此外，MQTT 协议也采用会话（Session）机制。会话指的是每个客户端与服务端建立连接后形成的对象，可用来支持客户端与服务端交互状态的控制。会话存在于一个网络之间，也可能存在于客户端和服务器之间的网络中。客户端与服务端的断开连接，并不会影响连接时生成的会话对象。当客户端下线后，会话仍存在，同时服务端能正常接收来自其他客户端发布的消息，将接收到的消息存储至会话中，等到客户端重新连接后，服务端会自动地向客户端推送会话中存储的历史消息，因此 MQTT 的会话机制可支持客户端接收离线消息功能的开发。

8.2.1.2 MQTT 的服务器搭建

前文提到，实现 MQTT 通信即是解决 MQTT 客户端与服务器之间的信息交互问题，服务器分为云服务器和本地服务器两类。在实际应用中，通常采用云服务器。不同 MQTT 服务器不会影响开发，读者可以根据自身需要购买阿里云等厂家的云服务器。但是，为了方便后续客户端的开发测试，本书简单介绍本地服务器的搭建方法。

本节采用免费开源 EMQX 中间件来搭建 MQTT 本地服务器。EMQX 是一款大规模分布式物联网 MQTT 服务器，单集群支持 1 亿物联网设备连接，消息分发时延低于 1ms，开放源代码、高性能、低延迟、高可用，可支持海量连接和 MQTT5.0 协议等。下面将介绍基于 EMQX 的 MQTT 本地服务器搭建过程。

（1）下载与安装

进入 EMQX 官网下载程序安装包，将安装包解压到某个文件夹路径下（路径最好不要包含中文字符），以管理员身份运行 cmd 程序，使用 cd 命令指向程序安装包里 bin 文件夹的绝对路径 C：\ emqx-5.3.0-windows-amd64 \ bin（笔者将下载的压缩包解压放在 C 盘根目录，读者应根据自己的文件路径输入），如图 8-3 所示，按下回车键，然后在出现的 C：\ emqx-5.3.0-windows-amd64 \ bin>右侧输入“emqx.cmd start”，若下方出现图 8-3 所示相应内容即表示完成 EMQX 中间件安装。

（2）验证

安装结束后，打开浏览器（建议不要使用传统的 IE 浏览器，可以用谷歌浏览器等）进行验证，在网页地址输入栏输入 http：//127.0.0.1：18083，127.0.0.1 代表计算机本地，若出现图 8-4 所示界面就代表 MQTT 服务器已经

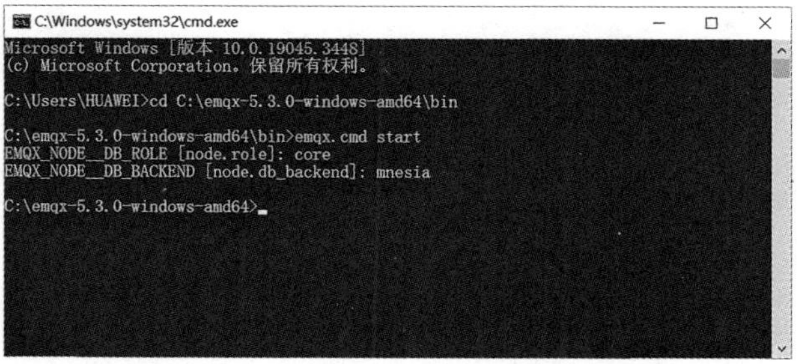

图 8-3　EMQX 中间件的安装

成功安装至本地计算机（相当于本地计算机为 MQTT 服务器）。初始账号和密码分别为 admin、public，登录后查看 MQTT 服务器的相关数据，如图 8-5 所示。读者可参考 EMQX 官方文档进一步学习。

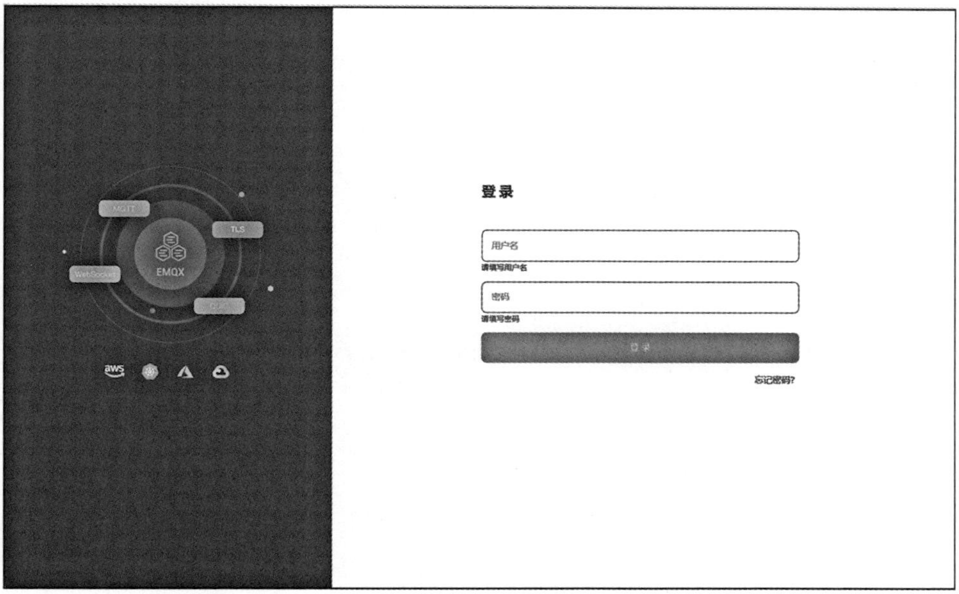

图 8-4　MQTT 服务器登录界面

8.2.1.3　Unity3D 引擎 MQTT 客户端开发

本节重点关注 MQTT 客户端，MQTT 客户端是实现 MQTT 协议的软件程序，用于与 MQTT 代理服务器通信，实现消息发布、订阅、连接管理等功能。一个 MQTT 客户端应该具有的基本功能包括：

① 连接服务器。MQTT 客户端能够建立与 MQTT 代理服务器的连接。这是初始化与服务器的通信，允许客户端发送和接收消息的第一步。连接功能可能包括指定服务器地址、端口和身份验证等。

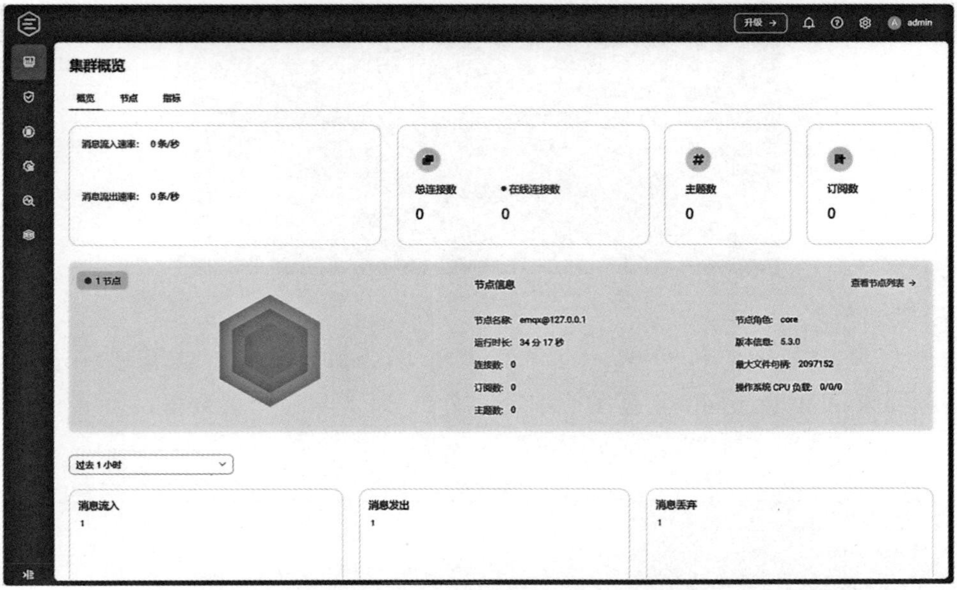

图 8-5　MQTT 服务器 Dashboard 面板界面

② 断开服务器。客户端具有断开与 MQTT 代理服务器的能力。这是终止与服务器的通信，释放资源，确保在不需要时不会保持连接，以节省资源和维护。

③ 发布消息。MQTT 客户端能够将消息发布到特定主题（Topic）。这意味着客户端可以将信息发送到服务器，并指定一个或多个订阅者应该接收该信息。消息可以包含任何形式的数据，例如传感器读数、控制指令等。

④ 订阅主题。客户端能够订阅特定主题，以接收该主题下的消息。通过订阅特定主题，客户端可以保持对特定信息流的实时关注，以便在信息可用时做出相应的响应。

⑤ 解除订阅主题。MQTT 客户端可以取消对特定主题的订阅。这允许客户端停止接收特定主题下的消息，适应需求的变化或者停止关注某些信息流。

⑥ 消息接收和处理。客户端可以接收订阅的主题下的消息，并基于业务逻辑进行处理。这可能包括数据解析、状态更新、通知其他系统或用户等操作，确保接收到的消息得到适当的利用。

这些功能集合使得 MQTT 客户端成为一个强大、灵活、可定制的工具，适用于各种实时通信和物联网应用场景，为客户端和服务器之间的高效通信提供了关键的支持。下面将介绍在 Unity3D 中使用 C# 开发 MQTT 客户端的具体方法。

首先，需要安装面向 Unity3D 引擎的 MQTT 支持库。Unity3D 采用的 C# 框架为 .NET Standard 2.1（也可以调整），导致 Unity3D 引擎对外来库存在版本号与依赖项等方面的要求，不同 Unity3D 引擎版本对库的要求有可能不一样，建议读者采用本书所用的 Unity3D 引擎版本，防止 Unity 报错。如果产生报错，则需要读者根据报错信息来修补因库产生的问题。本书 Unity3D 引擎版本为 2021.3.4f1 LTS。本书选取 MQTTnet 库，进入 NuGet 官网搜索 MQTTnet，选择“MQTTnet by chkr1011”，点击网页右侧“Download package”进行下载，如图 8-6 所示。

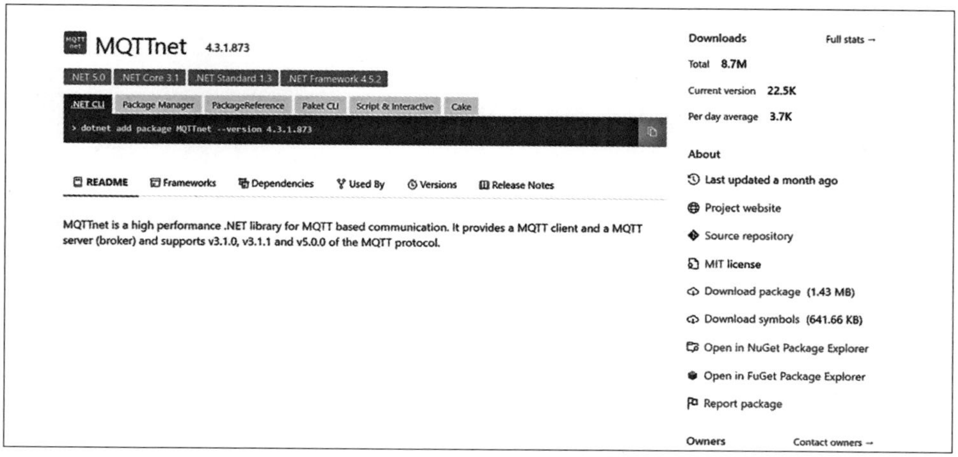

图 8-6 MQTTnet 库下载

下载后文件后缀名为.nupkg，它本质是压缩文件，可以把后缀名.nupkg 改成譬如.zip 等其他压缩文件后缀名进行解压。在解压文件的 lib 文件夹中有很多不同版本的文件夹，选取 net452 文件夹，里面有 MQTTnet.dll 和 MQTTnet.xml 文件。新建一个 Unity3D 项目，将 MQTTnet.dll 文件导入 Unity3D 的 Assets，若控制台未输出报错消息，即可进行 MQTT 客户端开发。除此之外，可查看 MQTTnet.xml 文件，里面包含对 MQTTnet.dll 库里各个元素的详细说明，类似于库使用说明书。

完成 MQTTnet 库导入后，在 Unity3D 项目里新建一个脚本进行 MQTT 客户端的开发。本节将围绕前面提到的连接 MQTT 服务器、断开 MQTT 服务器、订阅指定主题、解除订阅指定主题、给指定主题发布消息、从服务器接收和处理消息六大基础功能介绍开发代码。

① 引用命名空间。在现有命名空间的基础上添加以下五个必备命名空间语句：

```
using MQTTnet;
using MQTTnet.Client;
using MQTTnet.Protocol;
using System.Threading.Tasks;
using System;
```

② 定义 MQTT 相关字段，包括：客户端对象及名称、服务器地址、服务器端口号、服务质量、是否保留会话、主题列表，代码如下：

```
//MQTT 的 unity 客户端
MqttClient mqttClient;
//客户端名称
[SerializeField] private string mqttClientID = "unity3DMqttConnecter";
//MQTT 服务器地址
[SerializeField] private string mqttServerIP = "127.0.0.1";
//MQTT 服务器端口号
[SerializeField] private int mqttServerPort = 1883;
//服务质量为 1
[SerializeField] private MqttQualityOfServiceLevel QualityOfService =
MqttQualityOfServiceLevel.AtLeastOnce;
//是否保留会话
[SerializeField] private bool isSaveSession = false;
    //MQTT 主题列表
[SerializeField] private List<string> topicsList = new List<string>();
```

③ 连接 MQTT 服务器功能实现。定义一个名为 ConnectMqttServer() 的方法，代码如下：

```
public void ConnectMqttServer()
{
    //unity 客户端连接 MQTT 服务器
    if (mqttClient == null) return;
    MqttClientOptions config = new MqttClientOptionsBuilder()
        .WithTcpServer(mqttServerIP, mqttServerPort)
        .WithWillQualityOfServiceLevel(QualityOfService)
        .WithClientId(mqttClientID)
        .WithCleanSession(isSaveSession)
        .Build();
    mqttClient.ConnectAsync(config);
}
```

该方法在客户端不为空的情况下执行，采用 MQTTnet 库提供的 MqttClient OptionsBuilder() 类参数构造器中以 With 为开头的函数，以及前文定义好的参数，来进行连接配置构造工作。WithTcpServer 中第一个参数为 MQTT 服务器的 IP 地址，第二个参数为端口号；WithWillQualityOfServiceLevel 用于配置客户端连接服务端所采用的服务质量水平；WithClientId 用来表示客户端在 MQTT 服务器中的身份信息；WithCleanSession 用来设定会话是否被清空，默认为 true，若希望客户端重新上线服务端后继续接收离线状态下未收到的消息，可设置为 false；Build() 函数完成连接配置参数的构造。配置好的信息地址传入 config 变量中，然后用 client 自带的异步连接函数 ConnectAsync 进行 MQTT 连接。

④ 断开连接服务器功能的实现。定义一个名为 DisconnectMqttServer() 的方法，代码如下：

```
public void DisconnectMqttServer()
{
    //客户端断开连接
    mqttClient? .DisconnectAsync();
}
```

采取异步的方式来中断，无须参数传入（特别说明，建议 Unity3D 开发中，编辑器退出运行状态之前执行中断连接语句）。

⑤ 订阅指定主题功能的实现。定义一个名为 SubTopicMessage（string topic）的方法，具体代码如下：

```
public void SubTopicMessage(string topic)
{
  MqttClientSubscribeOptions options = new MqttClientSubscribeOptions
Builder()

        .WithTopicFilter(topic, qualityOfService)
        .Build();
  mqttClient? .SubscribeAsync(options);
}
```

与连接服务器实现方式基本一致，只是参数构造器采用的是 MqttClientSubscribe OptionsBuilder 类，最后调用 client 里自带的 SubscribeAsync 函数，传入构造好的订阅配置参数即可完成订阅。

需要说明的是，此方法一次只能订阅一个主题，如果读者希望一次性订阅主题列表里的所有主题，可以使用以下代码：

```
public void SubTopicMessage()
{
    if (topicsList.Count = =  0 || mqttClient = =  null) return;
    foreach (string topic in topicsList)
    {
        MqttClientSubscribeOptions options = new MqttClientSubscribe
OptionsBuilder()
        .WithTopicFilter(topic, qualityOfService)
        .Build();
        mqttClient? .SubscribeAsync(options);
    }
}
```

⑥ 解除订阅指定主题功能实现。定义一个名为 UnSubTopicMessage() 的方法，具体代码如下：

```
public void UnSubTopicMessage(string topic)
{
    MqttClientUnsubscribeOptions options = new MqttClientUnsubscribe
OptionsBuilder().WithTopicFilter(topic).Build();
    mqttClient? .UnsubscribeAsync(options);
}
```

实现过程与订阅功能相同，此处不再赘述。

⑦ 向指定主题发布消息功能实现。定义一个名为 SendMessageToTopic (string topic，string payload) 的方法，具体代码如下：

```
public void SendMessageToTopic(string topic, string payload)
{
    //向指定主题发布消息
    MqttApplicationMessage message = new MqttApplicationMessageBuilder()
        .WithTopic(topic)
        .WithPayload(payload)
        .WithQualityOfServiceLevel(QualityOfService)
        .Build();
    mqttClient? .PublishAsync(message);
}
```

与其他功能的实现方式基本一致，只是参数构造器采用的是 MqttApplicationMessageBuilder 类，使用 PublishAsync 函数以异步的方式发布信息。Unity 客户端执行此方法后，服务器就能收到 Unity 客户端发布的消息，并将此消息发给订阅此主题的客户端。

⑧ 从服务器接收和处理消息功能的实现。定义一个名为 MqttClient_ApplicationMessageReceived (MqttApplicationMessageReceivedEventArgs arg) 的方法，方法内部的具体处理代码需要读者根据自身需求编写，基本代码结构如下：

```
private Task MqttClient_ApplicationMessageReceived(MqttApplication
MessageReceivedEventArgs arg)
{
    //消息处理,根据需求编程
    string topic = arg.ApplicationMessage.Topic; //获取消息的主题
    string payload = arg.ApplicationMessage.ConvertPayloadToString();
    //获取消息的内容并将其转化为字符串
    //*** 在此处编写消息处理代码 *** //
    return Task.CompletedTask;
}
```

完成方法编写后，使用委托将此方法添加到 client 字段里自带的名为“ApplicationMessageReceivedAsync”的事件，表示当客户端接收到消息后就触发执行 MqttClient _ApplicationMessageReceived 方法（此函数命名可根据读者自身需要来自定义），代码如下：

```
mqttClient.ApplicationMessageReceivedAsync + = MqttClient_Application
MessageReceived;
```

以上只是实现客户端的各个功能的核心代码，读者需要根据实际需求进行进一步配置，如连接功能放在 Awake 方法里，中断、发布，订阅、解除订阅等功能的触发放在 Update 里，并采用一定的判断条件加以约束。读者可参考下面的代码来测试搭建的客户端是否可用：

```
private void Awake()
{
    if (mqttClient = = null)
    {
        //使用 new 关键字实例化 unity 客户端
        mqttClient = new MqttFactory().CreateMqttClient() as MqttClient;
        //连接服务器事件
        mqttClient.ConnectedAsync + = MqttClient_Connected;
        //断开服务器事件
        mqttClient.DisconnectedAsync + = MqttClient_Disconnected;
        //收到消息事件
        mqttClient.ApplicationMessageReceivedAsync + = MqttClient_
ApplicationMessageReceived;
    }
}

private void Update()
{
    //使用按键触发
    if (Input.GetKeyDown(KeyCode.C)) ConnectMqttServer();
    if (Input.GetKeyDown(KeyCode.D)) DisconnectMqttServer();
    if (Input.GetKeyDown(KeyCode.S)) SubTopicMessage();
    if (Input.GetKeyDown(KeyCode.U)) UnSubTopicMessage();
    if (Input.GetKeyDown(KeyCode.Space)) SendMessageToTopic(topics
List[0].ToString(), unityMessage);
}
```

分别使用委托给连接服务器、断开服务器、收到消息事件添加相关方法，便于在控制台观察运行情况。另外，使用按键触发相关方法的执行，读者可使用前文搭建的 MQTT 本地服务器监测客户端的运行情况。

8.2.2　数据库通信

数据库（Database）是指存储数据的容器，也被称为数据存储库（Data

Store)。数据库能够存储大量结构化和非结构化的数据，包括文本、数字、图像、音频等各种类型的数据。数据库在各种应用中广泛应用，包括企业、Web和移动应用，常见的数据库系统有 MySQL、Oracle Database、Microsoft SQL Server 和 PostgreSQL 等，用户可以使用查询语言（如 SQL）与数据库交互，执行检索、更新和管理操作。

数字孪生通信中存在与企业数据库相连获取需要数据的行为，为了解决因数据库类型、品牌等不一致对开发连接要求不同产生的不便问题，同时考虑到开发目标平台为 Windows 操作系统，本节拟采用 ODBC 工具来完成对各个数据库系统的集成引用。

8.2.2.1　协议概述

ODBC（Open Database Connectivity）是一种开放标准的数据库连接接口，它不关注是何种类型的数据存储系统，以及所使用的平台，只是为应用程序提供了统一、通用的方式来访问各种数据库系统。该标准化接口的设计旨在使应用程序能够跨多个数据库管理系统实现数据访问和操作，提高了数据管理的灵活性、可扩展性和互操作性。

ODBC 的架构基于客户端/服务器模型，主要由应用程序、ODBC 驱动程序管理器、ODBC 驱动程序和数据源组成，基于 ODBC 的数据库通信原理如图 8-7 所示。应用程序通过 ODBC API 发送 SQL 语句或命令，ODBC 驱动程序管理器负责将 API 调用转发给相应的 ODBC 驱动程序，而 ODBC 驱动程序则将 API 调用翻译为适用于特定数据库的命令，并执行相应的数据库操作。这种模型使得应用程序能够独立于底层数据库系统，从而实现数据库的可替换性和数据访问的透明性。

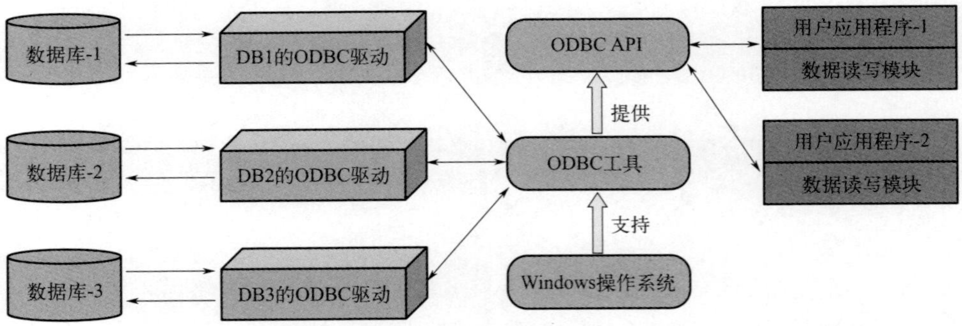

图 8-7　基于 ODBC 的数据库通信原理

大多数数据库系统均有相应 ODBC 驱动可供下载，如计算机内未安装则需要对照数据库系统，在官网下载 ODBC 驱动进行安装，或下载能够支持数据库的第三方 ODBC 驱动软件。启动驱动系统后，ODBC 管理工具以配置方式与数据库真实位置进行关联引用，同时设定能够标记数据库系统的唯一序列信息，以供后续用户应用程序开发使用。

ODBC 的优势在于它的跨平台性和数据库中立性。跨平台性使得应用程序可以在不同操作系统上运行，只需使用适当的 ODBC 驱动程序即可连接到数据库。数据库中立性使得应用程序可以使用相同的代码连接到不同类型的数据库，而无须修改应用程序代码。此外，ODBC 还提供了对数据库的高效访问和可靠性。它降低了应用程序开发的难度，使开发者能够专注于 SQL 语句和业务逻辑，而不必关心底层数据库系统的细节。这种标准化的接口对于构建复杂的信息系统、企业应用和数据驱动的应用程序至关重要。

总的来说，ODBC 作为一个通用、开放、灵活的数据库连接接口，为应用程序与多种数据库系统之间的无缝交互提供了可能。其优秀的设计理念和广泛的应用场景，使得 ODBC 在数据库管理、数据分析和信息系统开发等领域具有重要地位和广泛应用。

8.2.2.2 开发 ODBC 通信的准备

开发 ODBC 数据库通信模块之前，至少要完成三项准备工作：下载安装数据库系统、配置 ODBC 工具关联数据库、准备面向 Unity3D 引擎的 ODBC 相关支持库。

(1) 下载与安装数据库系统

为了能够更好地展示 ODBC 工具的集成性特点，本书示例中下载安装了两款数据库系统，分别是 PostgreSQL 和 MySQL。PostgreSQL 是一种特性非常齐全的对象关系型数据库管理系统（ORDBMS），是以加州大学计算机系开发的 POSTGRES 4.2 版本为基础的对象关系型数据库管理系统，其许可证十分灵活，任何人都可以以任何目的免费使用、修改和分发；MySQL 是一个关系型数据库管理系统，由瑞典 MySQL AB 公司开发，属于 Oracle 旗下产品，由于其体积小、速度快、总体拥有成本低，尤其是开放源码，一般中小型和大型网站的开发都选择 MySQL 作为网站数据库。

读者可在官网下载相关软件。需要提醒读者的是，在数据库安装过程中需要勾选 ODBC 驱动安装选项，若没有则可自行搜索查找 ODBC 驱动进行安装。安装完成后，新建数据库。在 PostgreSQL 里新建一个命名为“FriendsPostgreSQL”的数据库，接着在该数据库中新建一个命名为“samplesfordb_postgresql”的表格；在 MySQL 里新建一个命名为“friendsmysql”的数据库，在该数据库中也新建一个命名为“samplesfordb”的表格，每个表格可填入简单信息。

(2) 配置 ODBC 工具关联数据库

① 打开 ODBC 数据源（64 位）工具，如图 8-8 所示，点击右侧“添加”工具可弹出如图 8-9 所示界面，在这里可以选择 PostgreSQL Unicode（x64），若

要添加 MySQL 数据源，则需要重复以上操作并选择 MySQL ODBC 8.0 Unicode Driver。如果未发现需要的数据库类型名称，请检查数据库 ODBC 驱动是否安装成功。

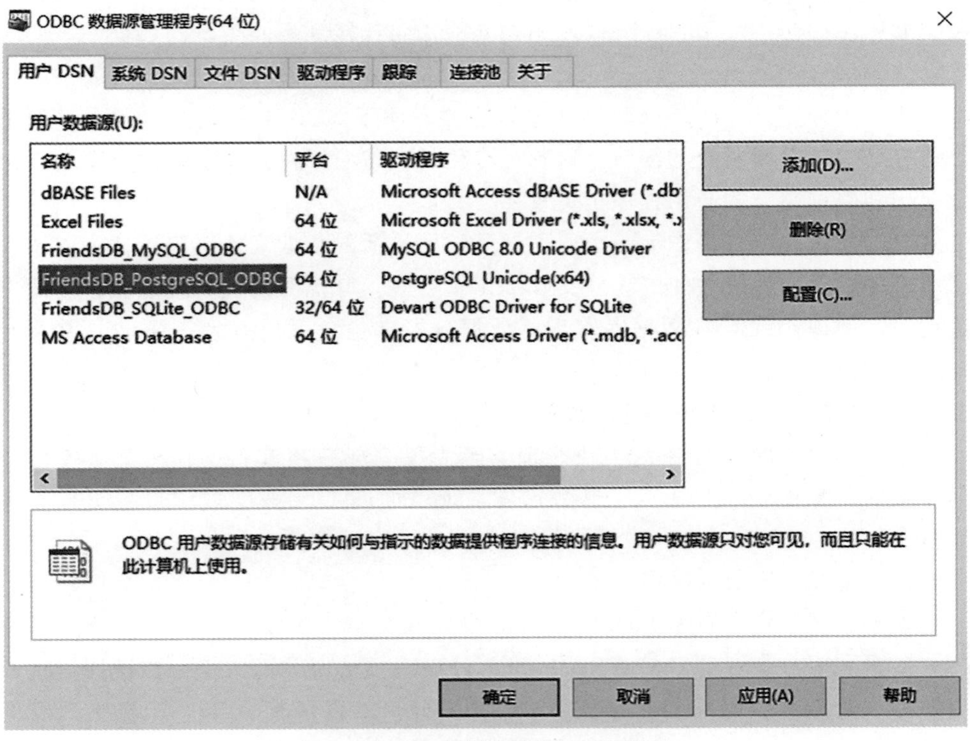

图 8-8　ODBC 数据源管理工具界面

② 在 PostgreSQL 数据库配置中，需要分别对 Data Source、Database、Server、Port、User Name 以及 Password 输入框进行设置。

• Data Source：内容可自定义，在这里输入“FriendsDB _ PostgreSQL _ ODBC”。

• Database：输入的是 PostgreSQL 系统里关联的数据库名称，区分大小写，必须和 PostgreSQL 里数据库名称保持完全一致，否则会出现关联失败。

• Server：输入数据库的 IP 地址，本书填写的是本地。

• Port：这里为 5432，需要和 PostgreSQL 设定保持一致。

• User Name 与 Password：输入数据库系统的账号密码。

③ 设置完成后点击“Test”按钮，若弹出如图 8-10 所示的连接成功提示框，则可继续点击“Save”按钮来完成 PostgreSQL 数据库的 ODBC 关联引用操作。

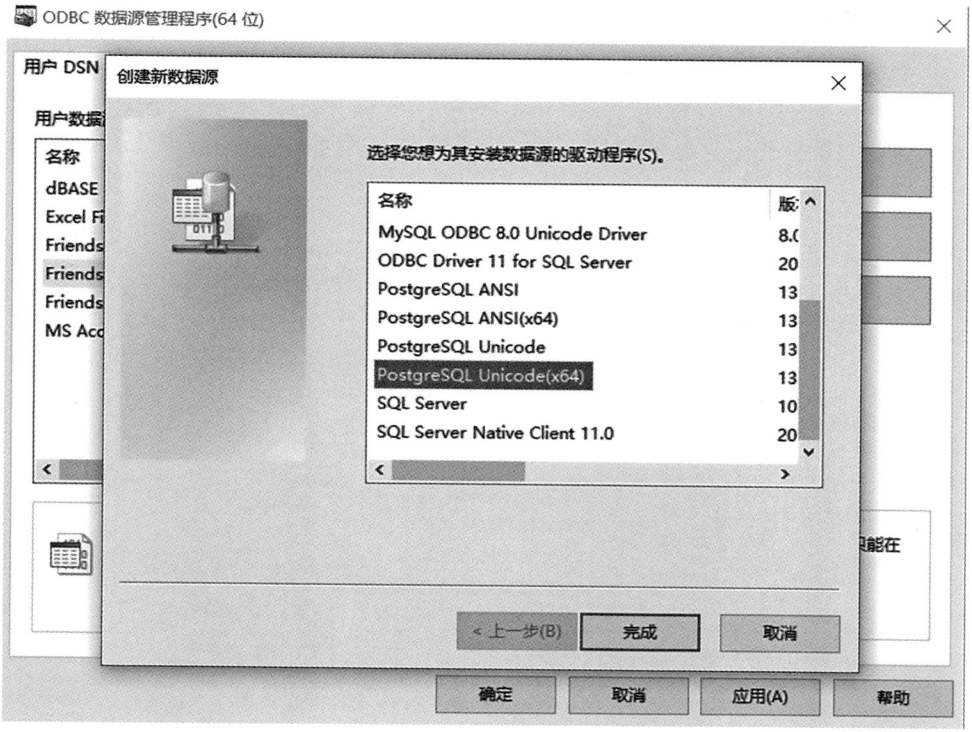

图 8-9　数据源类型选择

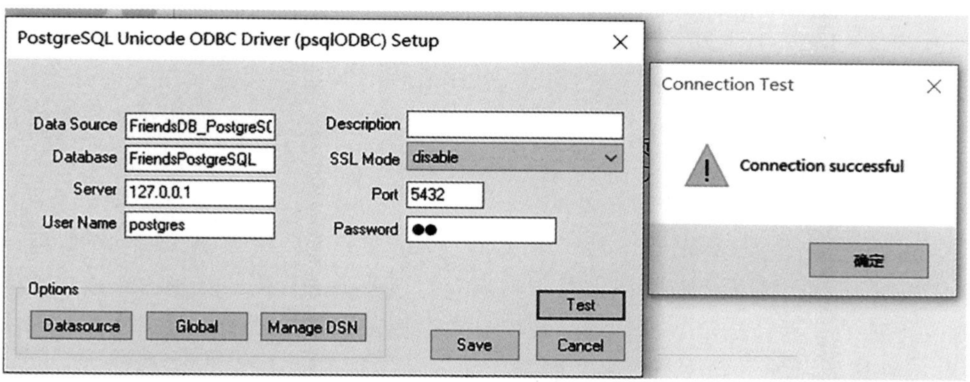

图 8-10　PostgreSQL ODBC 配置界面

MySQL 数据库的 ODBC 关联操作界面如图 8-11 所示，需要设置 Data Source Name、TCP/IP Server、Port、User 以及 Password 输入框。

- Data Source Name：内容可自定义，这里输入为“FriendsDB _MySQL _ODBC”。

- TCP/IP Server：输入数据库的 IP 地址，本书填写的是本地。
- Port：这里为 5432，需要和 PostgreSQL 设定保持一致。
- User 与 Password：输入数据库系统的账号密码。

设置完成后点击“Test”按钮，若成功，Database 下拉框可出现 MySQL 内部已存在的数据库，这时候我们可以选择第一个（之前新建的数据库），然后点击“OK”完成配置。

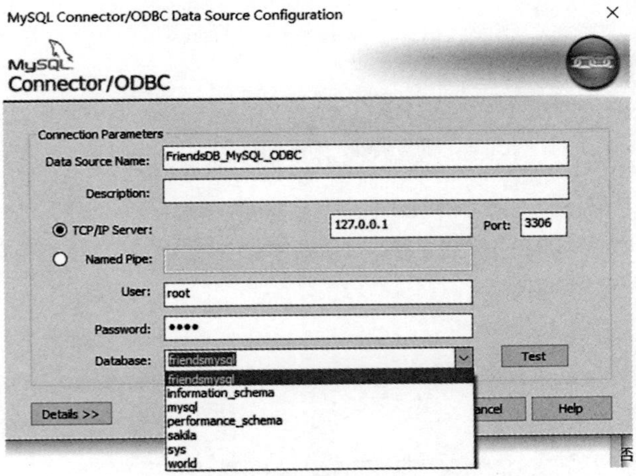

图 8-11 MySQL 数据库的 ODBC 关联操作界面

(3) 准备面向 Unity3D 引擎的 ODBC 相关支持库

本书选择的库为 System.Data.Odbc 库。在 NuGet 官网搜索 System.Data.Odbc，选择“System.Data.Odbc by dotnetframework Microsoft”，点击网页右侧“Download package”进行下载。将下载的文件资源后缀名改为 zip 进行解压，选择 lib 文件夹里 net462 文件夹里的 dll 库，将其导入 Unity3D 项目里，控制台不输出错误信息即可。

8.2.2.3 ODBC 客户端开发

完成上述开发准备工作后，需要在 Unity3D 项目里新建脚本来实现对 ODBC 的应用。本节将围绕四大基础功能介绍相关脚本代码，分别为：连接指定数据库功能、断开指定数据库连接功能、数据库数据读取功能、数据库数据写入（包括数据的添加、修改与删除）功能。

(1) 引用命名空间

新建脚本，保证存在以下三个命名空间，若出现引入失败，请检查 System.Data.Odbc 库是否正确导入 Unity 项目里。

```
using System;
using System.Data;
using System.Data.Odbc;
```

(2) 功能一和功能二

指定数据库的连接与断开。在准备工作中，ODBC 管理器分别给 PostgreSQL 和 MySQL 数据库设定了唯一标识名称，分别是“FriendsDB_PostgreSQL_ODBC”和“FriendsDB_MySQL_ODBC”，在连接数据库时，主要通过该名称来识别。连接指定数据库、关闭连接的关键代码如下：

```
//定义用来存储连接的字段
private OdbcConnection odbcConnection;
//连接 PostgreSQL 数据库,若要连接 MySQL,则需替换下行代码的字符串参数
odbcConnection = new OdbcConnection("DSN = FriendsDB_PostgreSQL_ODBC");
odbcConnection.Open();
//控制台输出连接的数据库名称
var dbName = odbcConnection.Database;
print(dbName);
//中断与 ODBC 的连接
odbcConnection.Close();
```

(3) 功能三

数据库数据读取，实现此功能需要定义一个查询方法，方法内部采用 ODBC 支持库提供的 read.Fill 方法将查询结果存储到表格变量里，最后输出想要的数据，具体过程如下。

① 封装函数支持数据的读取，传入的参数只需要一个符合 SQL 语法标准的字符串即可实现，函数内部代码如下：

```
//读取函数,返回数据集类型
private DataSet readFromDB(string sql)
{
    DataSet ds = new DataSet();
    OdbcDataAdapter read = new OdbcDataAdapter(sql,odbcConnection);
    read.Fill(ds);
    return ds;
}
```

② 通过 SQL 代码查询某个表，然后以字符串拼接的形式依次输出表中每一列的信息，代码如下：

```
string readSql =  "select * from samplesfordb_postgresql";
DataSet ds = readFromDB(readSql);
int rowNum = ds.Tables[0].Rows.Count;
int colNum = ds.Tables[0].Columns.Count;
string res = "";
for (int i = 0; i <rowNum; i+ + )
{
   for (int j = 0; j <colNum; j+ + )
   {
```

```
            res += ds.Tables[0].Rows[i][j].ToString() + "===";
        }
        print(res);
    }
```

(4) 功能四

数据库数据写入，实现此功能首先需要定义一个写入的方法，方法内部使用 ODBC 支持库提供的 OdbcCommand 方法对数据库进行操作，具体过程如下。

① 封装方法支持数据的写入，传入的参数只需要一个符合 SQL 语法标准的字符串即可实现，函数内部代码如下：

```
//写入函数,无返回值
private void writeToDB(string sql)
{
    OdbcCommand odbcCommand = new OdbcCommand(sql, odbcConnection);
    odbcCommand.ExecuteNonQuery();
}
```

② 实现数据库写入的代码需要一行字符串和一行写入函数，代码如下：

```
1. string writeSql = "update samplesfordb_postgresql set 年龄 = 12 where
姓名 = '小王'";
2. writeToDB(writeSql);
```

上述内容完成了 ODBC 在 Unity3D 中的实现与开发工作，读者可以在理解原理后根据需求加以修改，主要修改的部分应为 SQL 语句。

8.2.3 IP 相机视频流通信

8.2.3.1 IP CAMERA 概述

IP 相机（Internet Protocol Camera，IPC）是一种先进的数字化视频监控设备，基于网络通信协议。它具有高清晰度、远程监控、智能分析等特点，广泛应用于安防监控、智慧交通、工业自动化等领域。IP 相机通过网络传输视频和音频数据，利用网络连接，用户可以实时远程监视、录制和回放监控画面。其数字化特性使得图像质量更高，支持智能分析功能，如运动检测、人脸识别等，提高了监控系统的智能化水平。IP 相机可灵活布局，具备多画面显示、分屏等功能，满足不同监控需求。通过加密传输和权限控制等安全机制，保障视频数据的安全性。随着物联网和智能城市的发展，IP 相机将在未来扮演更为重要的角色，推动智能化监控系统的发展。

网络摄像机的基本原理是：图像信号经过镜头输入及声音信号经过麦克风输

入后，由图像传感器的声音传感器转化为电信号，A/D 转换器将模拟电信号转换为数字电信号，再经过编码器按一定的编码标准进行编码压缩，在控制器的控制下，由网络服务器按一定的网络协议送上局域网或 Internet，控制器还可以接收报警信号及向外发送报警信号，且按要求发出控制信号。IP 相机的硬件一般包括镜头、图像传感器、声音传感器、信号处理器、模/数转换器、编码芯片、主控芯片、网络及控制接口等部分，如图 8-12 所示。

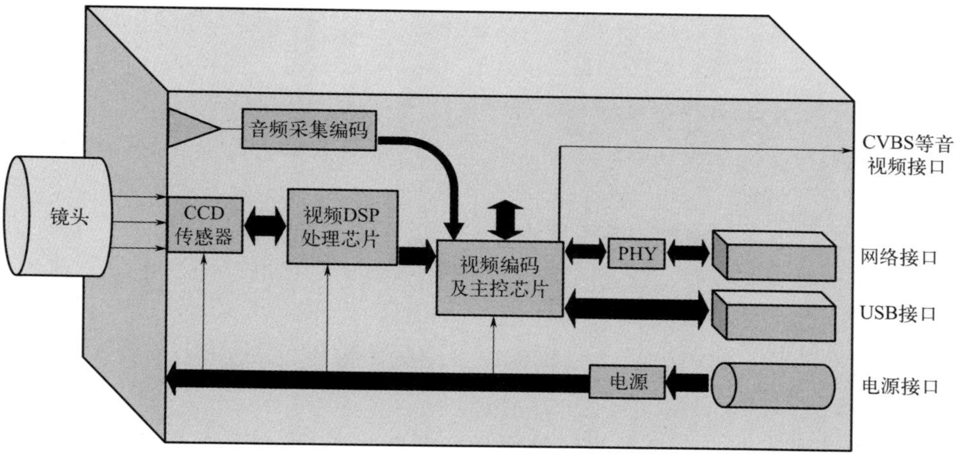

图 8-12　IP 相机硬件构成

① 镜头。镜头作为 IPC 的前端部件，有固定光圈、自动光圈、自动变焦、自动变倍等多种。

② 图像传感器。CCD 和 CMOS，目前主流 IPC 都是用 CMOS，高端场景采用 CCD。

③ 编码压缩。编码压缩部分的作用是对经过模/数转换后的数字信号，按一定的标准如 H. 264、H. 265 等进行编码压缩。编码压缩的目的是减少视频信息的冗余，利用更低的码流实现视频的网络传输及存储。

④ 主控部分。主控部分是整个 IPC 的核心控制单元，负责整个系统的调度工作，主控部分可以直接向编码压缩芯片发送命令，读取经过编码压缩的音视频数据并发送给网络模块进行传输。现在的主控基本采用了专用芯片 SoC，目前华为海思是较常见的 IPC 芯片提供商，主流 IPC 厂家海康和大华大部分 IPC 都采用海思方案。

⑤ 网络模块。网络模块提供 IPC 的网络功能，接收主控芯片的控制命令，将编码压缩后的视频发送到网络上去，或从网络接收控制命令，转发给控制模块实现 PTZ 控制。从主控芯片传送过来的数据通过网络模块转换成以太网物理层能够接收的数据，通过标准 RJ-45 网络接口传输到网络上去。通常 IPC 采用

RTP/RTCP、UPD、HTTP、TCP/IP 等网络协议，允许用户远程对 IPC 进行访问、参数修改、实时视频浏览及控制 PTZ 动作。目前的主控芯片也基本集成了这部分，所以现在的摄像机尺寸越来越小。

⑥ IP 相机软件。IP 相机的软件构成一般包括操作系统、应用软件、编码算法、底层驱动等几部分。IP 相机的稳定性非常重要，通常采用嵌入式 Linux 操作系统，其具有成本低、开放源码、安全性高及移植性好等优点，是目前 IP 相机的主流操作系统。

⑦ 设备驱动程序。IP 相机外设驱动程序包括 802.3 以太网 MAC 控制器、通用 I/O、I2S、AC97、SD/MMC 卡、LCD 显示控制器、视频捕获设备、硬盘控制器以及高速 USB 控制器等驱动程序。

⑧ 编码程序。音视频编码压缩，减少网络带宽需求。目前主流编码方式是 H. 265，同等清晰度下，比 H. 264 码流降低一半。

IP 相机的视频传输机制基于网络通信协议，主要步骤包括：

① 视频采集和编码。IP 相机通过图像传感器采集视频图像，经过处理和压缩编码（如 H. 264），转换为数字格式。

② 网络传输。编码后的视频数据通过网络传输协议（如 RTSP）实时传输到监控系统或存储设备。

③ 接收端处理。接收端接收到视频流后进行解码，恢复成可观看的视频图像。

通过这种简洁而高效的视频传输机制，IP 相机实现了高质量、实时的视频传输，广泛应用于监控、安防等相关领域。

8. 2. 3. 2 Unity3D 引擎接入相机画面的实现

本书使用的相机是海康威视生产制造的，它使用的网络传输协议是 RTSP（Real-Time Stream Protocol）。RTSP 协议是一个基于文本的多媒体播放控制协议，属于应用层。RTSP 以客户端方式工作，对流媒体提供播放、暂停、后退、前进等操作。该标准由 IETF 制定，对应的协议是 RFC2326。RTSP 作为一个应用层协议，提供了一个可供扩展的框架，使得流媒体的受控和点播变得可能，它主要用来控制具有实时特性的数据的发送，但其本身并不用于传送流媒体数据，而必须依赖下层传输协议（如 RTP/RTCP）所提供的服务来完成流媒体数据的传送。RTSP 负责定义具体的控制信息、操作方法、状态码，以及描述与 RTP 之间的交互操作。RTSP 媒体服务协议框架如图 8-13 所示。

支持 RTSP 协议的 IP 相机的画面接入 Unity 实时显示，最简单的方法是使用 UMP（Universal Media Plugin）插件。UMP 插件是一个用于在 Unity 游戏引擎中播放各种多媒体内容的插件，它提供了一个简单易用的接口，可以播放视频、音频和图像，并支持各种常见的多媒体格式。UMP 插件具有视频播放、音

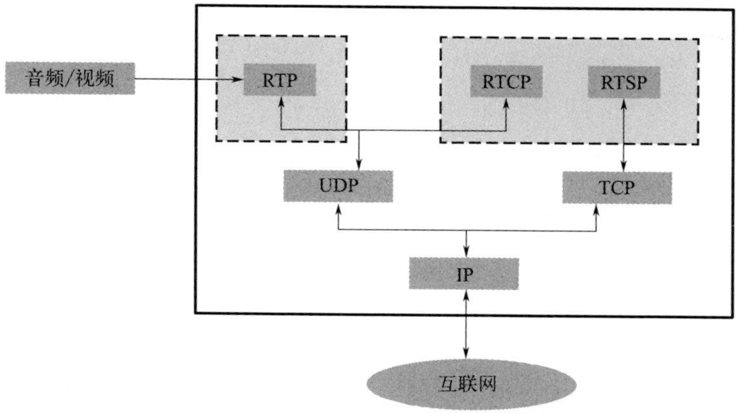

图 8-13 RTSP 媒体服务协议框架

频播放、图像显示、网络流媒体等主要功能，它可以与其他 Unity 插件和功能集成，如 GUI 系统、动画系统等。

在 Unity 中使用 UMP 插件来显示支持 RTSP 协议的相机的实时画面，需要通过以下步骤实现。

(1) 安装 UMP 插件

首先，在 Unity 项目中安装 UMP 插件，将下载的“UMP”插件 package 文件导入 asset 文件里，导入后如图 8-14 所示。

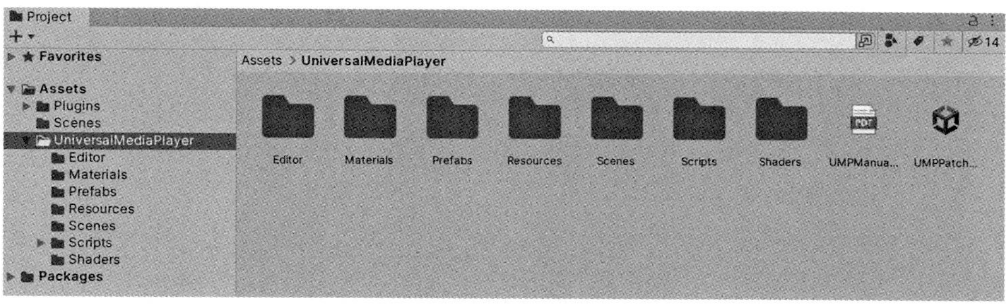

图 8-14 安装 UMP 插件

(2) 配置 RTSP 视频流地址

以海康威视的 IP 相机为例，其 RTSP 协议地址构成是 rtsp：//［username］：［password］@［ip］：［port］/［codec］/［channel］/［subtype］/av _ stream。其中，username 为用户名，例如 admin；password 为密码，例如 123456；ip 为设备 IP，例如 192.168.1.3；port 为端口号，默认为 554，若为默认可不填写；codec 一般有 h264、MPEG-4、mpeg4；channel 为通道号，起始为 1，例如通道 1，则为 ch1；subtype 为码流类型，主码流为 main，辅码流为 sub。综上，假如请求海康摄像

机通道 1 的主码流，Url 为 rtsp://admin:123456@192.168.1.3:554/h264/ch1/main/av_stream。

（3）配置 RawImage 组件

在 UI 的 Canvas 下创建 RawImage，并添加 ARVideoCanvasHelper 组件。在 RawImage 组件中，将 Material 设为 ARVideoCanvasMaterial；在 ARVideoCanvas Helper 组件中，将 MediaPlayer 设为 UniversalMediaPlayer，如图 8-15 所示。

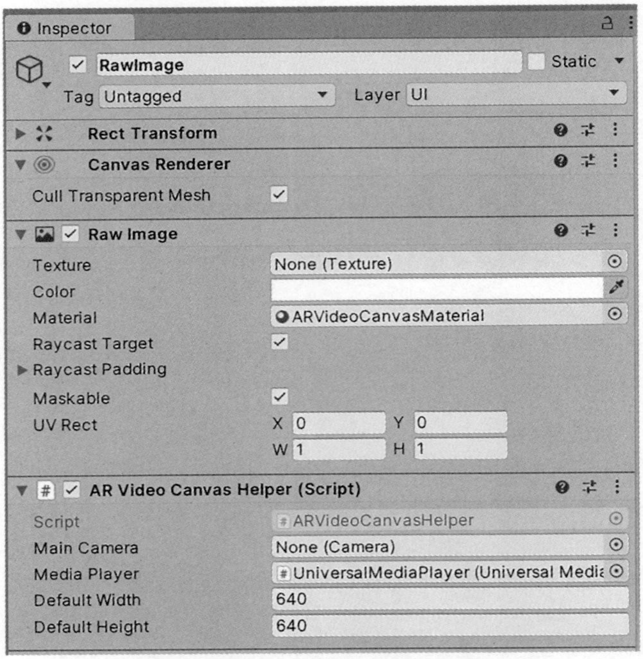

图 8-15　配置 RawImage 组件

（4）配置 UMP 插件

找到 Unity 文件夹路径 Assets \ UniversalMediaPlayer \ Prefabs 中的预制体 UniversalMediaPlayer. prefab，将其拖入到场景中。选中 UniversalMediaPlayer，在监视器的 UniversalMediaPlayer 组件中，设置 Renddering GameObjects 数组，个数为 1，将（3）中创建的 RawImage 关联到 Element 0；在播放地址 Path to video file 的输入框里填入第 2 步配置的 RTSP 视频流地址，如图 8-16 所示。

完成上述步骤后点击运行，即可接入 IP 相机捕获到的画面。

8.2.4　OPC UA 通信

8.2.4.1　协议概述

基于 OPC 统一架构的时间敏感网络技术（OPC Unified Architecture，OPC

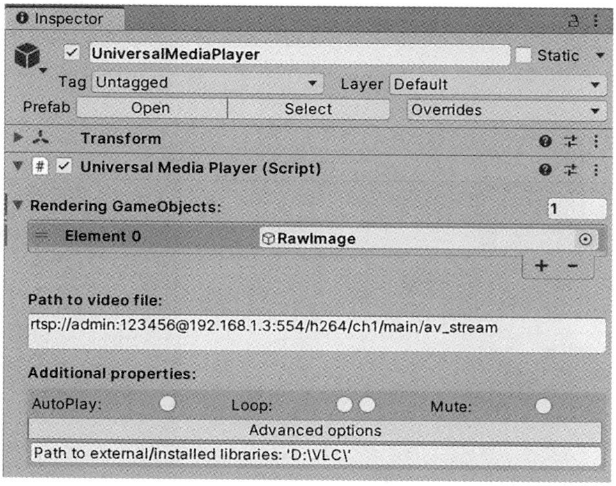

图 8-16 配置 UMP 插件

UA)，是一个新的工业软件接口规范，其目的在于提出一个企业制造模型的统一对象和架构定义，具有跨平台、增强命名空间、支持复杂数据内置、大量通用服务等新特点。建立支持网络间互操作的时间敏感机制，突破性实现信息技术与操作技术在物理层、数据链路层、网络层、传输层、会话层、表达层和应用层全面融合。该技术基于国际电工委员会、电气和电子工程师协会国际标准搭建，可为工业互联网网络体系构建提供标准化模块，是建立从传感器到云端大带宽、高同步、广兼容通信的关键技术。

OPC UA 实质上是一种抽象的框架，是一个多层架构，其中的每一层完全是从其相邻层抽象而来。这些层定义了线路上的各种通信协议，以及能否安全地编码/解码包含有数据、数据类型定义等内容的信息，人们可以在其基础上轻松添加更多功能。OPC UA 通信统一了各种各样不同品牌控制器的通信机制和数据交互格式，实现标准化数据交互。

8.2.4.2 数字孪生中 OPC UA 的应用

数字孪生物理空间中可编程逻辑控制器（PLC）有不同的型号，导致设备与应用程序之间信息传输存在不便，这时候可以采用基于 OPC UA 的通信协议来解决问题，实现 Unity3D 引擎对现场 PLC 的感知与控制，从而形成虚实联动关系。

从通信关系角度上来说，和 MQTT 通信相似，OPC UA 通信也需要中间服务器将客户端与服务器直连通信，因此有两个重要角色，分别是 OPC Server 和 OPC Client。一般来说西门子 PLC 系统内部自带 OPC UA 通信模块，它可连接外部建立好的 OPC UA 服务器，可自定义地将自身内部变量等关键信息传递给

OPC UA 服务器，然后服务器将信息传递给其他客户端应用程序，同样其他客户端里一些指令操作也能传送到 OPC 服务器从而实现间接控制 PLC 设备等，实现信息流与控制流的跨平台跨系统双向传递。整个通信过程的最简单架构如图 8-17 所示。

图 8-17　OPC UA 通信机制

除了简单的同级横向通信方式，OPC UA 还支持跨网络层级通信。也就是说，在不同层级网络，每种设备均有机会相互通信与控制，为数字孪生中万物互联、相互采集与控制提供了技术基础。如图 8-18 所示为跨网络层 OPC 通信示意图，一个应用程序可以同时包含 OPC UA 客户端与服务器，读者可以根据需要来自定义网络拓扑结构。通过图 8-17 和图 8-18 可以发现，OPC UA 通信过程是简单直观的，因此 OPC UA 成为工业通信中的重要协议之一，也是实现工厂车间里各个子系统之间实时通信控制的重要工具之一。

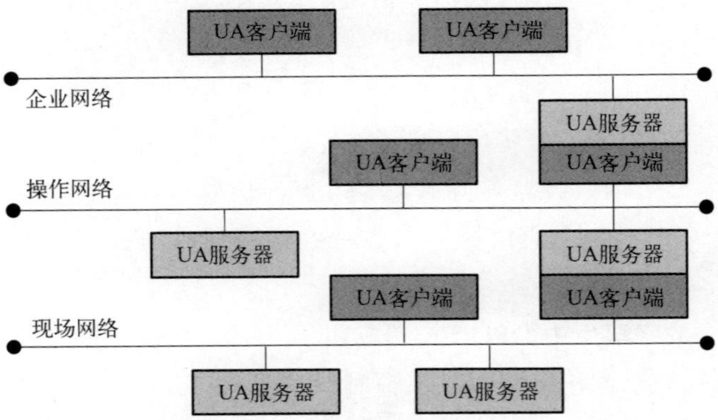

图 8-18　跨网络层的 OPC 通信

8.2.4.3　准备工作

开发 OPC UA 通信模块之前，至少要完成四项准备工作：PLC 程序编写和虚拟 PLC 仿真器启动、PLC 地址转换、OPC UA 服务端搭建与配置、面向 Unity3D 引擎的 OPC UA 相关支持库的准备。这些准备工作涉及的软件如表 8-1 所示。

表 8-1　OPC UA 准备工作相关软件

软件名称	软件功能
西门子博图 TIA(V15 或 V16)	PLC 程序编写
S7-PLCSIM(版本同博图 TIA)	虚拟 PLC 仿真
NetToPLCsim	地址转换
KEPServerEX 6	OPC 服务器

(1) PLC 程序编写和虚拟 PLC 仿真器启动

为避免实体 PLC 设备的限制影响，本书将采用 PLC 虚拟仿真形式来展现 OPC UA 协议在 Unity3D 中的应用（读者也可采用实体 PLC 验证，总体思想是一样的）。点开博图 TIA 软件，新建空白项目，添加 CPU 设备。必须注意的是，完成添加后，选中 CPU，右键弹出菜单进入属性一栏，在“防护与安全”一块中连接机制勾选“允许来自远程对象的 PUT/GET 通信访问”，若未设置可能会出现 OPC UA 服务端访问 PLC 中变量信息失败的情况。

完成设置后，添加 PLC 变量并编写程序，如果程序用到数据块，则需要在数据块属性里取消“优化的块访问”。完成编写后，点击“开始仿真”图标来启动 PLC 虚拟仿真器，将编写好的程序装载至 PLC 虚拟仿真器里，点击“启动监视”图标来检查程序是否能够正常模拟运行，若情况正常，关闭 PLC 虚拟仿真器，避免影响地址转换。

(2) PLC 地址转换

启动 NetToPLCsim 软件，该软件可以将 PLC 虚拟仿真器的虚拟 IP 地址映射到指定的局域网络某个 IP 地址，以便能够让其他客户端程序通过以太网的方式来访问 PLC 虚拟仿真器（如果读者有 PLC 硬件，无须启动 NetToPLCsim 软件，只需记录硬件 PLC 在网络中的 IP 地址即可）。以管理员身份运行 NetToPLCsim 程序后，返回博图 TIA 软件，点击“开始仿真”图标来启动 PLC 虚拟仿真器，完成程序装载等一系列工作，回到 NetToPLCsim 软件，点击“Add”按钮，进行 Station 界面配置，如图 8-19 所示。其中，Network IP Address 输入框可以填写 127.0.0.1，此 IP 代表本地端，也是需要在 OPC UA 服务器设置的 IP 地址；在 Plcsim IP Address 输入框里填写和 PLC 虚拟仿真器里配置一致的 IP 信息（可以查看 PLC 虚拟仿真器界面右下角获取 IP 信息，也可以点击输入框右侧的按钮自动获得软件扫描到的本地里 PLC 虚拟仿真器）；最后需要根据用户选择的 CPU 型号来确定 Rack 与 Slot 值，这里由于 CPU 为 1200 系列，最终选择 0-1 模式。

配置好后点击“OK”按钮，然后点击“Start Server”按钮使刚才配置的状态由 READY 状态转至 RUNNING 状态，如图 8-20 所示。

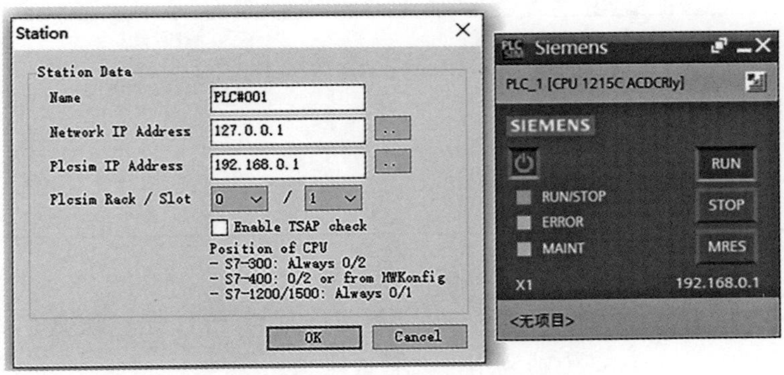

图 8-19　NetToPLCsim 配置界面

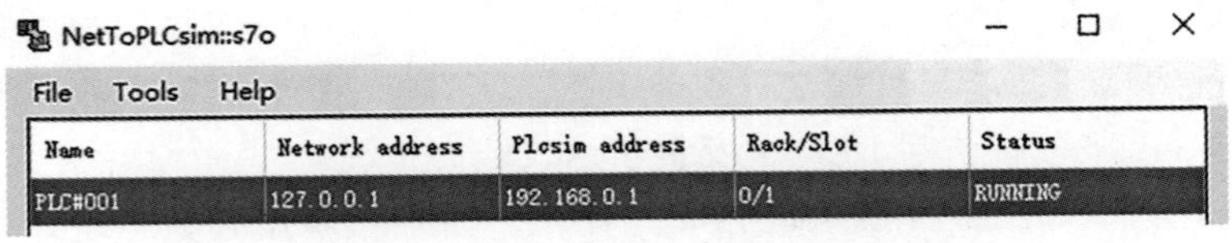

图 8-20　NetToPLCsim 配置成功界面

(3) OPC UA 服务器搭建与配置

采用 KEPServerEX 6 软件进行 OPC UA 服务器的搭建，此款软件是美国 PTC Kepware 公司生产的连接集成平台，可支持 150 多种通信协议，能够为用户提供单一来源的工业自动化数据。该平台的设计能够使用户能够通过一个直观的用户界面来连接、管理、监视和控制不同的自动化设备和软件应用程序。接下来按照以下步骤搭建 OPC UA 服务器。

新建通道：启动软件后，在左侧视图，右键点击连接性，新建通道，如图 8-21 所示。

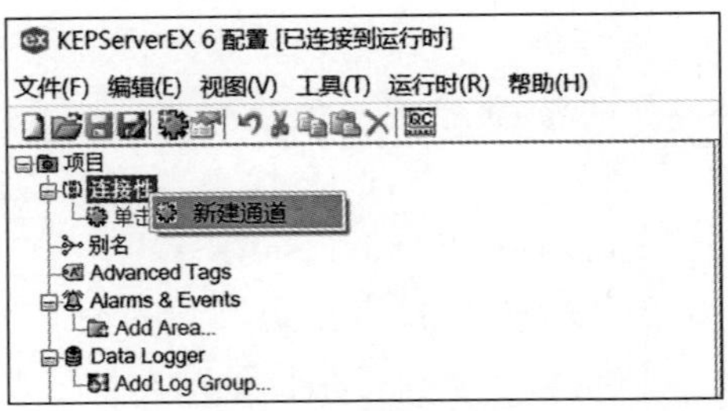

图 8-21　新建通道

如图 8-22 所示，选择要创建的通道类型为“Siemens TCP/IP Ethernet”。下一步为通道设定自定义名字，比如输入“myPlc”（区分大小写），其他步骤均可直接点击“下一步”直到创建通道完毕。

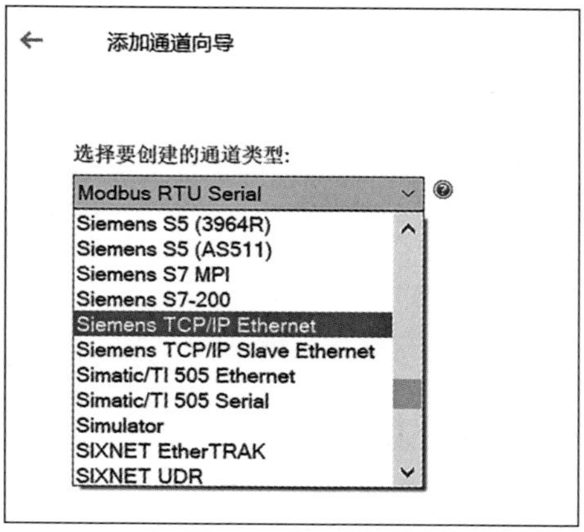

图 8-22　通道类型选择

新建设备：在新建的通道上右键点击，选择新建设备，弹出第一个界面是要求我们设定对象名称，在这里输入“plc1200”（读者可根据自己需要自定义，建议使用英文数字，不要含中文字符以及其他非法命名字符等）；下一步选择型号，KEPServer 提供了 7 种设备类型可供选择，如图 8-23 所示，由于之前选择的 CPU 型号为 1215C AC/DC/Rly，属于 S7-1200 类，因此选择 S7-1200；下一步是为设备指定 IP 地址，因为采用的是虚拟仿真模拟形式，这里 IP 应该输入图 8-20 中的 Network IP Address 值，因此在这里输入“127.0.0.1”（实体 PLC 设备应填写对应 IP 地址）；最后，剩下的步骤均可直接点击“下一步”直到完成设备添加即可。

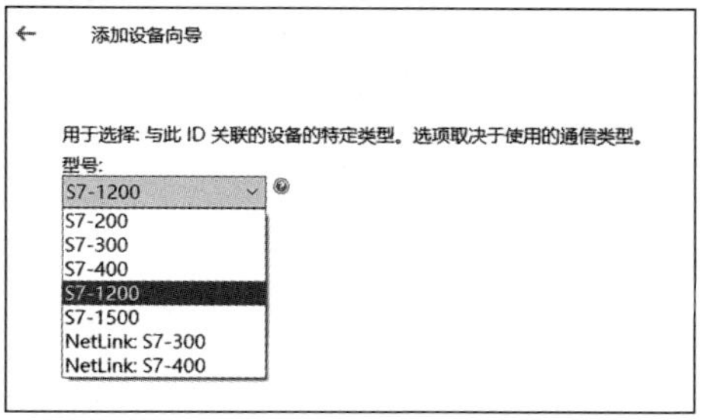

图 8-23　KEPServer 提供的七种设备类型

新建标记：在新建的设备上右键点击“新建标记”，弹出如图 8-24 所示的属性编辑器，在这里需要重点关注标识中的名称，数据属性中的地址和数据类型。其中，名称可以自定义，无须和博图软件里变量自定义的名称一致，在这里输入 switch，是后续客户端开发关注的信息；地址输入内容为 M0.0，地址内容必须和 PLC 程序中定义的地址保持一致；数据类型选择布尔型，与 PLC 程序设定一致。读者可以根据自身需要设置 OPC UA 服务端对 PLC 中重点关注的变量集合。

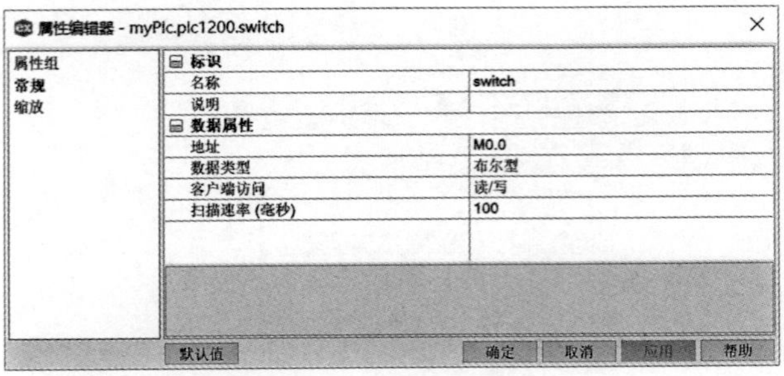

图 8-24 属性编辑器

连接检验：可点击图 8-25 的 QC 图标，快速启动 OPC 客户端检查 KEPServer 软件是否与 PLC 连接成功，当对应的标记状态为良好时，连接成功。如图 8-25 所示，Item ID “myPlc. plc1200. motor” 和 “myPlc. plc1200. switch” 的状态为良好。

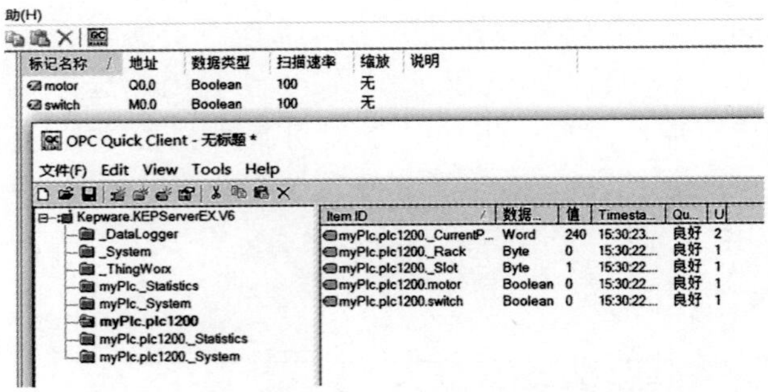

图 8-25 OPC Quick Client 界面

设置项目属性：在属性编辑器的左侧选取 OPC UA 一栏，然后在客户端会话当中允许匿名登录，如图 8-26 所示。

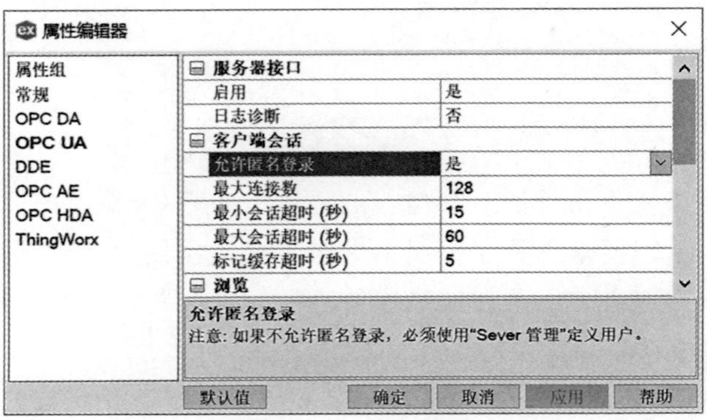

图 8-26 设置项目属性

记录地址信息：打开 KEPServer 软件的 OPC UA 配置器，查看服务器端点。如图 8-27 所示，弹出的界面中，URL 中的“opc. tcp：//127. 0. 0. 1：49320”就是搭建好的 OPC UA 服务器的地址，后续客户端应用程序开发会使用此地址。

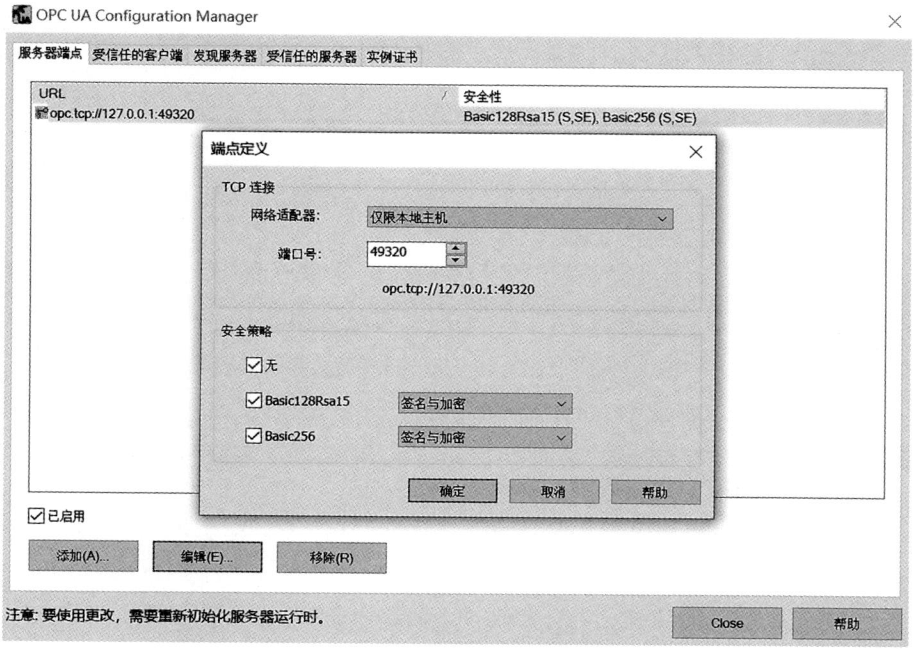

图 8-27　OPC UA 服务器地址

(4) 面向 Unity3D 引擎的 OPC UA 相关支持库准备

Unity3D 引擎采用 C# 编程语言，需要寻找支持 C# 且能够适配 Unity3D 引擎框架的库，本书采用 Github 网站上命名为“OpcUaHelper”的项目，它是一个通用的二次封装的 OPC UA 客户端类库，基于. net 4. 6. 1 创建，基于官方 OPC UA 基金会跨平台库创建，可方便地实现客户端与 OPC 服务端的数据交互。

在 Github 网站搜索并下载至本地后进行编译，在项目 Debug 文件夹里可发现 dll 库，选择“OpcUaHelper. dll”“OPC. UA. Core. dll”和“Opc. Ua. Client. dll”三个库，将其导入 Unity3D Assets 文件夹里，导入后可能会报错，报错内容显示缺少相关 dll 库，这时候需要查看缺少何种库，然后在原项目 Debug 文件夹里继续复制导入相关的缺失库，直到 Unity3D 控制台不再输出报错消息。不同的 Unity3D 引擎版本可能会有不同的 dll 库文件要求，本书采用 2021. 3. 4f1c1 版本，Assets 里选中的 dll 库文件如表 8-2 所示，以供读者参考。

表 8-2 支持 Opc 客户端 Unity3D 开发的参考 dll 库

序号	文件名称	文件版本	文件大小
1	System. Runtime. CompilerServices. Unsafe. dll	4. 6. 28619. 1	16. 3KB
2	System. Formats. Asn1. dll	5. 0. 20. 51904	80. 8KB
3	OpcUaHelper. dll	2. 1. 3. 0	114KB
4	Opc. Ua. Security. Certificates. dll	1. 4. 365. 23	60. 9KB
5	Opc. Ua. Core. dll	1. 4. 365. 23	8. 07MB
6	Opc. Ua. Configuration. dll	1. 4. 365. 23	35. 4KB
7	Opc. Ua. Client. dll	1. 4. 365. 23	144KB
8	Microsoft. Extensions. Primitives. dll	2. 2. 0. 18315	35. 5KB
9	Microsoft. Extensions. Options. dll	2. 2. 0. 18315	42. 5KB
10	Microsoft. Extensions. Logging. dll	2. 2. 0. 18315	31. 0KB
11	Microsoft. Extensions. Logging. Abstractions. dll	2. 2. 0. 18315	47. 0KB
12	Microsoft. Extensions. DependencyInjection. Abstractions. dll	2. 2. 0. 18315	36. 5KB
13	BouncyCastle. Crypto. dll	1. 8. 9. 1	2. 78 MB

8. 2. 4. 4 OPC UA 客户端的开发

在完成开发准备工作后，需要在 Unity3D 项目里新建脚本来进行 Unity3D OPC UA 客户端搭建。本节将围绕六大基础功能介绍相关脚本代码，分别为：连接 OPC UA 服务端功能、断开 OPC UA 服务端功能、主动性读取单个节点功能、主动性写入单个节点功能、订阅某个 OPC UA 节点功能、解除订阅某个 OPC UA 节点功能。主要步骤及相关代码如下。

① 引用命名空间：新建脚本，在现有的命名空间基础上添加以下三个必备的命名空间语句。

```
using Opc.Ua;
using Opc.Ua.Client;
using OpcUaHelper;
```

② 定义字段：定义类型为 OpcUaClient 的字段用来存储 MQTT 客户端信息，并在 Awake 函数里初始化字段（必须初始化，否则后期会报空引用报错），如下所示。

```
public OpcUaClient myOpcUaClient;
private void Awake()
{
    myOpcUaClient = new OpcUaClient();5.
}
```

③ 连接 OPC UA 服务端功能的实现：以下方法可实现连接并在控制台输出

连接状态的信息，其中ConnectServer函数接收的参数为OPC UA服务端的地址信息。

```
private void ConnetOPC()
{
      myOpcUaClient.ConnectServer("opc.tcp://127.0.0.1  :49320");
      print(myOpcUaClient.Connected);5.
}
```

④ 断开OPC UA服务端功能的实现：可调用以下方法去中断连接，方法首先判断当前连接是否存在，若存在方可正式执行中断函数Disconnect。

```
private void DisConnectOPC()
{
    if (myOpcUaClient.Connected = = true)
    {
          myOpcUaClient.Disconnect();
          print(myOpcUaClient.Connected);
    }
}
```

⑤ 主动性读取与写入单个节点功能的实现：读取或写入PLC某个变量，需要记录此变量在OPC UA服务器里的Item ID信息，比如针对M0.0变量，则要以“ns=2；s=myPlc.plc1200.motor”为参数传入指定读取写入函数，以下展示支持节点读取与写入的方法以及调用的用法。其中，ReadNode和WriteNode支持泛型方法，读者可自定义操作变量的数据类型，这里选用布尔型。

```
public bool ReadNode(string nodeID)
{
      return myOpcUaClient.ReadNode<bool> (nodeID);
}
public void WriteNode(string nodeID,bool value)
{
      myOpcUaClient.WriteNode<bool> (nodeID, value);
}
var res =  ReadNode("ns= 2;s= myPlc.plc1200.motor");
print("motor result :" +  res.ToString());//控制台输出读取结果
isOpen =  true;
WriteNode("ns= 2;s= myPlc.plc1200.switch",isOpen);//修改 switch
```

⑥ 订阅某个OPC UA节点功能的实现：以下是订阅某个节点并设置回调函数的相关代码。其中，AddSubscription函数第一个参数为key，需要保持唯一性，这里写入字符串形式A为key，第二个参数是需要监听的变量的Item ID值，第三个参数是回调函数，用于监听对象发生变化后要触发的内容。

```
    private void SubsctibeNode(string nodeID)
    {
        myOpcUaClient.AddSubscription("A",nodeID,MyCallback);
    }
    private void MyCallback(string key, MonitoredItem monitoredItem,
    MonitoredItemNotificationEventArgs args)
    {
        if (key = =  "A")//如果有多个的订阅值都关联了当前的方法,可以通过 key 和
monitoredItem 来区分
    {
            MonitoredItemNotification notification =  args.NotificationValue as
    MonitoredItemNotification;
            if (notification !=null)
            {
                string res = notification.Value.WrappedValue.Value.ToString();
                print("motor value result :"+  res);
            }
        }
    }
```

⑦ 解除订阅某个 OPC UA 节点功能的实现：代码如下所示，函数需要的参数仅为一个，为订阅时候定义的 key 值。

```
    private void RemoveSubscribeNode(string key)
    {
        myOpcUaClient.RemoveSubscription(key);
    }
    RemoveSubscribeNode("A");//解除订阅
```

基于以上六大功能的相关代码可以完成 OPC UA 通信脚本的编写，读者可参考图 8-28 所示的自定义 UI 界面来进行 OPC UA 通信测试，查看 UI 面板输出的测试结果信息。

本节完成了 OPC UA 在 Unity3D 中的实现与开发工作，读者可以参考本书最后的附录查阅完整代码，理解原理后根据需求加以修改。

8.2.5 美擎仿真

8.2.5.1 美擎仿真虚拟映射技术

美擎仿真是一款具有虚拟调试、数字孪生等多种功能的数字化工业仿真平台，其提供了一个虚拟环境，可以用于调试 PLC 代码和验证设备自动化。使用虚拟仿真，设计者可以在设备生产之前进行修改和优化，减少硬件资源浪费。通过支持 OPC UA、SiemensS7-PLC 等通信协议，美擎仿真可以与现场设备进行数据交互，实现对现场 PLC 控制器数据点的读取、写入和订阅等操作。这样的

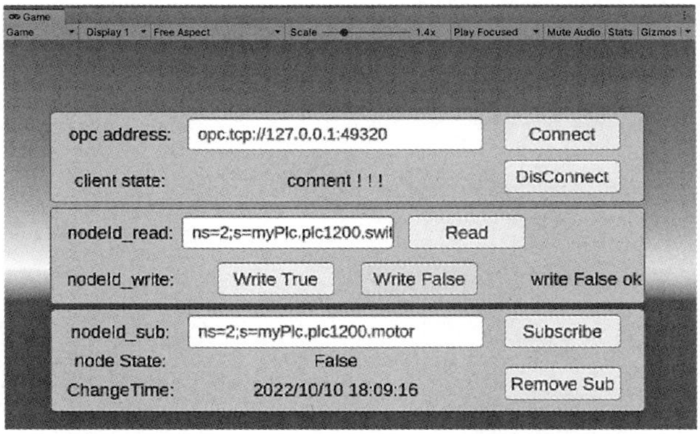

图 8-28 OPC UA 客户端运行测试

交互能够有效地进行调试和验证，确保 PLC 代码的正确性和设备自动化的可靠性。同时，美擎仿真提供了一种 Unity 开发工具，实现了实时动画流传输。

8.2.5.2 连通性配置

在 OPC UA 服务器准备工作完成的前提下，进行美擎仿真客户端连通性配置。

连通性启用，重启软件，如图 8-29 所示。

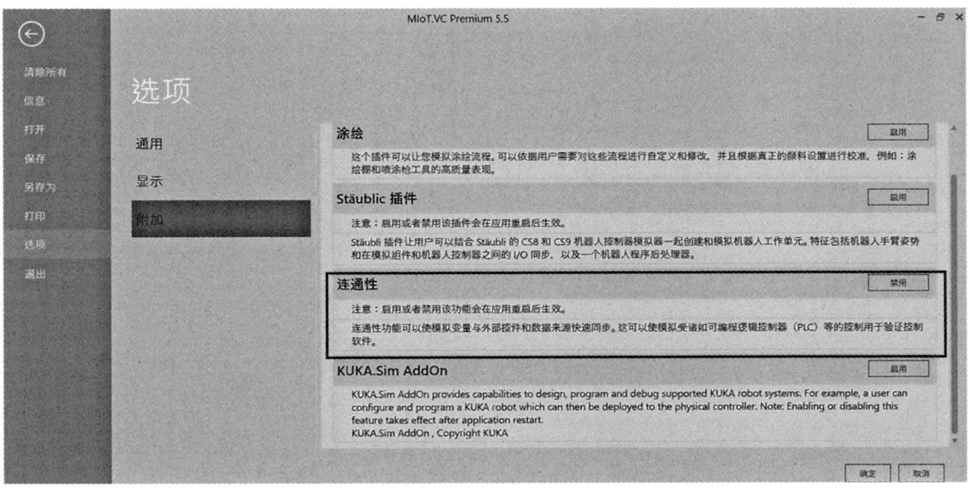

图 8-29 连通性启用

(1) 选择和连接服务器

① 服务器选择：连通性中选择 OPC UA，添加服务器，如图 8-30 所示。

② 服务器连接：输入服务器地址，发现服务器，选择应用，应用完成后连接服务器，如图 8-31 所示。

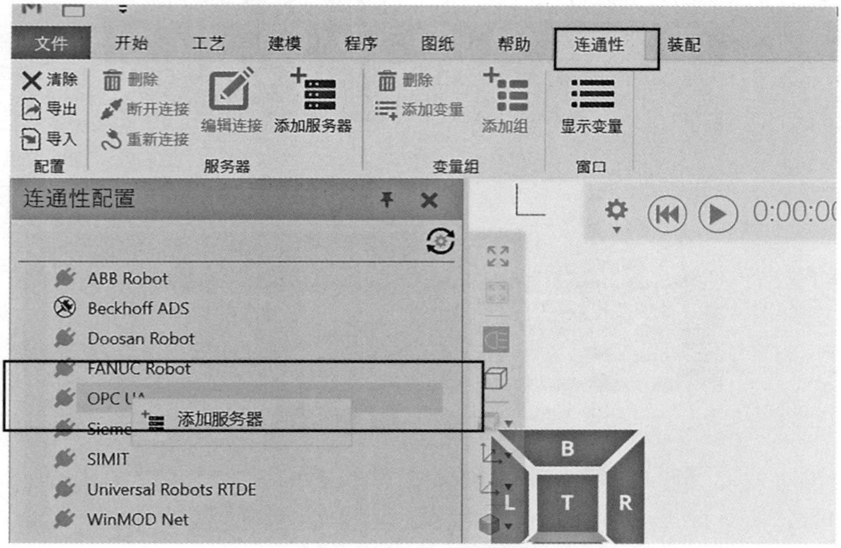

图 8-30　服务器选择

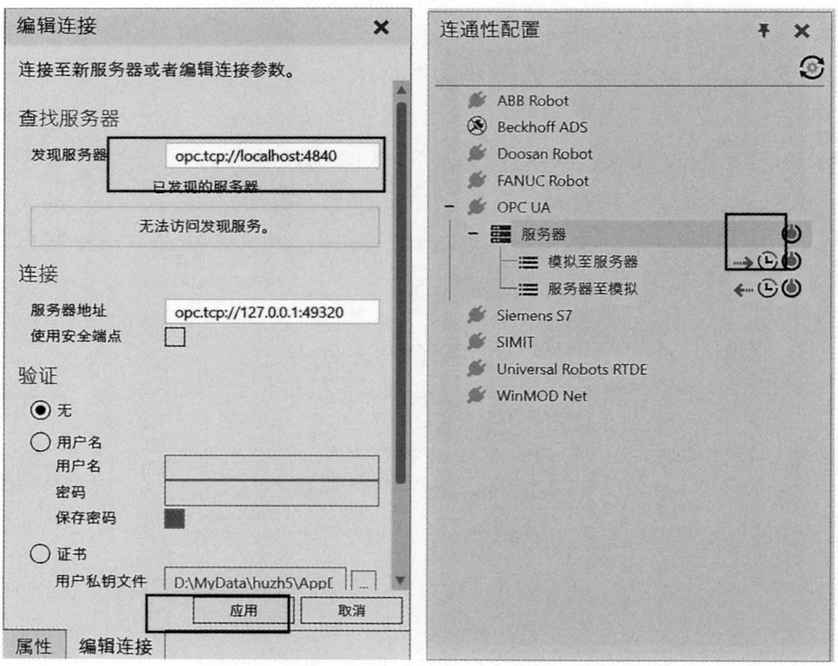

图 8-31　服务器连接

(2) 添加变量

① 选择模式（图 8-32）。

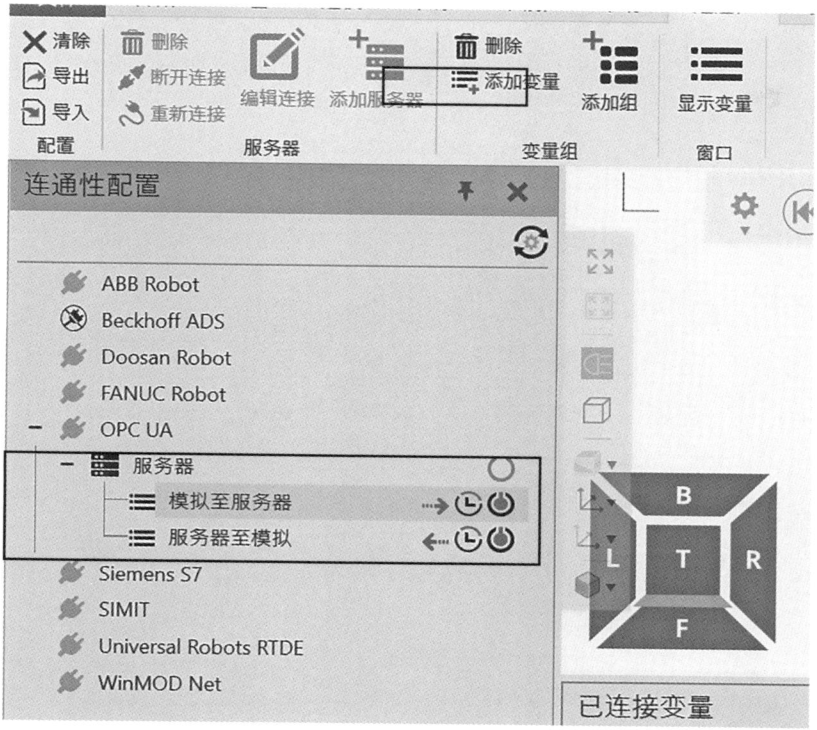

图 8-32　选择模式

服务器至模拟：通过 OPC UA 通信协议，实现服务器变量对美擎仿真模型变量的控制，实现读操作。

模拟至服务器：通过 OPC UA 通信协议，实现美擎仿真模型变量对服务器变量的修改，实现写操作。

② 创建变量对（图 8-33）。

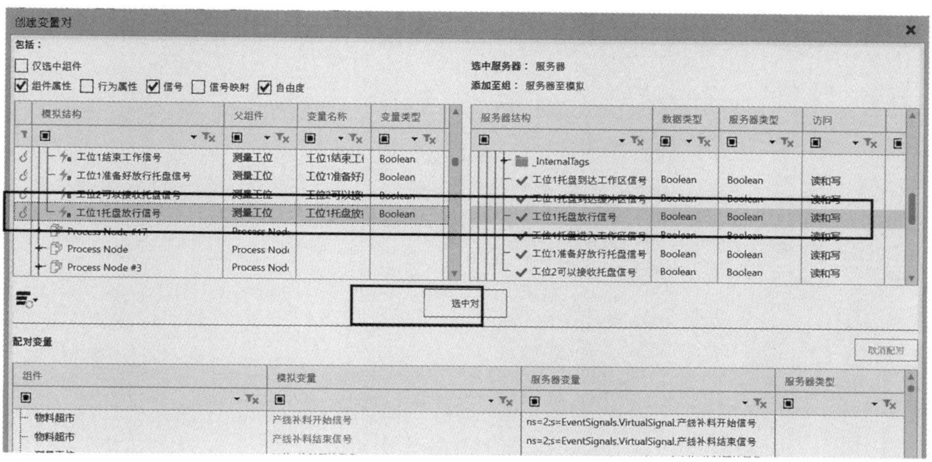

图 8-33　创建变量对

将美擎仿真中变量与服务器变量配对，即变量设置成功。

变量配对除支持信号外，还支持组件属性、行为属性、信号映射、自由度、机器人关节位置等。

参考文献

[1] 向晟，崔永俊．基于MQTT和微信小程序的火工品仓库监测系统［J］．电子器件，2022，45（01）：209-214.

[2] 王海柱，赵瑞锋，郭文鑫，等．基于物联网平台的低压配电台区数据采集方案［J］．电气技术，2021，22（03）：80-83＋93.

[3] 张状状，蒋伟，胡静，等．MQTT大块数据安全传输方案的设计与实现［J］．信息与电脑（理论版），2022，34（09）：218-222.

[4] 李国铸，李文胜，陈玉芝，等．利用Visual Basic及无线装置实现仪表数据远程传输［J］．仪器仪表用户，2021，28（08）：22-25.

9

工业数字孪生系统集成建模与应用

在当今的工业制造领域，随着生产环境日趋复杂和市场需求的快速变化，企业面临着提高生产效率、保障产品质量、降低成本以及实现可持续发展等方面的挑战。这些挑战迫切要求制造企业采用更为先进和灵活的技术解决方案。在这一背景下，数字孪生技术通过构建物理生产系统的数字孪生体，实现了对生产过程的模拟、监控和分析，从而为优化生产流程、提升产品质量以及实现生产系统的可持续发展提供了可行性方案。

本章旨在深入探讨工业数字孪生系统集成建模的关键概念、流程和应用，特别是聚焦集成建模框架、生产流程仿真优化应用以及生产过程实时监控应用等方面。通过对这些关键领域的分析，展示数字孪生技术在实现生产系统集成建模、仿真优化以及实时监控等方面的应用价值和潜力。

此外，本章还将探讨美擎仿真在生产流程仿真优化中的应用，通过装配顺序规划、预仿真与分析以及并行装配场景模拟等功能，进一步优化装配方案，提高装配效率和质量。同时，将深入分析生产过程实时监控应用，特别是在产线及运营类可视化监控中台和可视化看板方面的应用，展示数字孪生技术如何帮助企业实现生产过程的实时透明化、问题预警以及决策优化。

9.1 工业数字孪生系统集成建模

9.1.1 集成建模框架

在制造业中，数字孪生技术的集成应用建模框架为实现高效、灵活的生产系统提供了强大的支持。集成建模框架作为实现高效、灵活生产系统的基石，涵盖了虚实映射、人机交互建模、生产流程建模、几何建模以及行为建模等多个关键维度。这些维度共同构成了一个全面、系统的集成建模方法论，不仅能够确保物理生产系统与其数字孪生体之间信息的实时、准确同步，还能够通过优化人机交互和生产流程，提高生产效率和产品质量。

本节旨在详细讨论该框架的关键组成部分，包括虚实映射、人机交互建模、生产流程建模、几何建模以及行为建模，以展示其在优化生产过程、提升生产效率及增强产品质量方面的作用和价值。集成建模框架如图 9-1 所示。

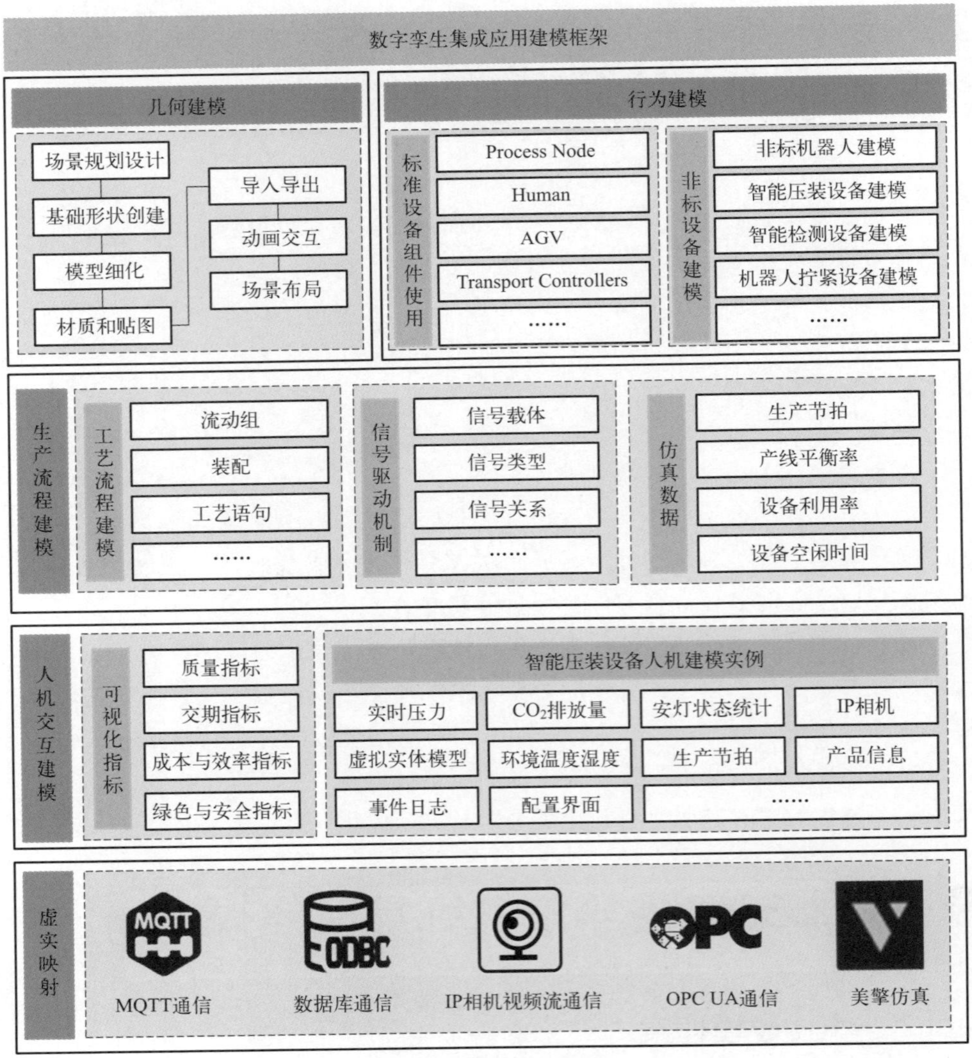

图 9-1　集成建模框架

① 虚实映射。虚实映射是数字孪生技术的核心，确保了物理生产系统与其数字孪生体之间信息的实时、准确同步。通过 MQTT 通信、数据库通信、IP 相机视频流通信及 OPC UA 通信，实现了数据的实时收集与交换，为生产过程的监控和管理提供了可靠基础。特别是通过美擎仿真软件，进一步增强了生产过程的可视化与模拟能力，促进了生产系统优化和决策制定的效率。

② 人机交互建模。在人机交互建模方面，通过构建可视化指标，如质量、交期、成本与效率以及绿色与安全指标，使得管理者和操作人员能够直观理解生产状态，支持高效决策。以智能压装设备为例，通过集成实时压力、二氧化碳排放等数据的人机交互模型，不仅实现了生产过程的环境友好性监控，也提升了操作的安全性和可靠性。

③ 生产流程建模。生产流程建模关注工艺流程的系统构建和优化。通过工艺流程建模，如流动组、装配和工艺语句的设计，以及信号驱动机制的实施，有效提升了生产过程的自动化和智能化水平。仿真数据，包括生产节拍、产线平衡率和设备利用率等内容，为生产线的优化配置和调整提供了科学依据。

④ 几何建模。几何建模过程包括场景规划设计、基础形状创建、模型细化、材质和贴图应用以及导入导出和动画交互等步骤，这不仅增强了数字孪生系统的可视化效果，也为生产系统的设计和改进提供了重要工具。

⑤ 行为建模。行为建模关注标准设备组和非标设备的模型构建与应用，包括 Process Node、Human、AGV、Transport Controllers 等标准设备组的使用，以及非标机器人、智能压装和检测设备等的建模。这一过程增强了对生产系统行为的预测和控制能力，特别是在非标设备的自定义和优化上展现了其独特的价值。

综上所述，数字孪生的集成应用建模框架为制造业的数字化转型提供了强有力的支持。通过虚实映射、人机交互建模、生产流程建模、几何建模以及行为建模，该框架不仅实现了对生产过程的全面监控和优化，也为制造企业在提升生产效率、保障产品质量以及实现可持续生产方面提供了有效策略。

9.1.2 集成建模流程

美擎仿真提供了一种 Unity 开发工具，可实现美擎动画流实时动态传输，便于搭建可视化监控平台。主要实现步骤如下。

(1) 准备工作

启用动画流式传输，设置动画流传输端口和合适的更新率，见图 9-2。

注意：此启动只需在第一次使用时设置。

(2) 许可证激活

联系美擎官方，获得数字孪生功能激活机器码。

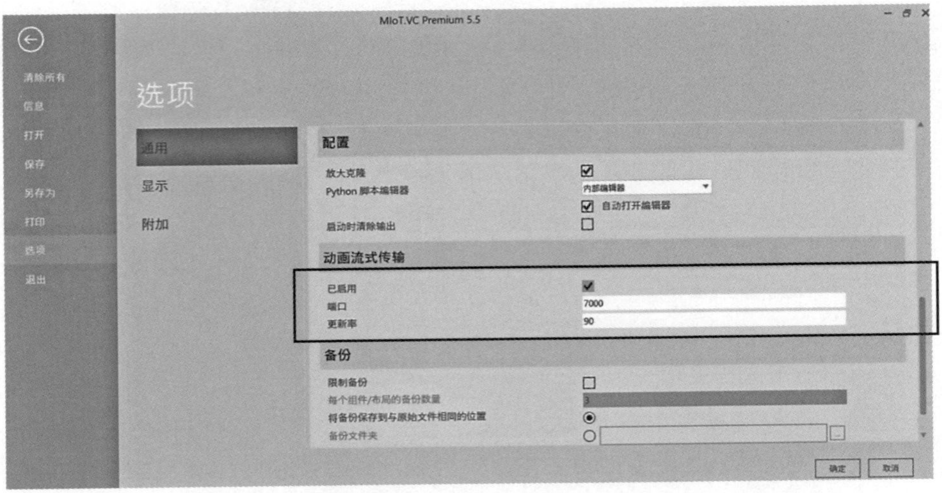

图 9-2 准备工作

选择美云功能，设置 License 连接，选择本地激活，导入激活码即可注册成功，见图 9-3。注意：每次打开模型均需要进行激活操作。

图 9-3 许可证激活

（3）Unity3D 插件导入

Unity3D 插件导入见图 9-4。

（4）Unity3D 界面显示美擎场景

设置相对应的 IP 和动画流输出端口，点击连接，即可在 Unity 客户端接收到动画流，见图 9-5。

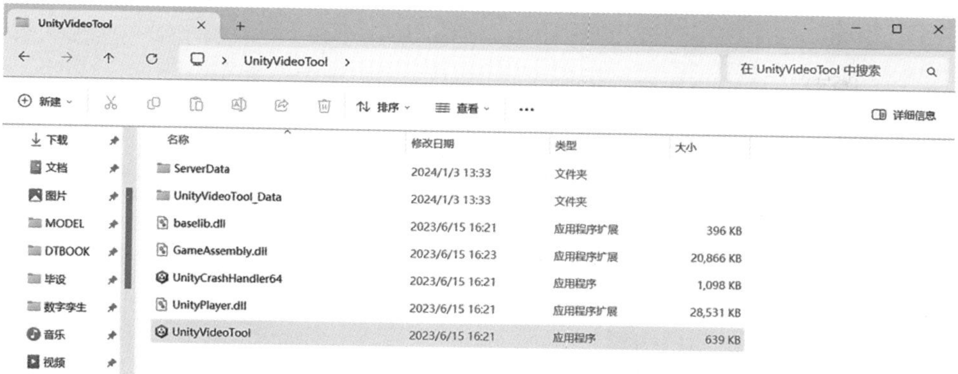

图 9-4　Unity3D 插件导入

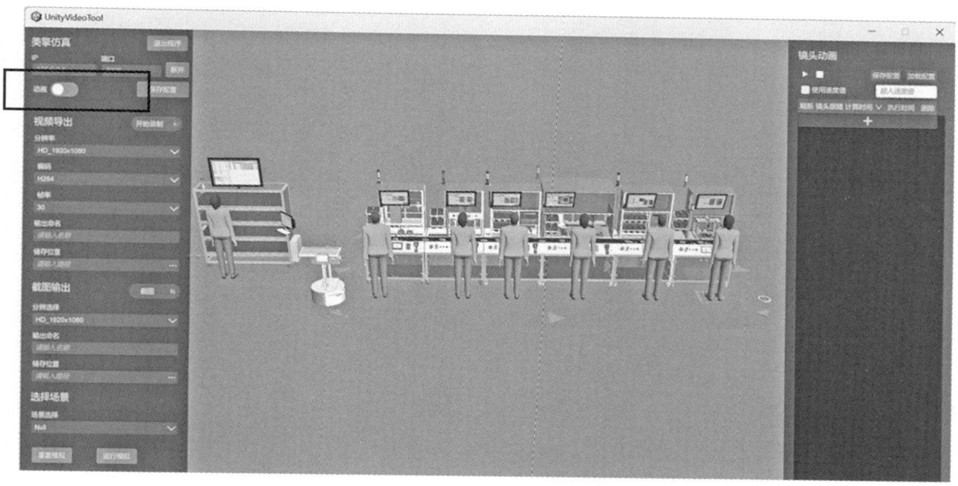

图 9-5　Unity3D 界面显示美擎场景

9.2　生产流程仿真优化应用

美擎仿真装配模块作为当今工业制造领域备受推崇的一款三维可视化仿真工具，其注重于装配工艺规划、装配可视化和仿真校验，为用户提供了深度分析装配过程的能力以及优化装配方案的机会。下面对其功能和优势进行详细探讨。

① 装配顺序规划。美擎仿真装配模块允许用户根据需求进行装配顺序规划。通过调整和优化装配活动，用户能够实现产品装配过程的最佳化。随时调整装配顺序有助于提高装配工培训效率。

② 预仿真与分析。用户可以在实际装配之前进行预仿真，验证装配路径的可行性，并进行碰撞、接触和间隙等方面的分析。这有助于在实际生产中避免可

能出现的装配问题，提高装配的成功率。

③ 并行装配场景模拟。模块支持对装配活动的顺序和运动时间进行调整，模拟并行装配场景。这有助于用户更好地理解装配过程中各个环节之间的关系，并优化装配节拍。

④ 生产装配过程细节仿真。具备部件干涉分析和详细的干涉分析报告输出功能，可简化装配仿真过程。用户可以一键设置组装部件间的运动信号逻辑，深度分析装配过程细节，及时发现和解决装配中的问题。

⑤ 图形化示教位置。通过图形化方式展示装配过程的示教位置，用户可以直观了解每个装配步骤的执行方式，简化操作流程，提高效率。美擎装配仿真见图 9-6。

图 9-6　美擎装配仿真

美擎仿真装配模块的强大功能和优势使其在工业制造领域得到广泛应用和认可。它不仅帮助企业优化装配流程、提高产品质量和生产效率，还为装配工人提供有效的培训和指导。同时，该模块在产品维护过程中也发挥重要作用，通过仿真校验确定最优的拆卸和重组顺序，减少维修时间和成本。

总的来说，美擎仿真装配模块不仅是一款强大的装配工艺规划工具，更是一项帮助企业提升竞争力和生产效率的利器。

9.3 生产过程实时监控应用

在工业制造领域，企业面临着提高生产效率、降低成本、保障产品质量和响应市场变化的巨大挑战。数字孪生技术，作为一种先进的集成建模和应用方法，为解决这些挑战提供了创新解决方案。它通过创建物理实体在数字世界中的虚拟副本，使得企业能够在不干扰实际生产的情况下模拟、监控和分析生产过程。这种技术的应用优势使其适合于生产过程的实时监控，它不仅可以提高生产线的透明度，还能实时发现问题、预测趋势，并优化生产决策。

在生产过程实时监控的应用中，特别是在产线及运营类可视化监控中台和可视化看板方面，工业数字孪生系统通过整合各种关键技术组件，如实时数据采集、高级数据处理与分析、直观的数据可视化以及实时通信等，为企业提供了一个全面、动态且互动的生产监控平台。这不仅使管理层和运营人员能够实时掌握生产状态，还能够基于数据驱动的洞察作出更加精准和高效的决策，从而推动生产过程的持续优化和改进。随着数字化转型的深入，工业数字孪生系统在生产过程实时监控中的应用将成为企业提升竞争力的关键。下面将以智能装配产线数字孪生解决方案为例，介绍工业数字孪生系统集成建模在生产过程实时监控中的应用。

(1) 产线级运营类可视化监控中台

产线级运营类可视化监控中台旨在实现对整个生产线的实时监控，包括生产进度、设备状态、物料流和能耗等关键指标，为企业提供直观的数据可视化界面，帮助管理层和运营人员快速把握生产动态，及时发现问题并做出决策。

① 产线级运营类可视化监控中台技术架构。

数据采集层：利用 OPC UA、MQTT 等协议从生产线上的各种设备和传感器中实时采集数据。

数据处理层：使用大数据技术处理和分析采集到的数据，识别模式和趋势，预测潜在的生产问题。

应用层：开发基于 Web 的监控中台，使用 HTML、CSS、JS 等前端技术构建用户界面，通过 WebSocket 实现实时数据推送。

② 产线级运营类可视化监控中台关键功能（图 9-7）。

实时数据展示：生产进度条、设备状态指示灯、能耗计量图，订单进度监控等多种可视化组件实时显示生产线状态。

历史数据分析：提供数据查询和报表生成功能，支持历史数据的回溯分析，帮助优化生产计划和资源配置。

异常预警：利用数据分析和机器学习技术，实现生产异常的早期检测和预警，减少停机时间和生产损失。

(2) 装配可视化看板

① 装配可视化看板作用。

旨在提高装配工位的作业效率和质量控制，实现对装配过程的实时监控和指

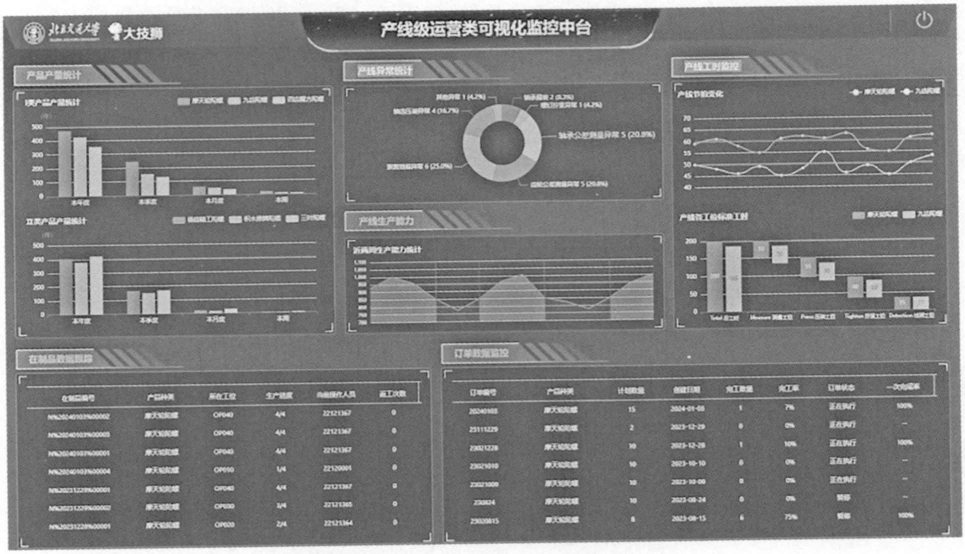

图 9-7　产线级运营类可视化监控中台

导。通过可视化看板展示装配工位的作业指导、进度追踪和质量检测结果，支持即时通信和问题解决。智能压装工位可视化看板见图 9-8。

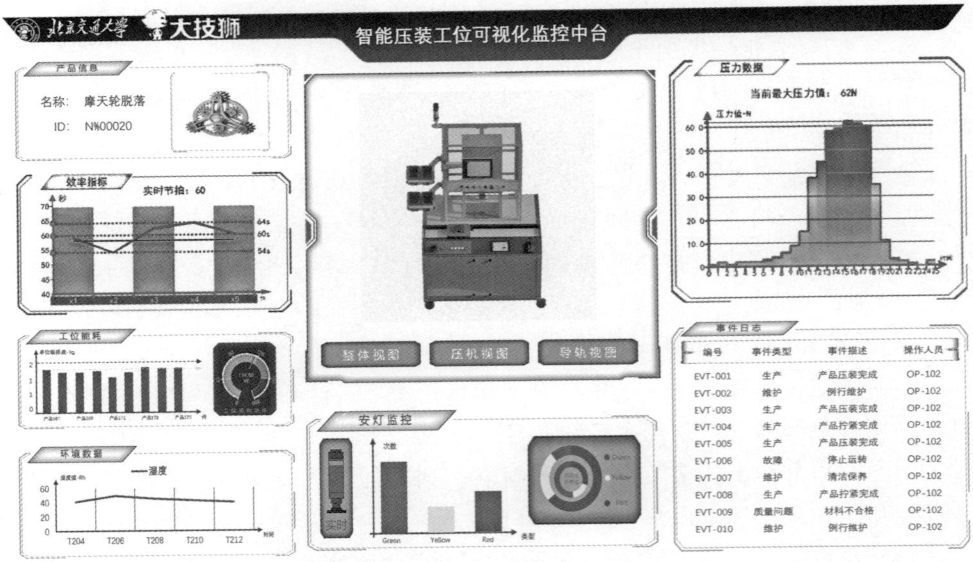

图 9-8　智能压装工位可视化看板

② 装配可视化看板技术架构。

智能装配层：部署智能传感器和相机监测装配过程，采用 RS232、RS485 等接口与工位设备通信。

数据集成层：使用 OPC UA 或 MQTT 集成来自智能装配层的数据，并利用 ODBC、JSON/XML 进行数据格式化和传输。

可视化应用层：开发基于 Web 的可视化看板，利用 HTML5、CSS3 和 JavaScript 等技术，结合实时通信机制如 WebSocket，展示装配工位的实时信息。

③ 装配可视化看板关键功能。

作业指导：通过动态图示、视频或增强现实（AR）技术提供详细的作业步骤指导，减少操作错误。

进度跟踪：实时展示装配工位的作业进度，及时反馈完成情况和剩余工作量。

质量控制：集成质量检测设备的数据，实时显示检测结果和异常情况，快速响应质量问题。

参考文献

[1] 胡文．PLC 技术在机械电气控制装置中的应用探讨［J］．当代化工研究，2020（22）：160-161.

[2] 鞠亚军．计算机多媒体技术在机械制造业中的应用［J］．造纸装备及材料，2023，52（06）：122-124.

[3] 冯俊．面向离散车间生产过程的数字孪生技术研究［D］．南京：南京航空航天大学，2021.

[4] 杨博．A 公司灯具产品研发流程优化研究［D］．广州：华南理工大学，2020.

[5] 赵越．数字经济对制造业转型影响分析［J］．现代工业经济和信息化，2023，13（10）：68-70.

[6] 杨帆．面向精益生产的混流装配线生产过程监控及质量控制技术研究［D］．重庆：重庆大学，2016.

10

工业数字孪生技术前沿研究

随着全球工业互联网发展的逐渐深入，工业和制造领域催生出一大批数字化、网络化、智能化的新模式与新业态，现代制造型企业迎来了巨大的变革与机遇。其中，数字孪生技术作为虚拟映射现实的概念，允许实体物理系统的数字复制，这为其在虚拟环境中进行建模、监测和优化提供了可能，并有望成为推动企业数字化转型的新动能。目前的研究与应用集中在探索数字孪生的前沿领域，包括但不限于生产系统可视化实时监控、生产系统仿真与优化、生产系统虚拟调试、生产系统状态评估与健康诊断、生产系统预测维护与运营决策等。本章将深入探讨数字孪生技术在这些前沿领域的应用，分析其对工业与制造领域的深远影响，探讨其未来的发展趋势。通过相关研究论文及实践案例为读者展示数字孪生技术如何推动企业实现高效、智能化及可持续发展。这些研究和实践案例揭示了数字孪生技术对工业与制造领域的影响，以及相关的一些潜在应用。从系统监测到运营决策，数字孪生技术为企业提供了前所未有的机会，以适应日益复杂和竞争激烈的市场环境，并促进企业的持续创新与发展。

10.1 生产系统可视化实时监控

可视化实时监控在制造业中的应用对提升生产效率和产品质量至关重要。通过实时展示复杂的生产数据，管理人员能够快速做出决策，及时发现并解决潜在问题，从而最小化生产损失。数字孪生技术的引入更加强化了这一过程，通过在虚拟环境中创建真实系统的数字化映射模型，全面整合各种数据源，提供更深层次的监控和分析，从而使企业能够更好地应对突发挑战，提高生产环节柔性和企业竞争力，同时降低维护成本，实现更智能、更高效的制造管理。

10.1.1 基于数字孪生的全自动传感器装配线的监测

随着数字技术的快速发展和大数据处理能力的提升，以及人工智能、机器学习和神经网络等技术的迅速应用，数字孪生技术在工业领域的应用越来越广泛，通过数字孪生技术能够实现机器的远程控制和管理，使机器进行自主工作与自我发展，对于提高工业生产线的效率、质量和自动化水平具有重要的意义。

本案例主要集中数字孪生技术在全自动机器人传感器装配线监测和管理方面的应用，为了实现对全自动机器人传感器装配线（图 10-1）的可视化监控，设计了一个基于数字孪生技术的机器人自动生产中心开发模型。

图 10-1 全自动机器人传感器装配线

首先通过数据采集与监视控制系统（Supervisory Control And Data Acquisition，SCADA）对工作中心产生的数据进行处理。第一阶段由操作员做出对生产线有影响的决策，下一阶段由人工智能（Artificial Intelligence，AI）进行决策，同时通过数字云模型对整个动态过程进行监控。通过 AI 进行与 SCADA 相关的状态估计器分析和与数字云模型相关的动态事件系统分析，具有动态状态观测、参数调整和预测仿真模块的功能。因此，总体分为四个阶段：构建 SCADA 作为事件检测器；构建状态估计器和动态事件系统；创建数字孪生模型进行实时监控、参数调整和预测仿真；最后通过 AI 进行决策。该案例证明了数字孪生技术在全自动机器人传感器装配线的监测和稳定化方面具有重要的应用潜力。

10.1.2 大型复杂曲面加工数字孪生监控系统

随着航空航天技术的不断发展，大型复杂曲面零件的应用越来越广泛，其制造要求也越来越高。但目前的制造过程中缺乏数字监测和质量监测，导致零件的生产和加工效率低下，质量一致性无法得到保证。此外，这些工件本身是可变形的，它们通常在非常恶劣的环境中工作，因此需要涂上保护涂层来防止工件故障的产生。目前，可以利用数控加工设备实现涂层的半自动实时轮廓加工。然而，这种生产加工方法缺乏对加工设备的实时监控，不能准确获取涂层厚度数据，容易导致加工结果出现较大误差，造成严重后果，因此，实现大型复杂曲面工件的智能化加工已成为航空航天制造业亟待实现的目标。

为解决这一问题，本案例提出了一种基于数字孪生技术的大型复杂曲面加工设备状态可视化监控系统。整个系统由物理层、虚拟层、数据层、应用层、用户层和连接层共六个层面组成。其中，物理层指生产现场的各种实体模型，是数字模型的基础，其他层都围绕物理层进行构建；虚拟层指的是物理层的高保真模型，包含集合、物理、行为和规则四个模型的有效信息，作为物理层世界的镜像系统，必须与物理层保持同步并反映其相关特征；数据层主要用于管理物理模型的运行数据，包括数据采集、处理、传输、存储等功能，通过动态和静态的数据对产品全生命周期进行实时监控；应用层对数据、算法、仿真和双进程结果进行封装，通过应用层，用户可以利用可视化监控功能观察各种设备参数、分析加工过程；用户层指用户通过客户端进入数字孪生操作系统，直接参与生产过程的管理决策；连接层是实现数字孪生环节中其他部分互连的桥梁，通过数据传输协议、数据接口等实现数据的双向传输。数据传输的实时性、安全性和稳定性是评价网络连接性能的重要标准。连接层连接了整个系统，打破了“信息孤岛”现象，是数字孪生模型运行机制中的重要环节。图 10-2 为大型复杂曲面加工数字孪生监控系统框架。

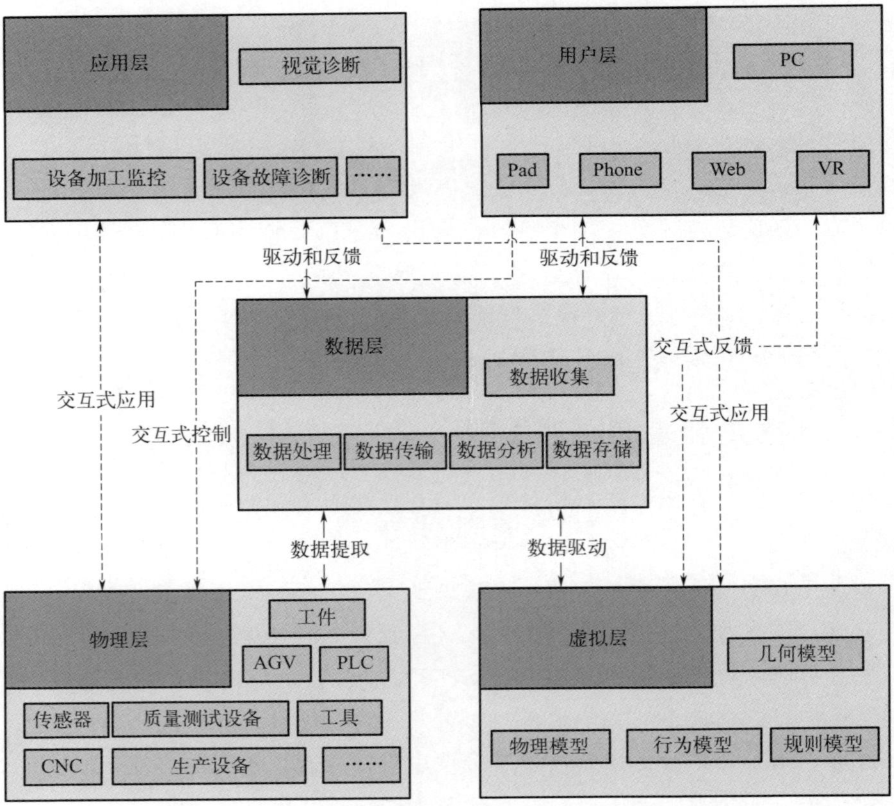

图 10-2　大型复杂曲面加工数字孪生监控系统框架

数字孪生可视化监控不仅提高了生产效率和产品质量，还为企业提供了更灵活、智能的管理手段，塑造了未来制造业更加先进、可持续的发展模式。

10.2 生产系统仿真与优化

随着计算机图形学和仿真技术的日渐成熟，人工智能、虚拟现实和物联网等新技术的不断提出，为生产系统仿真技术和软件的应用与发展奠定了坚实的基础。生产系统仿真技术至今已经发展成为一种综合性技术，其融合了机械工程、数学、软件科学等多个学科的理论和方法，广泛应用于设计、制造、运维等生产系统全生命周期的各个环节，支撑着生产系统各阶段向自动化和智能化方向发展。

为应对离散制造企业数字化转型的需求，需要对制造资源进行数字化建模管理，通过数字化管理手段增强生产系统的柔性，利用生产数据对生产过程进行智能化调节，实现关键生产环节全程可追溯。实现这一目标的关键在于建立生产系统的数字化模型与仿真环境，通过虚拟仿真在信息空间进行生产系统优化和优化结果验证，实现生产系统的高效优化调整。然而，在实际生产过程中，生产系统的状态会时刻发生变化，使离线的生产系统模型难以真实刻画和描述生产系统的物理实体，导致仿真结果易偏离预期效果。数字孪生技术可以反映建模对象的全生命周期过程，具有虚实融合、实时交互与迭代优化的特点，即通过物理实体数据实时更新数字孪生模型，使虚实生产系统无限接近，以提升仿真结果的准确性。因此，根据数字孪生的特点研发基于数字孪生的生产系统仿真软件。基于数字孪生的生产系统仿真软件开展生产系统仿真优化，一方面能在设计阶段进行全方位精准仿真优化，另一方面在运维阶段可对实际生产制造过程进行实时动态优化。

下面将介绍数字孪生在生产系统仿真与优化方面的相关案例。

10.2.1 基于数字孪生的机器人焊接仿真系统设计

该案例针对机器人焊接作业场景，提出一种融合三维可视化、遗传算法优化和专家系统的数字孪生系统。针对常见的五维数字孪生模型架构进行分析后，将整个数字孪生系统分成三层，分别是虚拟模型层、核心控制层和物理实体层。其中，核心控制层包含数字孪生分析模型和数字孪生知识模型。具体架构如图 10-3 所示。

首先，物理实体层通过点云扫描获取机器人、工件变位机和工件的相对位姿，并将标定数据传到虚拟模型层中，用于虚拟场景的搭建。虚拟模型层导入场

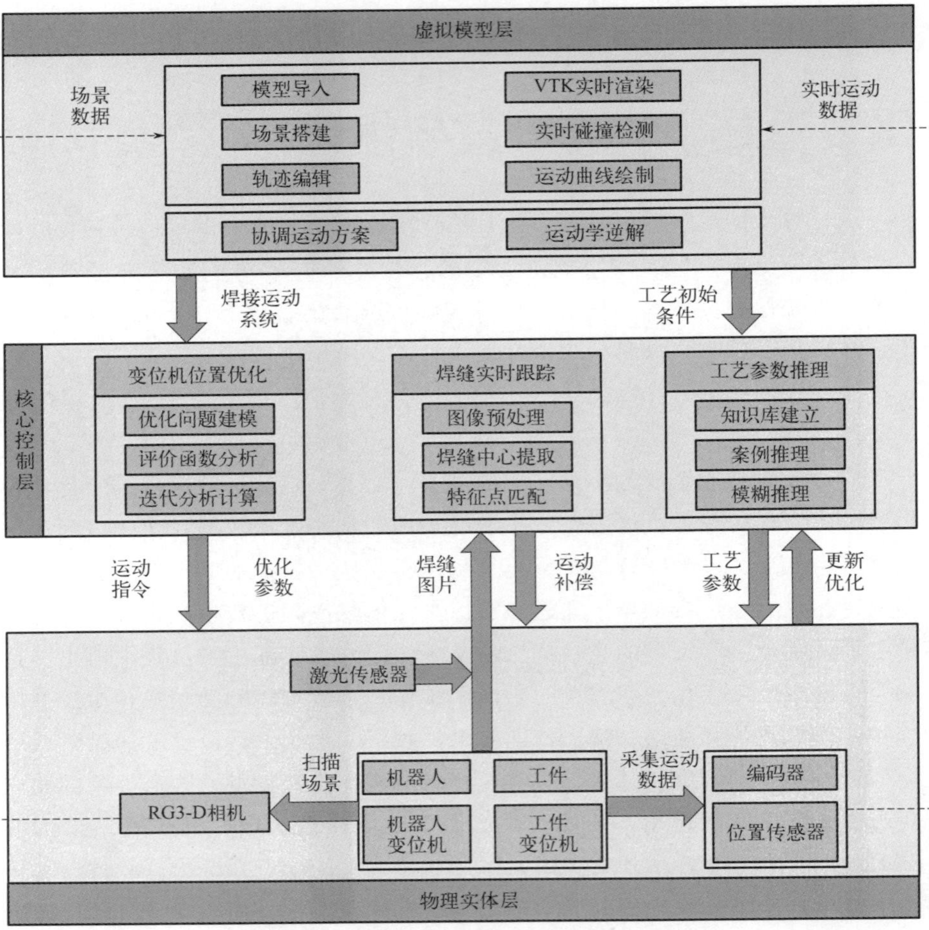

图 10-3　焊接作业场景数字孪生系统架构

景所需三维模型，拾取焊缝轨迹并进行编辑处理，根据协调运动策略求取机器人和变位机的运动学逆解，并实时进行碰撞检测。核心控制层中的分析模型根据运动系统进行建模，通过遗传算法进行迭代分析计算，优化工件变位机的放置位置。核心控制层中的知识模型输入焊接初始条件，推理出合适的焊接工艺参数，将生成的运动指令、工艺参数和优化参数传输到物理实体层。物理实体层实时拍摄焊缝图片，并在核心控制层进行图片预处理、焊缝中心提取和特征点匹配，根据运动补偿结果进行实际焊接作业，并将采集到的运动数据实时传到虚拟模型层，在虚拟模型层中进行 VTK 实时渲染，并绘制运动曲线。焊接结束后，对焊接质量进行打分，并将焊接案例存进知识模型中，对知识模型进行更新优化。该案例以多条焊缝工件为例，检验了机器人焊接数字孪生系统的各个功能模块，为数字孪生技术在机器人焊接领域的应用提供了思路。

10.2.2 基于数字孪生的电力变压器碳足迹分析及优化方法仿真

随着国家“碳达峰、碳中和”计划的实施，减少高耗能设备的碳排放成为实现此战略目标的主要途径。火力发电是中国主要的发电形式，发电占比约为70%。变压器在输配电时每度电的二氧化碳排放量约为0.87kg，整体碳排放量不容忽视。电网数字化是电力行业未来发展的必然趋势，它将深刻改变电网的发展方式、运行模式与管理方式，作为输电系统的重要节点，变电站的主电力变压器电能损耗约占电网损耗的20%，因此变压器行业急需通过数字化转型实现低碳化目标。图10-4为电力变压器。

图 10-4 电力变压器

现有对变压器碳足迹分析问题的相关研究多以传统传感器、二维简化分析和试验测试为主。本案例通过数字孪生技术对变压器的碳足迹进行分析与评估，研究如何在不影响分析结果的前提下合理地构造数字孪生模型，并且将其与碳足迹分析紧密结合。本案例对一台66kV变电站用型号为SZ11-31.5MVA/66kV主变压器进行研究。首先，基于电磁学、有限元分析和数值分析理论，通过对其不同负载工况下空载损耗、负载损耗和杂散损耗的计算，得出变压器损耗图谱，对损耗图谱进行分析构建出变压器数字孪生模型；然后，结合变压器实际运行时的负荷曲线，通过损耗及碳足迹分析公式得出变压器的碳足迹，确定变压器的经济负载系数，进而确立变电站最优经济运行方式；最后，在原有变压器碳足迹分析数字孪生模型的基础上，对变压器结构进行合理优化，构建出优化后的绿色低碳变压器数字孪生模型。在变压器碳足迹在线监测和保护过程中，以变压器数字孪生模型作为判别依据，通过数字孪生模型即可实现变压器碳足迹监测。

数字孪生变压器系统是基于数字孪生技术的应用系统，可以实时监测变压器的状态参数，提供碳足迹分析、故障诊断、预测维护等功能。下面是构建数字孪生变压器系统的基本过程（图 10-5）：

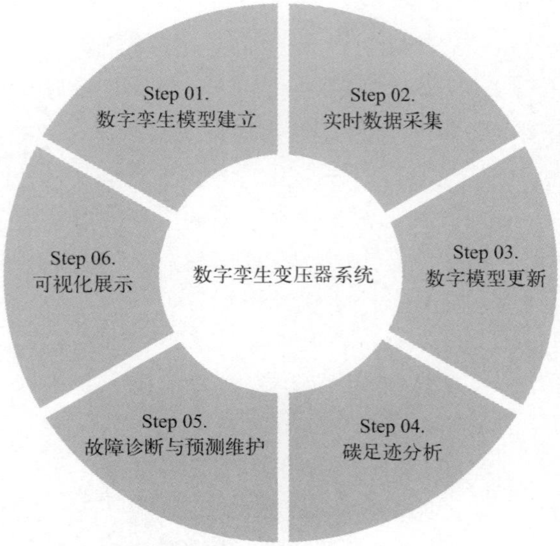

图 10-5　数字孪生变压器系统构建过程

① 数字孪生模型建立。使用编程语言和相关开发工具，建立数字孪生模型，包括变压器的物理模型和数字模型。物理模型是对变压器的实际形态和特性的描述，数字模型是对物理模型进行数值化处理和仿真的结果。

② 实时数据采集。通过传感器等设备采集变压器电流、电压、温度等参数的实时数据，用于更新数字模型。

③ 数字模型更新。根据采集到的实时数据，使用编程语言进行数字模型的更新，包括状态参数的实时监测、数值计算和仿真模拟。

④ 碳足迹分析。根据数字模型的分析结果，进行变压器的碳足迹分析，评估其碳排放情况，并提供优化建议。

⑤ 故障诊断和预测维护。根据数字模型的实时更新和分析，进行变压器的故障诊断和预测维护，提前发现和处理潜在的故障和问题，保证变压器的稳定性和安全性。

⑥ 可视化展示。使用 C# 开发工具进行可视化展示，将数字模型和实时数据转化为图形或图像，方便用户对变压器的运行状态进行监测和分析。

通过以上步骤，可以构建磁特性数字孪生变压器系统，实现对变压器的实时监测、碳足迹分析、故障诊断和预测维护等功能，为用户提供更加可靠和高效的服务。

10.3 生产系统虚拟调试

生产系统调试是指在实际制造环境中对整个生产系统进行测试、问题识别和优化的过程。这包括调整和验证机械设备、控制系统和自动化流程，以确保它们能够按照预期的方式协同工作。调试的目标是提高系统的稳定性、效率和质量，同时减少潜在的故障和生产中断，确保生产系统能够顺利运行并满足预定的生产目标。但在实际生产制造环境中，整个生产系统的实际测试调试过程常伴随着成本高昂、资源浪费、风险高等问题，研究学者们开始更偏向于通过虚拟调试发现生产系统中存在的问题。随着生产系统需求的不断变化与细分，传统的虚拟调试往往跟不上需求的快速变化发展，此时引入基于数字孪生技术的生产系统虚拟调试为研究学者们打开了新的优化方向，通过数字建模和虚拟集成，生产系统能够在仿真环境中经历全面的测试，识别潜在问题和瓶颈，优化系统性能，而无须在实际生产中进行昂贵的试错。这种方法不仅减轻了经济负担，还为调试工作提供了更灵活、可控的平台，有助于在生产系统投入运营之前就能够更好地确保其正常高效运行。基于数字孪生的生产系统虚拟调试利用数字孪生技术创建实时、高度仿真的数字模型，以模拟生产系统的运行和表现。通过在数字孪生环境中整合实际传感器和控制系统，该方法能够准确模拟生产过程中的各个阶段，并通过分析虚拟系统的性能来识别潜在问题和优化生产流程。这使得生产系统的调试和改进可以在虚拟环境中进行，从而最大程度地减少实际生产线上的风险和成本。下面将通过研究案例展示引入数字孪生技术对生产系统虚拟调试发展的效果。

10.3.1 基于数字孪生的数控机床虚拟调试

实际应用中，车间生产系统的调试包括多个环节和多个方面，其中数控机床的调试尤为重要，调试质量的好坏会直接影响其产品的加工。据统计，在实际应用中，传统实际控制器和执行器的调试过程占用了整个项目时间的25%，而且实际机器调试过程存在周期长、占用机器资源、浪费材料、风险大等缺点。因此，许多学者提出利用计算机仿真软件进行虚拟调试（Virtual Commissioning，VC），其具有安全、可控、可重复的特点，且对外部环境的依赖性较小，在设计阶段仅调试时间就可缩短75%。然而，传统的VC结果难以适应数控机床复杂多变的加工条件，因此，研究人员通过引入数字孪生技术提出了一种数字双驱动虚拟调试方法，在虚拟环境中模拟加工过程，进行虚拟调试，以获得较好的调试效果。

首先，采用多领域统一建模语言结合虚实映射策略构建数字孪生模型，描述计算机数控机床的响应特性；其次，基于孪生模型对复杂加工场景进行仿真，构建了虚拟调试策略和平台；最后，以数控机床主轴系统为例，验证了该方法的有效性。实验结果表明，采用数字孪生模拟运行场景的 VC 调试效果优于其他调试方法，响应时间明显缩短，总系统误差大大降低，由此可见数字孪生技术在生产系统调试中的重要作用。图 10-6 为数控机床数字孪生模型。

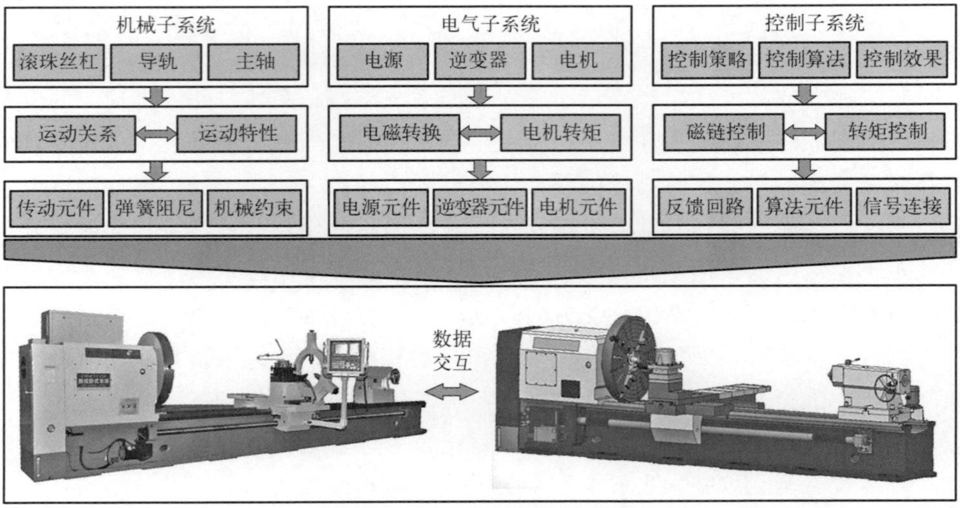

图 10-6　数控机床数字孪生模型

10.3.2　基于数字孪生技术的生产系统生产装置虚拟调试

随着工业 4.0 革命的发展，生产系统的设计改进对于制造业的发展至关重要，其生产的产品质量决定了制造商在市场上的竞争力。其中，生产装置的安装和调试对于建立高效的生产系统至关重要。然而，目前的调试方法经常面临诸如调试周期长、生产率低和智能有限等挑战，数字孪生技术的引入为解决生产系统调试中面临的挑战提供了新的优化方向，研究学者们提出了一种基于数字孪生技术利用增强现实技术进行生产调试的虚拟-真实融合调试方法，以此实现智能调试，优化生产系统的安装调试流程，提高生产效率。

首先，研究了一种虚拟-真实融合生产单元的数字孪生建模和工艺规划仿真方法；其次，通过增强现实技术实现生产过程的实时调试和融合显示；最后，将该方法应用于电机转子埋线生产装置的运行调试。结果表明，该系统可以在没有特定设备的情况下模拟整个生产逻辑和操作，同时对生产过程和产品状态进行可视化。此外，与传统的物理生产调试相比，该方法的调试周期明显缩短，大大节省空间成本。随后的应用验证了所提出的建模和融合调试方法的合理性，并为生产系统中的数字孪生建模和虚拟调试提供了实用的理论和方法指导。

通过创建实时、高度仿真的数字模型，数字孪生技术使得在虚拟环境中进行全面调试成为可能。这种技术不仅降低了实际调试过程的成本和风险，还允许在模拟中精确识别潜在问题、优化系统性能，并提前解决可能影响生产效率的挑战。通过数字孪生，生产系统的调试变得更加灵活和可控，有效减少了实际生产中的试错次数，最终加速了系统的投产过程，提高了整体生产效能。

数字孪生技术在生产系统虚拟调试方面的未来发展方向主要集中在提高模型的精确性、增强实时性和拓展应用领域。图 10-7 为生产装置的虚拟调试界面。未来，数字孪生模型将更加真实地反映实际生产系统的复杂性，整合更多的传感器数据和实时信息，以提高模拟的精确性和真实性。同时，数字孪生技术将更加注重实时数据的处理和反馈，使虚拟调试能够更及时地捕捉和响应生产系统中的变化。拓展应用领域方面，数字孪生技术将更广泛地应用于不同行业，包括制造业、能源领域、物流领域等，为更多生产系统提供高效的虚拟调试和优化解决方案。整体而言，数字孪生技术的未来发展将进一步推动生产系统调试的智能化、自动化水平，为工业生产提供更为可靠和创新的解决方案。

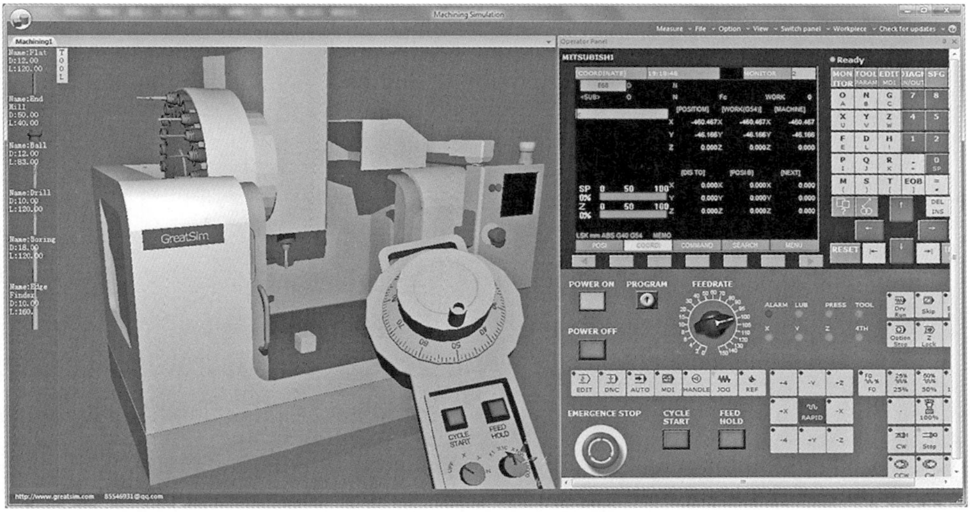

图 10-7 生产装置的虚拟调试界面

10.4 生产系统状态评估与健康诊断

生产系统状态评估和健康诊断在制造业中扮演着关键角色，是企业持续改进和提高效率的核心环节。通过实时监控和分析生产设备、工艺流程和资源利用等情况，企业能够更好地了解其生产系统的健康状况。这种评估和诊断方法有助于发现并解决生产过程中的问题，从而提高生产效率、降低成本，及时发现潜在瓶颈和效率低下的环节，可以帮助企业采取措施来改进生产流程，最大程度地利用资源，提高整体生产效率。针对设备的健康诊断能够预测潜在的故障并进行预防性维护，通过实时监测设备状态，企业可以避免不必要的停机时间和维修成本，并延长设备的使用寿命，从而减少生产中断对生产计划的影响。此外，这种方法也直接关联到产品质量。定期评估生产系统能够及时发现潜在的质量问题，并促使企业采取措施改善生产流程，确保产品达到高质量标准。

因此，生产型企业迫切需要实现精准的设备维修保障。面对工业装备结构功能复杂、退化条件多样、失效模式多样等特点，研究其性能退化规律和健康状态评估方法，及时评估设备健康状态，可以指导企业作出最优的支持决策，对企业开展精准支持具有重要意义。

10.4.1 数字孪生模型与智能算法融合驱动的工业设备健康状态评估

现有的设备健康状态评估研究成果大多仅给出了故障概率级别，无法解决何时设备发生故障、何时进行维护以达到最佳效率的问题，评估内容模糊，不能满足精确装备保障的要求。数字孪生技术与智能算法的融合应用为解决这一问题提供了解决思路。数字孪生技术与智能算法相结合，可以充分发挥数字孪生模型在掌握大量设备历史数据、实时数据、经验知识等方面的优势，充分发挥智能算法在通过机器学习寻找规则方面的优势，从而获得高精度的结果。

在数字孪生模型与智能算法融合驱动的设备健康状态评估过程中，数字孪生模型的物理层负责通过各种传感器与物理设备连接，获取最真实的原始数据，并将数据提供给孪生层。孪生层负责对获得的数据进行初步的统计分析，得到分析后的孪生数据并传送给应用层使用。应用层负责利用获取的孪生数据，通过智能算法完成健康状态评估任务。各层之间的信息传输是统一调度的，通过连接层传输。图 10-8 为基于数字孪生的装备保障模型。

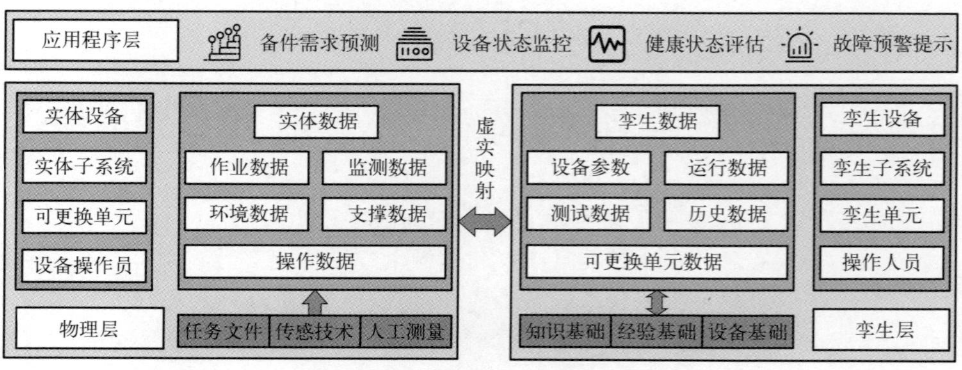

图 10-8　基于数字孪生的装备保障模型

10.4.2 基于数字孪生的航空发动机气路系统健康评估

目前，健康管理技术已广泛应用于多个领域，并取得了良好的效果。健康评估是健康管理中的一项关键技术。对航空发动机实施健康评估，不仅可以保证系统安全可靠运行，还可以优化维修决策，提高系统利用率，对保障飞行安全具有重要意义。然而，航空发动机具有结构复杂、故障耦合和状态非线性的特点，再加上采集手段、分析方法以及异常数据的局限性等诸多因素的制约，通过监测信息很难得到充分表征其运行状态的映射关系。为此，本案例提出了一种基于深度数字孪生的健康评估方法，可用于航空发动机运行状态的实时监测。其主要思路如下。

首先，对航空发动机建立多尺度仿真的机构模型，结合深度学习方法的动态学习和自优化优点，构建数据驱动模型进行数据预测，并将两者融合，实现航空发动机深度数字孪生。然后，利用数字孪生模型对航空发动机运行过程中产生的高维监测数据进行仿真。最后，提出了一种多尺度一维卷积神经网络模型对仿真数据进行分析，从而实时评估航空发动机的健康状态。通过对航空发动机传感器数据的仿真试验，验证了数字孪生模型具有较高的可靠性。通过仿真，这种模型与传统的模型相比具有更高的精度，从而表明该健康评估方法能准确反映航空发动机的健康状态，具有一定的实时性与较高的工程应用价值。

对设备的健康状态进行评估有多种方法：模糊综合评价、组合加权模型、贝叶斯网络模型等。这些方法大多是从定性角度或概率角度进行评价，评价结果相对模糊，不能满足装备保障精度的要求，但是利用数字孪生技术和智能算法融合驱动来对设备健康状态进行评估，可以达到更快、更精确、更灵活、更实用、更自动化的效果。

10.5 生产系统预测维护与运营决策

预测和健康管理（Prognostics and Health Management，PHM）在产品的生命周期监测中至关重要，特别是对于在恶劣环境中工作的复杂设备。随着信息物理系统（Cyber Physical System，CPS）的高速发展，重视虚拟空间、实现物理空间与虚拟空间的无缝融合，是提高复杂设备 PHM 能力的关键。通过构建复杂设备的通用数字孪生模型，研究学者们提出了一种基于数字孪生技术驱动 PHM 的新方法，有效地利用了数字孪生的相互作用机制和融合数据。下面将举例说明数字孪生技术在系统健康监测与预测性维护领域的应用。

10.5.1 数字孪生驱动风力发电机组的预测和健康管理

风力发电机组是一种将风能转化为电能的复杂设备。由于风力发电机组设计寿命长达数十年，其工作条件具有随机载荷、变扭矩和多尘环境的特点，因此大多数部件在运行过程中可能会发生故障。然而，一直访问风力发电机组是不切实际的。因此，可以通过数字孪生技术驱动的预测和健康管理来解决这个问题。图 10-9 为基于数字孪生驱动的风力发电机模型。

图 10-9 基于数字孪生驱动的风力发电机模型

以机组的齿轮为例，首先，建立数字孪生模型并进行校准，然后采集物理实体的实时状态和工况，将它们加载到虚拟设备中进行初始化和仿真，物理实体和虚拟设备保持交互，确保两者都能达到最新状态。然后，通过设定阈值，对物理实体和虚拟设备当前时刻的状态进行一致性判断和不一致性原因判断，从而判断对模型进行校准还是重新建模。随着物理实体的运行，性能会下降，设备退化，逐渐出现故障。在设备完全故障前，从退化数据中提取特征，训练预测模型，通过神经网络等方法将这些特征融合并与故障原因关联。在预测阶段，将实时数据中的特征输入到训练好的模型中，预测故障原因。最后，根据故障原因，选择对应的维护策略，将所选择的策略先在虚拟设备上执行验证，再在物理实体上执行。总之，PHM 过程必须通过融合从物理实体收集的信号和虚拟设备模拟的信号来考虑物理和虚拟两个方面。准确预测在 PHM 中尤为重要。使用数字孪生对预测的主要影响如下：

① 物理实体和虚拟设备中两个部分的偏差将反映不一致，并提供潜在故障发生的指示。

② 由于物理实体和虚拟设备的信号都可以得到并完全融合，因此可以更准

确地进行预测。

10.5.2 利用数字孪生技术实现机器组件剩余使用寿命的预测

剩余使用寿命（Remaining Useful Life，RUL）预测以机械零部件当前的使用状态为预测点，结合已知的结构特性、功能参数、工作条件及历史数据（包括状态监测记录、曾经发生过的故障及修复记录等），利用统计学方法以及智能算法等对已有数据进行综合分析，探究机械零部件性能退化规律，进而预测出机械零部件的RUL。这意味着如果没有历史数据，RUL是无法计算出来的。此外，现有的方法侧重于机器级的规则预测，而不是组件级的规则预测。由于现代机器的高度复杂性，RUL计算应该在组件级别进行。因此，可以使用数字孪生技术应对上述挑战。通过提供模型驱动的方法来填补这些空白，从而能够准确预测机器组件的RUL。基于物理的模型将用于模拟和分析机器的组件，包括影响其健康状态的物理现象。基于物理的模型允许利用有限的历史数据预测RUL，因为预测是基于模型内部的数学方程进行的。运用数字孪生技术，利用来自现实世界的数据在线更新基于物理的数字模型，确保机器的模拟功能尽可能接近真实功能。具体主要包括以下四个阶段：

① 机器的高级物理建模。除了机器的运动学和动力学特性外，一组虚拟传感器将被集成到机器的仿真模型中。

② 对基于物理实体的仿真模型进行同步调优并用于RUL的计算。对模型进行持续调整，避免其真实功能和模拟功能之间可能出现的偏差。

③ 使用传感器和机器控制器数据作为输入，基于物理模型进行模拟。

④ 将仿真结果与监测的机器数据相结合，预测机器的剩余使用寿命。

机器的状态可以通过基于物理模型的模拟来预测，而不需要像常见的预测性维护解决方案那样停止机器运行，并且各种预测方法都可以在很短的时间内循环执行，从而使与部件级机器状态相关的信息不断更新，同时，可以使用特定方法来支持用户在特定制造资源上分配特定任务。考虑到数字孪生的实施成本和复杂性，所提出的数字孪生驱动PHM方法将适用于工厂中高价值和主要设备的监测，并且必须有足够的数据进行数字孪生建模。

参考文献

［1］ 王金江，牛晓彤，黄祖广，等．数字孪生驱动的数控机床虚拟调试技术研究［J］．制造技术与机床，2022（10）：127-132．

［2］ 罗瑞平，盛步云，黄宇哲，等．基于数字孪生的生产系统仿真软件关键技

术与发展趋势［J］. 计算机集成制造系统，2023，29（06）：1965-1982.

［3］ Wang S，Wang Y，Liu X，et al. Health state assessment of industrial equipment driven by the fusion of digital twin model and intelligent algorithm［J］. Computational Intelligence and Neuroscience，2022，(1)：7324121.

［4］ Zhou L，Wang H，Xu S. Aero-engine gas path system health assessment based on depth digital twin［J］. Engineering Failure Analysis，2022，142：106790.

［5］ Tao F，Zhang M，Liu Y，et al. Digital twin driven prognostics and health management for complex equipment［J］. Cirp Annals，2018，67（1）：169-172.

［6］ Aivaliotis P，Georgoulias K，Chryssolouris G. The use of digital twin for predictive maintenance in manufacturing［J］. International Journal of Computer Integrated Manufacturing，2019，32（11）：1067-1080.

附　录

以下为 OPC UA 在 Unity3D 中的实现与开发代码：

```
using UnityEngine;
using System;
using TMPro;
using Opc.Ua;
using Opc.Ua.Client;
using OpcUaHelper;

/// <summary>
///需引入 OpcUaHelper 库
///本脚本仅用于展示 Opc Ua 通信的关键方法：服务器的连接/中断、节点值的读取/写入、节点内容变化事件的订阅与解除等
/// </summary>
public class MyOpcClient : MonoBehaviour
{
    /// <summary>
    /// OPC UA 客户端是否运行
    /// </summary>
    public bool IsWork;

    /// <summary>
    /// OPC UA 服务器地址 输入框
    /// </summary>
    public TMP_InputField OpcAdressInput;

    /// <summary>
    ///需要读取节点地址 输入框
    /// </summary>
    public TMP_InputField nodeId_read_Input;

    /// <summary>
    ///需要订阅节点地址 输入框
    /// </summary>
    public TMP_InputField nodeId_sub_Input;

    /// <summary>
    ///客户端状态信息显示
    /// </summary>
```

```
    public TMP_Text clientStateShow;

    /// <summary>
    ///节点状态信息显示
    /// </summary>
    public TMP_Text nodeStateShow;

    /// <summary>
    ///节点内容变化时间内容显示
    /// </summary>
    public TMP_Text changeTimeShow;

    /// <summary>
    ///节点读取结果输出显示
    /// </summary>
    public TMP_Text readResult;

    /// <summary>
    ///节点值写入结果输出显示
    /// </summary>
    public TMP_Text writeResult;

    /// <summary>
    /// 默认的 OPC UA 服务器地址信息(读者可自行调整)
    /// </summary>
    public string opcAddress = "opc.tcp://127.0.0.1:49320";

    /// <summary>
    ///基于 OpcUaHelper 的 OPC UA 客户端对象
    /// </summary>
    public OpcUaClient client;

    private void Awake()
    {
        client = new OpcUaClient();
    }

    private void Update()
    {
        IsWork = Convert.ToBoolean(res);
        if (isUpdateText)
        {
            nodeStateShow.text = res;
            changeTimeShow.text = changeDate;
            isUpdateText = false;
        }
    }
    private bool isUpdateText =  false;
    private string res;
```

```
    private string changeDate;

    /// <summary>
    ///连接 OPC UA 服务器
    /// </summary>
    public void ConnectOPCUAServer()
    {
        try
        {
            client.ConnectServer(OpcAdressInput.text);
            clientStateShow.text = client.Connected ? "connent" : "failure";
        }
        catch
        {
            clientStateShow.text =  "error";
        }
    }

    /// <summary>
    ///中断与 OPC UA 服务器的连接
    /// </summary>
    public void DisConnectOPCUAServer()
    {
        if (client.Connected)
        {
            client.Disconnect();
            clientStateShow.text = "DisConnent";
        }
        else
        {
            clientStateShow.text = "DisConnent already";
        }
    }

    /// <summary>
    /// 读取指定节点的值(此节点值类型为 BOOL 类型,需读者自行调整设置)
    /// </summary>
    public void ReadNodeInofrmation()
    {
        string nodeId = nodeId_read_Input.text;
        try
        {
            bool res = client.ReadNode< bool> (nodeId);
            readResult.text = res.ToString();
        }
        catch
        {
            readResult.text = "error";
        }
```

```
    }

    /// <summary>
    /// 给指定节点写入新值(此节点值类型为 BOOL 类型,需读者自行调整设置)
    /// </summary>
    /// <param name= "value"> 新值</param>
    public void WriteBoolValue(bool value)
    {
        string nodeId = nodeId_read_Input.text;
        try
        {
            client.WriteNode< bool> (nodeId, value);
            readResult.text =  string.Empty;
            writeResult.text =  $ "write {value} ok";
        }
        catch
        {
            readResult.text = "error";
        }
    }

    /// <summary>
    ///订阅监听指定节点内容变化事件
    /// </summary>
    public void SubscribeNode()
    {
        string nodeId = nodeId_sub_Input.text;
        client.AddSubscription("A", nodeId, SubCallback);
        //以下需用户自定义开发
        {
            //client.AddSubscription("B", nodeId, SubCallback);
            //client.AddSubscription("C", nodeId, SubCallback);
        }
        nodeStateShow.text = "sub ok";
    }

    /// <summary>
    ///移除对指定 KEY 值的订阅监听行为
    /// </summary>
    public void RemoveSubscribeNode()
    {
        //用不到节点信息,因为订阅的时候节点已经和 KEY 建立关系
        string nodeId = nodeId_sub_Input.text;
        try
        {
            client.RemoveSubscription("A");
            nodeStateShow.text ="remove sub ok";
            changeTimeShow.text ="stop";
        }
```

```
            catch
            {
                nodeStateShow. text = "error";
            }
        }

        /// <summary>
        ///指定节点内容变化事件和相关业务逻辑方法的绑定
        /// </summary>
        /// <param name= "key"> 用户可自定义 KEY,比如本例中 A、B 等</param>
        /// <param name= "monitoredItem"> </param>
        /// <param name= "args"> </param>
        private void SubCallback(string key, MonitoredItem monitoredItem, Monitored
ItemNotificationEventArgs args)
        {
            //如果有多个的订阅值都关联了当前的方法,可以通过 key 和 monitoredItem 来区分
            if (key. Equals("A"))
            {
                //业务 A:执行非 OPC UA 相关的业务逻辑方法等,用户可在此自定义开发
                MonitoredItemNotification notification =  args. NotificationValue as
MonitoredItemNotification;
                if (notification != null)
                {
                    res = notification. Value. WrappedValue. Value. ToString();
                    changeDate = DateTime. Now. ToString("G");
                    isUpdateText = true;
                }
            }
            if (key. Equals("B"))
            {
                //业务 B:执行非 OPC UA 相关的业务逻辑方法等,用户可在此自定义开发
            }
            if (key. Equals("C"))
            {
                //业务 C:执行非 OPC UA 相关的业务逻辑方法等,用户可在此自定义开发
            }
        }
    }
```